N
LA MANCHE
PICARDIE
Cherbourg
Le Havre
Beauvais
Rouen
Oise
Reims
Meuse
Metz
Nancy
NORMANDIE
PARIS
Marne
Chartres
Seine
Rennes
Orléans
BOURGOGNE
Blois
Loire
Dijon
Indre
Creuse
Saône
Lyon
AUVERGNE
Limoges
GUYENNE
Bordeaux
Dordogne
Garonne
LANGUEDOC
Rhône
GASCOGNE
Albi
Nîmes
Arles
PROVENCE
Aix
Toulouse
Marseille
ESPAGNE
LA MER
MEDITERRANEE

Initiation au français

Initiation au français

JOHN W. KNELLER

HENRY A. GRUBBS

SIMON BARENBAUM

Oberlin College

THE MACMILLAN COMPANY, *New York*

COLLIER-MACMILLAN LIMITED, *London*

Fourth Printing, 1966

Library of Congress catalog card number: 63-7451

The Macmillan Company, New York
Collier-Macmillan Canada, Ltd., Toronto, Ontario

Printed in the United States of America

ARTIST CHARLES W. WALKER

Preface

The aim of this beginning text is to enable the undergraduate to achieve a comprehension of living French, as it is spoken by natives; an ability to express himself in simple, clear sentences which a native will readily understand; considerable ease in reading French; and a modest capacity to write short essays in the language. Since an understanding of the rationale behind a book of this kind is important to its successful use, we have taken the liberty of discussing in some detail its organization and purpose.

1. The Texts

The book is divided into fifteen units. The first thirteen each contain two texts (*entretiens*) and one grammar study (*étude de grammaire*); the fourteenth and fifteenth each contain three texts and one grammar study.

The subject matter of the texts is drawn first from the everyday experience of the average American student. Accordingly, we have chosen as our "characters" five American students with a young Frenchman as their teacher. From their discussions in the classroom, in the corner restaurant, in New York during vacation, these students, whose different personalities are gradually developed, are able to reinforce their early learning by association with the objects around them and the situations in which they find themselves. After sixteen texts and eight grammar units, they reach the point where Monsieur Delavigne feels he can give them a lecture on the life and works of Albert Camus. This is the beginning of the cultural material, which later includes discussions of Voltaire, Daumier, Molière, Poussin, and the land in which these artists and writers lived. In this way, we bring France to the students before taking them to France. Towards the end of the book, however, the students do go to different parts of France (Provence, the Loire valley, Languedoc, Brittany, Paris), and each writes of his experiences to Monsieur Delavigne.

We have endeavored to make the texts as lifelike as possible, and for this reason did not feel it wise to limit ourselves arbitrarily to laconic exchanges of dialogue. Indeed, we have not hesitated, on certain occasions, to let Monsieur Delavigne speak for the entire period. At all times the language used is the spoken language, with the exception of the texts of the writers under dicussion.

A] THE VOCABULARIES

After each text, a complete vocabulary, arranged according to parts of speech, is given. Each vocabulary contains a list of useful expressions, and is followed by a table or list of new grammatical forms or structures. This systematic way of presenting vocabulary helps the student to assimilate it better. We decided against placing English translations opposite the text for two basic reasons. In the first place, we do not wish to suggest that word-for-word decoding is either desirable or possible. Secondly, the use of facing translations leads the student into the habit of looking over at the English, and this habit is not easily overcome. Such a habit is apt to place an English block in the path of direct oral and written expression in French.

B] THE QUESTIONS BASED ON THE TEXTS

Next follows a series of carefully selected questions. They are short in length, and elicit a single, unequivocal answer. The questions and answers provide the second step in the mastery of the text material.

C] THE DRILLS ACCOMPANYING THE TEXTS

The final step takes the form of pattern practice drills. Each of these drills concentrates on a single linguistic problem already introduced in the text. For each question or stimulus there is one single response, and the sentence required for that response will have been already used by the student in preparing the text and the questions and answers.

2. The Grammar Units

A] THE EXPLANATIONS

The presentation of the grammar is inductive. Wherever practical, we first show examples of forms or structures taken from the texts already studied. A brief, simple explanation in conventional terminology then follows. Tables and diagrams are used wherever they can be of help to the student. Needless to say, certain complicated structures have been omitted. On the other hand, the subjunctive is introduced as early as the eighth grammar unit, since, in its basic uses, it is very much alive in modern French. The *passé simple,* moreover, is introduced as early as the eleventh grammar unit, because a recognition of this tense is necessary for reading any *real French books,* and certain teachers may wish to interrupt their study of grammar at this point in order to begin reading short stories.

The explanations are presented in English in the interest of clarity; but for the benefit of teachers who may wish to discuss grammar in the target language, the French equivalents of the English grammatical terms are added both in the section headings, and, grouped in a table, in Appendix III. Excessive discussion of grammar should, however, be avoided. The explanations and the extensive drills should make most of this discussion superfluous.

B] THE GRAMMAR DRILLS

The grammar exercises complement those which accompany the texts. They too are of the pattern practice type (repetition, substitution, transformation, expansion, assimilation), and they are arranged in order of difficulty. A series of "teaching" drills is usually followed by an *exercice de synthèse,* in which the student can check his mastery of the structure under consideration. All these drills immediately follow the explanation of the structure, a convenient arrangement for the student as he prepares his lesson and reviews.

3. Added Features

A] FREE DISCUSSION, AND COMPOSITION

From the earliest lessons, suggestions and subjects are given for short, free discussions in class. In general, the teacher should allow time for this at frequent intervals, in order to provide variety and challenge. Topics for composition are given in the later texts.

B] THÈMES

A set of *thèmes* (English sentences to be translated into French), based on each text and grammar unit, has been provided in Appendix IV.

4. The Tapes

The entire book has been written with modern audio-lingual methods in mind. Accordingly, most of our exercises have been recorded on magnetic tapes available to classes using this book. The tapes include: (a) a "live" portrayal of the text; (b) stimulus-pause-response-pause programming of most of the questions and answers relating to the text, and of selected pattern drills.

5. Detailed Suggestions for Use

Two days will be normally required to master each text. A grammar study will take one or two days depending on the class. The class meeting five days per week will require about twenty weeks to complete the work. The class meeting three days per week will require the entire year to achieve the same goal.

In the early stages, a typical sequence might be planned as follows:

First day: (last 20–30 minutes) Presentation of first text.
Second day: Drill on questions and answers of first text.
Third day: Pattern drill of first text; (last 20–30 minutes) presentation of second text.
Fourth day: Questions and answers on second text.
Fifth day: Pattern drills on second text; review of any problems in any part of first two texts, or begin grammar drills.
Sixth day: Grammar drills; (last 20–30 minutes) presentation of third text.

Later on (and with some classes from the very beginning) an extra day should be added to complete the two texts and one grammar study. Such a day might conveniently be added at the end of the week's work for more grammar drill or explanation. At the very end, a total of three days may be required to master each text.

The programming of the work should be very flexible, and some teachers may want to take more or less time than is suggested here.

All the material of the texts should be presented in class before it is assigned as homework. The teacher should read the text aloud to the students, pointing out new structures and difficult words. He should make his explanations in French, using English equivalents only when unavoidable. The students may keep their books open while he is making his explanations. During the last ten minutes of the period, however, they should close their books, and repeat as he reads the text in short rhythmic groups.

Ideally, the student should prepare this lesson and all others in the language laboratory. He should first listen to the "live" portrayal of the text, with his book open. If he can stop and start his recorder, he should stop the machine at the end of each rhythmic group, and, with his book closed, repeat the text in the pauses. When he has mastered this phase of his study, he should proceed to answer the questions which are based on the text.

It is preferable that he answer these questions with his book closed, although some students may find that they must consult the text the first time through. *But under no circumstances should the student look at the questions while doing this part of his work.* His homework is finished when he can readily answer all the questions with his book closed.

If the student has no recorder, he should read the text aloud—first in small rhythmic groups, then in whole sentences—until he is able to do so smoothly. When he can do this and when he has fully understood the text, he should begin to answer the questions. When he can answer all the questions orally without looking at the text, he may consider himself well prepared.

The following class period is then devoted to the questions and answers based in the text. The teacher should go through the questions at least once, and the students should answer with their books closed. Later in the semester, he may divide the class into groups of two, with one student serving as "teacher" and making up questions, while the other gives the answers. This variant exercise should be done books closed. Complete sentences should be used at all times. During the last ten minutes of this period, the teacher may, if he feels it necessary, introduce drills based on this text.

The first half of the next class session should be spent on the drills, books closed. During the last half of this period, the teacher should present the material in the following text, and begin the two-day cycle again.

The placing of grammar drills immediately after the explanation of each linguistic structure enables the teacher to take up one problem at a time. English may be used—but only sparingly—during the grammar session.

When it is possible, classes should be held in the language laboratory once or twice a week, especially for the questions, answers and drills work. The first presentation of the texts and the grammar exercises should preferably be done in class, where the teacher can explain any difficulties.

John W. Kneller
Henry A. Grubbs
Simon Barenbaum

Oberlin, Ohio

NOTES TO THE STUDENT ON FRENCH PRONUNCIATION

The best way for you to acquire a good French pronunciation is to imitate as carefully as possible your instructor and the tapes that accompany this book. You will be speaking French in this course from your very first day. As you do so, make every effort to imitate the sounds you will hear; do not be satisfied with a rough approximation. Good pronunciation is acquired by a steady effort over a long period of time.

The remarks and exercises which follow are designed to help you to a good start. Your instructor may take up the entire treatment of pronunciation at the very beginning, or he may choose to spread out the work over a period of several weeks. In either case you yourself may return to these exercises whenever you feel the need for further concentrated practice on certain sounds.

FRENCH AND ENGLISH

Generally speaking, the difficulties you will encounter in the proper pronunciation of French stem in a very great measure from the habits you have acquired in speaking English. As you speak French in the weeks ahead, you will have to make a special effort so that your English speech habits will not get in the way of good French diction.

CHARACTERISTICS OF FRENCH SPEECH

Before we proceed to some of the practical exercises, you will find it helpful to bear in mind the main characteristics of French speech. These are: (1) tension; (2) fronting; (3) vowel anticipation.

1] *Tension*

English speech is said to be the most relaxed in the world. This feature can be detected if you listen carefully while any of your friends pronounces a word like *fate*. He will undoubtedly make a diphthong out of the vowel *a* (*e-i*), and a hissing sound as he enunciates the consonant *t* (*ts*).

All French vowels are *pure,* that is, they do not diphthongize. In order to avoid diphthongizing—or, to put it more positively, in order to maintain the purity of the French vowels—you must keep all your organs of speech (jaws, lips, tongue) in exactly the same position throughout the entire emission of the vowel sound. If you achieve this tension, and if you pronounce your vowels vigorously, you will find it much easier to avoid excessive aspiration after the consonants *p, t, k,* and *b, d, g.*

2] *Fronting*

In English your tongue curls up and contacts the hard palate in the front of the mouth. This tends to throw the sound back farther into the mouth cavity. (You can check this by pronouncing the English words, *bet, bell.*) In French your tongue will arch downwards at the tip and touch either the lower gums or the lower front teeth.

Your lips are relatively motionless as you pronounce vowels in English. In French, your lips are very active. You must learn to advance and round your lips for such vowels as *o* and *u,* and you must spread them wide apart for such vowels as *i* and *e.*

3] *Vowel anticipation*

In English you have a tendency to end all your syllables with a consonant sound. In French, however, you will almost invariably end your syllables with vowels. In English you would say, This-coat-is-wet. A Frenchman trying to repeat the same sentence after you might say, Thee-scoa-tee-swe-t. Therefore, anticipate your vowels even to the extent of placing your lips in the position to pronounce them before you pronounce a preceding consonant.

THE VOWEL

As we have already indicated, vowels play an important role in French speech. Indeed it has often been said, and rightly so, that if you take care of your vowels, your French pronunciation will take care of itself. For this reason we shall first take up the vowels, and later, the consonants. In the following diagram, we shall give you in the first column, the basic sound represented by a symbol of the International Phonetic Alphabet. As you undoubtedly know, the spelling of a given word in any language may differ quite widely from the way it is actually pronounced. English spelling is most capricious in this respect. French spelling, while it may seem strange at first, is remarkably consistent. You should learn to recognize the symbols of the IPA, for these will always represent the same sound. In the second column you will find the usual spelling of this sound. In the third column, you will find a series of words taken from our early lessons in which this sound appears.

VOWELS

IPA symbol	*Usual spelling*	*Examples of use*
i	i, y	ici, il, stylo
e	é, e, ai	répétez, allez, aller
ɛ	è, ê, e, ai	elle, sais, êtes
y	u	bureau, du, étudiant
ø	eu	jeudi, monsieur
œ	eu	professeur, choeur
u	ou	nous, où, ouverte
o	o, au	tableau, au, stylo
ɔ	o	porte, comment
a	a	classe, salle
ə	e	le, de, me
ɛ̃	ain, ein, in	quinze, voisin
œ̃	un	un, lundi
õ	on	bonjour, crayon
ã	an, en	français, comment

SEMI-VOWELS

j	y, i + vowel	bien, il y a
w	ou + vowel	oui, noir (nwar)
ɥ	u + vowel	suis, lui

CONSONANTS

p	p	professeur
b	b	bonjour
m	m	monsieur
t	t	tableau
d	d	dans
n	n	nous
k	c	comment
g	g	garçon
ɲ	gn	Delavigne
f	f	fenêtre
v	v	vous
s	s, c *before* e, i	salle
z	z, s (*between vowels*)	voisin
ʃ	ch	cherche
ʒ	j, g *before* e, i	jeune
l	l	livre
r	r	répondre, Mary, Bernard, sorte

ACCENT OR STRESS

In English, an accent or stress may fall on any syllable (POLitics, poLITical). In French, it always falls on the last syllable (le professEUR), of a rhythmic group, never in the middle of a word. In English it is loudness which makes a syllable stand out. In French it is the length of the accented vowel.

RHYTHM

The rhythm of the English sentence is made uneven by the irregular occurrence of accented syllables. The EMinent proFESSor SPEAKS to the STUdents. In French the rhythm is very regular. Take the following examples:

1] Le profes SEUR (1-2-3)
2] Le professeur émi NENT (1-2-3-4-5-6-7)
3] Le professeur émi NENT parle aux étu DIANTS (1-2-3-4-5-6-7, 1-2-3-4-5)

Note that in example (1) there are three even beats with the last vowel being prolonged. In example (2) the third syllable becomes short, and you should pronounce six even syllables, prolonging the last one only. In example (3) the sixth and eleventh syllables only are lengthened. In order to achieve evenness of rhythm you will find it helps to count out 1-2-3 etc., before pronouncing a given rhythmic group.

INTONATION

From the standpoint of intonation (the rise and fall in pitch of the voice), there are four basic sentence patterns.

A] Declarative statement

nard
Ber est
zanne dans la salle
Su
de classe

Suzanne Bernard est dans la salle de classe.

ture
la nourri est un problème
seph
Jo im
notre ami por
Pour
tant.

Pour notre ami Joseph, la nourriture est un problème important.

B] Question (Yes or No answer expected)

ici? de classe?
elle la salle
est- dans
Mlle Bernard il
est-
Monsieur Ford

C] Question (not to be answered by Yes or No)

Où
sommes-
nous?
Où
allez-vous
dimanche?

D] Command

Montrez-moi
le bureau
du professeur.
Répétez
cette
phrase.

Table of Contents

Le commencement du cours de français.

«1»

Le Commencement du cours de français

[*Le professeur, Jean Delavigne, un jeune Français; quinze étudiants. Scène: une classe de français d'une université américaine.*]

Le professeur: Bonjour, mesdemoiselles, messieurs.
Les étudiants: Bonjour, monsieur.
Le professeur: Comment allez-vous?
Les étudiants: Nous allons bien.
Le professeur: Première leçon de français. Nous sommes dans la salle de classe. Où sommes-nous?
Les étudiants: Nous sommes dans la salle de classe.
Le professeur: Mlle Morse . . . Mlle Morse, est-elle ici?
Mary Morse: Oui, monsieur, je suis ici.
Le professeur: Comment allez-vous, mademoiselle?
Mary Morse: Je vais bien.
Le professeur: Mlle Bernard . . . Mlle Bernard, est-elle ici?
Suzanne Bernard: Oui, monsieur.
Le professeur: Mlle Bernard, où êtes-vous?
Suzanne Bernard: Je suis dans la salle de classe.
Le professeur: Monsieur Ford, est-il ici? Oui? M. Ford, où êtes-vous?

Joseph Ford: Je ne sais pas.
[*Les étudiants rient.*]

Le professeur: M. Ford, répétez la phrase: Je suis dans la salle de classe, monsieur.

Joseph Ford: Je suis dans la salle de classe, monsieur.

Le professeur: Voici les noms des objets de la salle de classe. Voici la porte de la classe. Voici le bureau du professeur. Voici le fauteuil. Voici le tableau noir. Voilà les places des étudiants. Voilà les fenêtres. Maintenant, répondez en chœur: Où est la porte de la classe?

Les étudiants: Voilà la porte de la classe.

Le professeur: Où est le bureau du professeur?

Les étudiants: Voilà le bureau du professeur.

Le professeur: Où est le fauteuil?

Les étudiants: Voilà le fauteuil.

Le professeur: Où sont les places des étudiants?

Les étudiants: Voici les places des étudiants.

Le professeur: Où est le tableau noir?

Les étudiants: Voilà le tableau noir.

Le professeur: Où sont les fenêtres?

Les étudiants: Voilà les fenêtres.

Le professeur: Bon. Maintenant, répétons. Où êtes-vous?

Les étudiants: Nous sommes dans la salle de classe du cours de français.

Le professeur: M. Clark, où êtes-vous?

Albert Clark: Je suis dans la salle de classe du cours de français.

Le professeur: Et après le cours de français, où allez-vous d'habitude?

Joseph Ford et Albert Clark: Lundi, mercredi, et vendredi, nous allons au cours d'anglais.

Suzanne Bernard: Mardi, jeudi, et samedi, je vais au cours d'histoire.

Le professeur: Comment?

Joseph Ford: Elle va au cours d'histoire.

Albert Clark: Dimanche, je vais . . . à la maison.
[*La cloche sonne.*]

Le professeur: Voilà la cloche. Au revoir, mesdemoiselles, messieurs . . . et [*une des étudiantes est mariée*] madame!

Les étudiants: Au revoir, monsieur Delavigne.

VOCABULAIRE

Noms *

l'anglais *m.* English (language)
le bureau the desk
la classe the class
la cloche the bell
le commencement the beginning
la conversation the conversation
le cours the course
un étudiant, une étudiante a student
le fauteuil the armchair
la fenêtre the window
le français French (language)
 –**le Français** the Frenchman
une histoire a history, a story
la leçon the lesson
la maison the house
le nom the name, the noun
un objet an object
la phrase the sentence
la place the seat, the place
la porte the door
le professeur the professor
la salle de classe the classroom
la scène the scene
le tableau noir the blackboard
le vocabulaire the vocabulary

Jours de la semaine (days of the week)

lundi Monday
mardi Tuesday
mercredi Wednesday
jeudi Thursday
vendredi Friday
samedi Saturday
dimanche Sunday

Verbes

aller to go
 –**je vais** I go
 –**il (elle) va** he (she) goes
 –**nous allons** we go
 –**vous allez** you go
être to be
 –**je suis** I am
 –**il est** he is
 –**nous sommes** we are
 –**vous êtes** you are
 –**ils sont** they are
répéter to repeat
 –**répétez** repeat
 –**répétons** let us repeat
répondre to answer
 –**répondez** answer
rire to laugh
 –**les étudiants rient** the students laugh
savoir to know
 –**je sais** I know
 –**il (elle) sait** he (she) knows

Pronoms

je I
il he
elle she
nous we
vous you

Adjectifs

bon good
dix ten
jeune young
marié (*f.* **mariée**) married
premier (*f.* **première**) first

Articles, adverbes, conjonctions, prépositions

à to
après after
comment? what? I beg your pardon?

* The definite article is given with the noun in order to identify the gender. (For nouns beginning with a vowel we give the indefinite article in this first vocabulary only; later we have indicated gender in such nouns by the letters *m.* or *f.* following the definite article and the noun.) The student should learn the proper article along with the noun.

Articles, adverbes, conjonctions, prépositions (suite)

dans in
de of
 –**de la, du, des** of the
ensuite then, next
et and
ici here
le, la, les the
maintenant now
ne . . . pas not
où where
oui yes
un (*f.* **une**) a, an, one

Expressions diverses

au revoir goodby
bonjour good day, good morning, hello
d'habitude usually
madame (*pl.* **mesdames**) Mrs., Madam
mademoiselle (*pl.* **mesdemoiselles**) Miss
à la maison home
monsieur (*pl.* **messieurs**) Mr., Sir
voici here is, here are
voilà there is, there are
Comment allez-vous? How are you?
 –**je vais** (**elle va, nous allons**) **bien** I am (she is, we are) fine
en chœur in unison, all together

EXERCICES

A. Répondez en français d'après le texte. (Answer in French according to the text.)

1. Bonjour, monsieur.
2. Comment allez-vous?
3. Comment va Mary Morse?
4. Bonjour, mesdemoiselles, messieurs, comment allez-vous?
5. Où sommes-nous?
6. Où êtes-vous?
7. Où est Mlle Morse?
8. Où est Mlle Bernard?
9. Où est M. Ford?
10. Où est M. Delavigne?
11. Maintenant, répétons: Où êtes-vous?
12. Après le cours de français, où allez-vous lundi, mercredi, et vendredi?
13. Où va Mlle Bernard mardi, jeudi, et samedi?
14. Où allez-vous dimanche?
15. Au revoir, mesdemoiselles et messieurs!

B. Montrez-moi (show me) en disant *voici* ou *voilà*.

EXEMPLE

Le professeur: Montrez-moi la porte de la classe.
L'étudiant: Voici la porte de la classe.

1. Montrez-moi le bureau du professeur.
2. Montrez-moi le fauteuil.
3. Montrez-moi le tableau noir.
4. Montrez-moi les places des étudiants.

5. Montrez-moi la fenêtre.
6. Montrez-moi les fenêtres.
7. Montrez-moi la porte de la salle de classe.
8. Montrez-moi les portes de la salle de classe.
9. Montrez-moi les étudiants.
10. Montrez-moi les étudiantes.

C. Exercice sur le verbe *être* (drill on the verb *être*): Le professeur donne le sujet et l'étudiant complète la phrase. (The teacher gives the subject and the student completes the sentence.)

EXEMPLE

Le professeur: Joseph.
L'étudiant: Joseph est dans la salle de classe.

1. Je
2. Joseph
3. Albert
4. M. Ford
5. M. Clark
6. Mary
7. Suzanne
8. Mlle Morse
9. Nous
10. Vous

D. Exercice sur le verbe *aller* (drill on the verb *aller*): Mêmes indications (same instructions).

EXEMPLE

Le professeur: Joseph.
L'étudiant: Joseph va au cours d'histoire.

1. Je
2. Joseph
3. Albert
4. M. Ford
5. M. Clark
6. Mary
7. Suzanne
8. Mlle Bernard
9. Nous
10. Vous

E. Les étudiants se divisent en groupes de cinq et répètent le dialogue. (The students form groups of five and repeat the dialogue.)

"Il y a un stylo, un livre
et un crayon sur le bureau."

«2»

Comment vous appelez-vous?

[*Scène: la classe de français une semaine plus tard.*]

Le professeur [*A Mary Morse*]: Comment vous appelez-vous, mademoiselle?

Mary Morse: Pardon, monsieur, je ne comprends pas.

Le professeur: Ah! Alors posez-moi la question: "Comment vous appelez-vous?"

Mary Morse: Comment vous appelez-vous?

Le professeur: Je m'appelle Jean Delavigne. Maintenant, vous, mademoiselle, comment vous appelez-vous?

Mary Morse: Je m'appelle Mary Morse.

Le professeur: Vous, M. Ford, comment vous appelez-vous?

Albert Clark: Je ne m'appelle pas Ford, monsieur, je m'appelle Albert Clark.

Le professeur [*A Albert Clark*]: Oh pardon! Demandez à votre voisine comment elle s'appelle.

Albert Clark: Monsieur, comment vous appelez-vous?

Le professeur: Non, M. Clark. Pas à votre voisin, à votre voisine . . . voisine!

Albert Clark: Ah! je comprends! [*A Suzanne Bernard*]: Mademoiselle, comment vous appelez-vous?

Suzanne Bernard: Je m'appelle Suzanne Bernard.

Le professeur: Mademoiselle Bernard, avez-vous un stylo?

Suzanne Bernard: Oui, monsieur, j'ai un stylo.

Le professeur: Montrez-moi le stylo.

Suzanne Bernard: Voici le stylo.

Le professeur [*A la classe*]: Montrez-moi le stylo de mademoiselle Bernard.

Les étudiants: Voilà le stylo de mademoiselle Bernard.

Le professeur: Il y a un stylo, un livre, et un crayon sur le bureau. Voilà le stylo, voilà le livre, et voilà le crayon. Monsieur Ford (vous vous appelez Ford, n'est-ce pas, monsieur?), voyez-vous les objets sur le bureau?

Joseph Ford: Je vois le livre et le stylo, mais je ne vois pas le crayon.

Le professeur: Je cherche le crayon. Ah! je trouve le crayon. Il est derrière le livre. Voici le crayon. Voyez-vous le crayon maintenant?

Joseph Ford: Ah! Oui! je vois le crayon maintenant. Voilà le crayon.

Le professeur: Mademoiselle Bernard, voilà la porte de la salle de classe. Voyez-vous la porte de la salle de classe?

Suzanne Bernard: Oui, monsieur, je vois la porte de la salle de classe.

Le professeur: Est-elle ouverte ou fermée?

Suzanne Bernard: Elle est fermée.

[*La cloche sonne. Le professeur ouvre la porte.*]

Le professeur: Maintenant, Mlle Morse, est-elle ouverte ou fermée? Je veux dire la porte de la salle de classe.

Mary Morse: Oh! vous voulez dire la porte de la salle de classe. Elle est ouverte maintenant.

Le professeur: Fermez vos livres. Au revoir.

VOCABULAIRE

Noms

le crayon the pencil
le livre the book
la semaine the week
le stylo the pen
le voisin, la voisine the neighbor, the person next to one

Verbes

appeler to call
 –**s'appeler** to be called, to be named
avoir to have
 –**j'ai** I have
 –**avez-vous** do you have?
chercher to look for, hunt for
comprendre to understand
 –**je comprends** I understand
demander to ask
fermer to close, shut
 –**fermé** closed, shut
montrer to show
ouvrir to open
 –**ouvert** open
poser to place
 –**poser une question** to ask a question
trouver to find
voir to see
 –**voyez-vous** do you see?
 –**je vois** I see
vouloir to wish

Adjectifs, adverbes, prépositions, pronoms

alors then
comment? how?
derrière behind
mais but
ou or
pas not
plus tard later
votre *m.* and *f. sing.* your
 –**vos** *m.* and *f. pl.* your

Expressions diverses

comment vous appelez-vous? what is your name?
 –**je m'appelle . . .** my name is . . .
 –**il s'appelle . . .** his name is . . .
 –**ils (ou elles) s'appellent . . .** their name is . . .
il y a there is, there are
n'est-ce pas? don't you? doesn't he? etc.
pardon pardon me, excuse me
vouloir dire to mean
 –**vous voulez dire** you mean
 –**je veux dire** I mean

EXERCICES

A. Donnez une réponse convenable en français. (Give an appropriate answer in French.)

1. Comment s'appelle le professeur?
2. Comment s'appellent les deux étudiants de la classe de français?
3. Comment s'appellent les deux étudiantes de la classe de français?
4. Comment vous appelez-vous?
5. Comment s'appelle votre voisin?
6. Comment s'appelle votre voisine?
7. Comment s'appellent vos voisins?
8. Comment s'appellent vos voisines?

B. Montrez-moi (show me) en disant *voici* ou *voilà*.

EXEMPLE

Montrez moi une porte de la classe.
Voici une porte de la classe.

1. Montrez-moi un stylo.
2. Montrez-moi un crayon.
3. Montrez-moi un livre.
4. Montrez-moi une fenêtre.
5. Montrez-moi une porte.
6. Montrez-moi un bureau.
7. Montrez-moi un tableau noir.
8. Montrez-moi un fauteuil.
9. Montrez-moi un étudiant.
10. Montrez-moi une étudiante.

C. Exercices sur la construction *il y a*.

EXEMPLE

Le professeur: Une fenêtre.
L'étudiant: Il y a une fenêtre dans la salle de classe.

1. Quinze places.
2. Une porte.
3. Un bureau.
4. Un tableau noir.
5. Un fauteuil.
6. Un étudiant.
7. Une étudiante.
8. Quinze étudiants.

EXEMPLE

Le professeur: Un stylo.
L'étudiant: Il y a un stylo sur la table du professeur.

1. Quinze stylos.
2. Un crayon.
3. Un livre.

D. Répondez affirmativement aux questions suivantes. (Answer the following questions affirmatively.)

EXEMPLE

Un étudiant: Vous appelez-vous Joseph Ford?
Un autre étudiant: Oui, je m'appelle Joseph Ford.
Un étudiant: Savez-vous comment il s'appelle?
Un autre étudiant: Oui, je sais comment il s'appelle.

1. Vous appelez-vous Mary Morse?
2. Vous appelez-vous Albert Clark?
3. S'appelle-t-elle Suzanne Bernard?
4. S'appelle-t-il Ford?
5. S'appelle-t-elle Bernard?
6. Savez-vous comment il s'appelle?
7. Savez-vous comment elle s'appelle?

8. Sait-il comment je m'appelle?
9. Sait-elle comment je m'appelle?
10. Voyez-vous le stylo?
11. Voyez-vous le tableau noir?
12. Voyez-vous la porte?
13. La porte est-elle fermée?
14. La fenêtre est-elle ouverte?

E. Exercice sur le verbe *appeler*.

EXEMPLE

Le professeur: Demandez à votre voisin (voisine) comment il (elle) s'appelle.
Un étudiant: Comment vous appelez-vous?
Un autre étudiant: Je m'appelle Albert Clark, etc.

Le professeur fait maintenant le tour de la classe. (The teacher now goes around the class.)

ETUDE DE GRAMMAIRE (*Grammar Study*) I

1. The Noun (*Le Nom*)

A. GENDER (*Le Genre*)

All French nouns are either of the *masculine* or the *feminine* gender. There is no simple way of determining the gender of most nouns (those denoting animals, things and ideas). The gender must be learned. The best way of doing this is to use the proper article with each noun. Nouns denoting human beings are, with few exceptions, masculine or feminine according to sex.

masc.	*fem.*
le fauteuil	la porte
le rat	la girafe
le gouvernement	la justice
le père, the father	la mère, the mother

B. NUMBER (*Le Nombre*); THE PLURAL OF NOUNS (*Le Pluriel des noms*)

In French a noun may be either singular (singulier) or plural (pluriel). A singular noun denotes one being, thing, or idea; a plural noun denotes more than one. The *plural* of most French nouns is formed by adding *-s* to the singular.

sing.	*pl.*
le *fauteuil*	les *fauteuils*
la *porte*	les *portes*

2. The Definite Article (*L'Article défini*)

A. SIMPLE FORMS (*Formes simples*)

The definite article in French has the following simple forms:

sing.		*pl.*
masc.	*fem.*	*masc. and fem.*
le père	*la* mère	*les* parents

When *le* or *la* precedes a word beginning with a vowel or a mute *h*,* the *e* or *a* is dropped and is replaced by an apostrophe. (This is one example of what is called elision.)

*l'*objet
*l'*étudiante

B. CONTRACTED FORMS (*Les Formes contractées*)

When the prepositions *à* and *de* are followed by the articles *le* and *les* they contract to form one word. *A* and *le* give *au*, *à* and *les* give *aux*, *de* with *le* forms *du* and *de* with *les* forms *des*. *A* and *de* do not contract with *la* and *l'*.

au père de Jean
aux pères *des* étudiants
le livre *du* professeur
à la mère *des* professeurs
au père *de l'*étudiant et *de l'*étudiante

3. The Indefinite Article (*L'Article indéfini*)

The indefinite article in French has the following forms:

masc.	*un* père, *un* étudiant	a father, a student
fem.	*une* mère, *une* étudiante	a mother, a student

Exercices

I. Le professeur donne un nom. L'étudiant donne une phrase qui commence avec *Nous allons* . . . et il donne la forme convenable (*au, à la, à l'*, ou *aux*). (The teacher gives a noun. The student gives a sentence which begins with *Nous allons* . . . and gives the correct form.)

EXEMPLE

Le professeur: Le cours d'histoire.
L'étudiant: Nous allons *au* cours d'histoire.

1. le cours d'anglais
2. le bureau
3. le fauteuil du professeur
4. la fenêtre

*Mute *h* (*h muet*) is not pronounced and does not prevent elision of a preceding vowel. Aspirate *h* (*h aspiré*), found in a few words, mainly of Germanic origin (such words are identified in the vocabularies by the symbol '), is not pronounced, either, but prevents elision of a preceding vowel.

5. la salle de classe
6. la maison
7. l'université
8. les places des étudiants

II. Même exercice, mais l'étudiant commence la phrase avec *Il pose une question à. . . .* (Same exercise, but the student begins the sentence with *Il pose une question à. . . .*)

1. la voisine
2. l'étudiant
3. l'étudiante
4. le voisin
5. le professeur
6. les voisins
7. les étudiants
8. les voisines

III. Le professeur donne un nom. L'étudiant donne une phrase qui commence avec *Voyez-vous le livre . . .* et il ajoute la forme convenable (*du, de la, de l',* ou *des*). (The teacher gives a noun. The student gives a sentence which begins with *Voyez-vous le livre . . .* and adds the proper form.)

EXEMPLE

Le professeur: Le professeur.
L'étudiant: Voyez-vous le livre du professeur?

1. la voisine
2. l'étudiant
3. l'étudiante
4. l'Américain
5. le Français
6. le voisin
7. les étudiants
8. les professeurs

4. The Personal Pronoun Subject of the Verb (*Le Pronom personnel sujet du verbe*)

The personal forms of French verbs must have a subject, either a noun or a pronoun. The pronoun subjects are as follows:

	sing.	*pl.*
masc. and fem.	*je* vais, I go	*nous* allons, we go
masc. and fem.	*tu* vas, you go	*vous* allez, you go
masc.	*il* va, he or it goes	*ils* vont, they go
fem.	*elle* va, she or it goes	*elles* vont, they go

5. Present Indicative of the Auxiliaries *avoir* and *être* and of the Irregular Verb *aller* (*Le Présent de l'indicatif* d'avoir, d'être et d'aller)

sing.	*pl.*
	AVOIR, to have
J*'*ai* un fauteuil.	Nous *avons* un fauteuil.
Tu *as* un stylo.	Vous *avez* un stylo.
Il *a* un crayon.	Ils *ont* un crayon.
Elle *a* un crayon.	Elles *ont* un crayon.
	ETRE, to be
Je *suis* professeur.	Nous *sommes* voisins.
Tu *es* étudiant.	Vous *êtes* Français.
Il *est* étudiant.	Ils *sont* étudiants.
Elle *est* étudiante.	Elles *sont* étudiantes.
	ALLER, to go
Je *vais* à la fenêtre.	Nous *allons* au cours d'anglais.
Tu *vas* à la porte.	Vous *allez* au bureau.
Il *va* à New York.	Ils *vont* à Paris.
Elle *va* à Boston.	Elles *vont* à Versailles.

As you have seen in the text, the use of *tu* and its corresponding forms is restricted to members of a family, children, and close friends. It is also used to address animals. If more than one person is designated, *vous* is used in all instances.

You will also have noticed that the third person singular subject pronouns, *il* and *elle,* are translated as not only "he" and "she," respectively, but also as "it." This is because there is no French personal subject pronoun corresponding exactly to the English "it." As the subject, "it" is either *il* or *elle,* depending on the gender of the thing referred to.

Exercices

IV. Mettez au pluriel. (Change to the plural.)

EXEMPLE

Le professeur: Je suis dans la salle de classe.
L'étudiant: Nous sommes dans la salle de classe.
Le professeur: Il (elle) va au cours de français.

* *Je* becomes *j'* before a vowel.

L'étudiant: Ils (elles) vont au cours de français.
Le professeur: L'étudiant est derrière la porte.
L'étudiant: Les étudiants sont derrière la porte.

1. *J'ai* un livre.
2. *Je suis* derrière la porte.
3. *Je vais* à la fenêtre.
4. *Tu as* le livre du professeur.
5. *Tu es* dans la salle de classe.
6. *Tu vas* à Philadelphie.
7. *Elle a* le stylo de Joseph.
8. *Il est* à la porte.
9. *Elle va* à Paris.

V. Mettez au singulier. (Change to the singular.)

1. *Nous avons* le stylo de Mary.
2. *Elles sont* derrière la fenêtre.
3. *Vous allez* à Paris.
4. *Ils ont* un livre.
5. *Nous allons* au cours d'anglais.
6. *Vous avez* un fauteuil.
7. *Nous sommes* étudiants.
8. *Vous êtes* Français.
9. *Elles vont* à Boston.

6. **Interrogation** (*L'Interrogation*)

In French, questions are asked in the following ways:

A. INVERSION

1. When the subject of the verb is a pronoun, the verb and pronoun are inverted and a hyphen is placed between them.

Voyez-vous les objets sur le bureau?
Etes-vous ici?
Avez-vous un stylo?

When the verb ends in a vowel and the pronoun is *il* or *elle*, *-t-* is placed between the verb and the pronoun.

A-t-il un stylo?
Va-t-il à New York?

2. When the subject of the verb is a noun, it remains before the verb, and a pronoun of the same gender and number as the subject is placed after the verb. This pronoun is connected to the verb with a hyphen, and *-t-* is used before *il* or *elle*, when the verb ends in a vowel.

Mademoiselle Bernard est-elle ici?
Le stylo est-il sur le bureau?

Mary a-t-elle un crayon?
Les professeurs sont-ils dans la salle de classe?
Les étudiantes vont-elles au cours d'anglais?

B. USE OF THE INTERROGATIVE ADVERBS "COMMENT?" AND "OÙ?"

When the sentence begins with the interrogative adverbs, *comment?* how, and *où?* where, the pronoun subject is placed after the verb.

Comment allez-vous?
Comment vous appelez-vous?

If the subject is a noun and the verb has no object, the subject is placed after the verb. If there is an object, the rule given in 6, A, 2 is followed.

Où est Mademoiselle Bernard?
Où va la classe maintenant?
Où le professeur trouve-t-il le crayon?

C. USE OF "EST-CE QUE?"

In informal speaking, questions are often asked by placing the expression *est-ce que?* (literally "is it that?") before a statement in regular word order.

Est-ce que Mademoiselle Bernard est ici?
Est-ce que vous voyez le crayon?
Est-ce que le crayon est sur le bureau?
Est-ce que les fenêtres sont fermées?

This widely used construction, optional in most cases, is required for questions in the first person singular.

Est-ce que je vais à Paris?
Est-ce que je m'appelle Albert?

D. USE OF "N'EST-CE PAS?"

When an affirmative answer is expected (or called for), a sentence may be made interrogative by placing at the end *n'est-ce pas?* (literally "is it not so?" but really corresponding to English "don't I?" "doesn't he?" "haven't we?" "didn't they?" etc.).

Vous voyez le crayon maintenant, n'est-ce pas?
Il y a un stylo sur le bureau, n'est-ce pas?

Exercice

VI. Mettez les phrases suivantes à la forme interrogative. (Make the following sentences interrogative.)

EXEMPLE

Le professeur: Je suis dans la salle de classe.
L'étudiant: Est-ce que je suis dans la salle de classe?
Le professeur: Le professeur a le stylo.
L'étudiant: Le professeur a-t-il le stylo?

1. Je vois le professeur.
2. Je vais à San Francisco.
3. Vous avez le crayon.
4. Vous voulez dire la porte de la salle de classe.
5. Vous voyez le livre d'Albert.
6. Il a un voisin.
7. Elle a une voisine.
8. Ils vont au tableau noir.
9. Elles vont au cours de mathématiques.
10. Tu es derrière le bureau.
11. Nous avons un crayon et un stylo.
12. Le professeur a le stylo.
13. Le crayon est sur le bureau.
14. La porte est ouverte.
15. L'étudiant va à la fenêtre.
16. Les étudiants vont au cours d'anglais.
17. Mary et Suzanne sont ici.
18. Je m'appelle Joseph.
19. Le professeur s'appelle Jean.
20. Ma voisine s'appelle Suzanne.

VII. Le professeur donne une phrase. L'étudiant formule la question qui correspond à la phrase du professeur. (The teacher gives a sentence. The student formulates a question corresponding to the instructor's sentence.)

EXEMPLE

Le professeur: Oui, je suis dans la salle de classe.
L'étudiant: Etes-vous dans la salle de classe?

1. Oui, la fenêtre est ouverte.
2. Oui, la porte est fermée.
3. Oui, je vois le stylo.
4. Oui, Mademoiselle Bernard est ici.
5. Oui, vous êtes dans le cours d'anglais.
6. Oui, elle comprend.
7. Oui, je vois les objets sur le bureau.
8. Oui, je sais comment elle s'appelle.

VIII. Même exercice que VII. L'étudiant commence sa question avec: *où, comment.* (Same exercise as VII. The student begins his question with: *où, comment.*)

EXEMPLE

Le professeur: Je suis dans la salle de classe.
L'étudiant: *Où* êtes-vous?

1. Le professeur est dans la salle de classe.
2. Je m'appelle Albert Clark.
3. Le livre est sur le bureau.
4. Voilà les places des étudiants.
5. Elle s'appelle Suzanne Bernard.
6. Monsieur Clark est derrière Mademoiselle Bernard.

7. Negation (*La Négation*)

A sentence is made negative by placing *ne* (which becomes *n'* before a vowel or a mute *h*) before the verb and *pas* after it.

je	ne	sais	pas	
il	n'	a	pas	le crayon
Mary	ne	voit	pas	le stylo

IX. Mettez les phrases de l'exercice VI à la forme négative. (Make the sentences in exercise VI negative.)

EXEMPLES

Le professeur:	Je		suis		dans la salle de classe.
L'étudiant:	Je	ne	suis	pas	dans la salle de classe.
Le professeur:	Joseph		a		le stylo d'Albert.
L'étudiant:	Joseph	n'	a	pas	le stylo d'Albert.

X. Exercice sur les verbes *avoir, être, aller*. Changez le sujet et la forme du verbe. (Exercise on the verbs *avoir, être, aller*. Change the subject and the form of the verb.)

EXEMPLE

Le professeur: Mary *va* à San Francisco. Et vous?
L'étudiant: Je *vais* à San Francisco.

1. Suzanne va à Philadelphie. Et vous?
2. Le professeur va au cours d'anglais. Et les étudiants?
3. Mlle Bernard est dans la salle de classe. Et vous?
4. Je vais au tableau noir. Et l'étudiant?
5. Les fenêtres de la salle de classe sont ouvertes. Et la porte?
6. Albert a les stylos. Et Mary et Suzanne?
7. Nous allons au cours d'histoire. Et Joseph?
8. Nous sommes au tableau noir. Et Suzanne?
9. Les crayons sont derrière le livre. Et le stylo?
10. Joseph va à New York. Et vous, Albert et Mary?
11. Je suis à la porte. Et vous, les étudiants?
12. Tu as les livres. Et Albert?

XI. Même exercice que X, mais répondez à la forme négative. (Same exercise as X, but answer in the negative.)

EXEMPLE

Le professeur: Mary va à San Francisco. Et vous?
L'étudiant: Je ne vais pas à San Francisco.

8. *Voici, voilà, il y a*

Voici, here is, here are, and *voilà,* there is, there are, are used to point (literally or figuratively) to something near and to something less near, respectively. *Il y a,* there is, there are, does not point to, but merely indicates the existence or presence of persons or things.

Il y a un stylo et un crayon sur le bureau. Voici le stylo; voilà le crayon.
Voilà le bureau du professeur.
Voilà la fenêtre.
Voici les livres du professeur.

"Je suis un fils du soleil."

«3»

Il fait beau aujourd'hui

[*Le professeur entre en classe, souriant.*]

Le professeur: Bonjour mesdemoiselles, bonjour messieurs!

Suzanne Bernard: Bonjour monsieur! De quoi parlons-nous aujourd'hui?

Le professeur: Parlons du temps. Nous avons de la chance, il fait beau aujourd'hui. Le ciel est bleu, le soleil brille . . . il fait doux, il fait chaud. Voilà mon temps préféré. Je suis un fils du soleil! [*A Suzanne Bernard*] Et vous, mademoiselle, quel temps préférez-vous?

Suzanne Bernard: Je préfère un beau temps chaud, mais j'aime aussi un ciel gris de novembre avec des nuages. Il pleut. Il fait du vent. . . .

Albert Clark: Arrêtez, mademoiselle, j'ai froid! Fermez les fenêtres!

Suzanne Bernard [*commence à rougir*]: J'écoute trop mon imagination. J'ai tort!

Le professeur: Mais non, mademoiselle. Ne rougissez pas! Vous avez raison. Laissez les fenêtres ouvertes, nous avons trop chaud. Monsieur Clark, si vous avez peur du mauvais temps, mettez votre imperméable!

Mary Morse [à son voisin Joseph Ford]: Ecoutez! Entendez-vous les chansons des oiseaux? Sommes-nous en automne ou sommes-nous au printemps?

Joseph Ford: Moi, j'attends l'été parce que c'est ma saison favorite. Je suis patient mais déterminé.

Mary Morse: Que dites-vous? Pourquoi ne répondez-vous pas à ma question? Sommes-nous en automne ou au printemps?

Joseph Ford: Mais vous savez bien en quelle saison nous sommes. En automne! Et après l'automne, vient l'hiver avec sa pluie, sa neige, son froid et ses rhumes. Je déteste l'hiver.

Albert Clark: Mais en hiver, on fait du ski. N'oubliez pas le ski, mon sport favori.

VOCABULAIRE

Noms

la chance luck
la chanson song
le ciel sky
le fils son
l'imagination *f.* the imagination
l'imperméable *m.* the raincoat
la neige the snow
novembre *m.* November
le nuage the cloud
l'oiseau *m.* the bird
la peur fear
  –avoir peur to be afraid
la pluie the rain
la raison the reason
  –avoir raison to be right
le rhume the cold (illness)
la saison the season
le ski the ski, skiing
le soleil the sun
le temps the weather
le tort the wrong
  –avoir tort to be wrong
le vent the wind

Les quatre (four) *saisons*

le printemps spring
  –au printemps in the spring
l'été *m.* summer
  –en été in summer
l'automne *m.* autumn
  –en automne in autumn
l'hiver *m.* winter
  –en hiver in winter

Pronoms

on one, you, they, etc.
moi me

Verbes

aimer to like, love
  –aimer mieux to like better, to prefer

Verbes (*suite*)

arrêter to stop
attendre to wait for, await
briller to shine
commencer to begin
détester to detest
dire to say
  –**que dites-vous?** what are you saying?
écouter to listen to
entendre to hear
entrer to enter, to go in
faire to make, do
  –**il fait** (with expressions of weather) it is
laisser to leave, let
mettre to put on
  –**mettez** put on!
oublier to forget
parler to speak
pleuvoir (*impersonal verb*) to rain
  –**il pleut** it rains, is raining
préférer to prefer
rougir to blush
savoir to know
  –**vous savez** you know
sourire to smile
  –**souriant** smiling
venir to come
  –**vient** comes

Adjectifs

beau beautiful, (of weather) fine
bleu blue
chaud warm
  –**avoir chaud** to be warm
déterminé determined
doux mild
favori (*f.* **favorite**) favorite
froid cold
  –**avoir froid** to be cold
gris gray
mauvais bad
patient patient
quel? (*f.* **quelle?** *m. pl.* **quels?** *f. pl.* **quelles?**) what? which?
troisième third

Adjectifs possessifs

mon (*f.* **ma**, *pl. m.* and *f.* **mes**) my
son (*f.* **sa**, *pl. m.* and *f.* **ses**) his, her, its

Adverbes, conjonctions, prépositions

après after
aujourd'hui today
aussi also
avec with
en in
non no
parce que because
pourquoi? why?
trop too much

Expressions diverses

nous sommes au printemps, en été, etc. it is spring, summer, etc.
faire du ski to ski

Idioms with avoir

avoir de la chance to be lucky
avoir chaud to be warm
avoir froid to be cold
avoir faim to be hungry
avoir soif to be thirsty
avoir sommeil to be sleepy
avoir raison to be right
avoir tort to be wrong

Le professeur a chaud.
Les étudiants ont froid.
Avez-vous faim?
Non, j'ai soif.

Interrogative pronouns

qui? who? whom?
que? qu'? what?
quoi? what?
qu'est-ce qui? what? (*subj.*)
qu'est-ce que? what? (*obj.*)

EXERCICES

A. Répondez en français d'après le texte.

1. De quoi parlent le professeur et les étudiants aujourd'hui?
2. Pourquoi ont-ils de la chance?
3. Comment est le ciel?
4. Quel temps préfère Suzanne Bernard?
5. Quel temps aime-t-elle aussi?
6. Quel temps fait-il en novembre?
7. Que dit Albert Clark à Suzanne?
8. Quelle est la réaction de Suzanne?
9. Que dit-elle?
10. Que dit le professeur à Albert Clark?
11. Que demande Mary à Joseph?
12. Quelle est la saison favorite de Joseph?
13. Quelle saison vient après l'automne?
14. Quelle saison Joseph déteste-t-il?
15. Pourquoi?
16. Que fait-on en hiver?

B. Répondez en français.

1. Comment est le ciel aujourd'hui?
2. Quand il fait chaud, que fait le soleil?
3. Quel est votre temps préféré?
4. Quel temps fait-il quand le ciel est gris?
5. Avez-vous froid maintenant?
6. Que faites-vous en classe quand vous avez trop chaud?
7. Que faites-vous en classe quand vous avez trop froid?
8. Quand mettez-vous un imperméable?
9. Sommes-nous en automne ou au printemps?
10. Quelle saison vient après l'hiver?
11. Quelle saison vient après le printemps?
12. Quelle saison vient après l'été?
13. En quelle saison fait-il doux?

C. Demandez à un autre étudiant:

1. quel temps il fait aujourd'hui.
2. quel temps il préfère.

3. quel temps il fait en novembre.
4. quel temps il fait en hiver.
5. quel sport il préfère en hiver.
6. quelle est sa saison favorite.
7. quand il entend la chanson des oiseaux.
8. quand il ouvre les fenêtres.
9. quand il met son imperméable.

Une des étudiantes
très discrètement essaie
d'aller à sa place.

«4»

L'Heure

Le professeur [*regarde sa montre*]: Quelle heure est-il? Il est neuf heures moins deux minutes. Ma parole, je suis en avance! Dans deux minutes, la classe va commencer. Qu'est-ce que nous allons faire aujourd'hui, mesdemoiselles et messieurs?

Joseph Ford [*regarde la pendule au fond de la classe*]: Est-il l'heure?

Le professeur: Il est moins une. Mais, vous avez l'air inquiet. Qu'avez-vous?

Joseph Ford: Je cherche mon stylo depuis dix minutes. Impossible de le trouver!

Le professeur: Neuf heures précises! Au travail! Monsieur Ford, cessez de chercher votre stylo, demandez un crayon à votre voisine. [*L'étudiant ne dit pas un mot et continue à chercher son stylo.*]

Le professeur: Le temps passe! Mademoiselle Morse, voulez-vous prêter un crayon à votre camarade, s'il vous plaît. Merci beaucoup! Nous allons faire une dictée jusqu'à neuf heures et quart ou neuf heures vingt. Nous allons corriger notre dictée ensemble de neuf heures vingt jusqu'à neuf heures et demie. Après cette demi-heure réservée à notre dictée, il va rester vingt minutes.

De neuf heures et demie jusqu'à dix heures moins vingt, vous allez étudier votre nouveau vocabulaire, et nous allons construire des phrases avec les mots nouveaux. De dix heures moins vingt à dix heures moins le quart. . . .

[*La porte s'ouvre doucement et une des étudiantes, très discrètement, essaie d'aller à sa place.*]

Le professeur: Bonjour, mademoiselle Bernard, vous êtes un peu en retard, ne croyez-vous pas? Asseyez-vous vite, nous allons commencer notre dictée d'une minute à l'autre. Mais qu'est-ce qui arrive?

[*On entend le bruit d'une course dans l'escalier. Un garçon rouge, essoufflé, entre très rapidement et s'assied avec bruit.*]

Le professeur: Vous n'êtes pas matinal, aujourd'hui, monsieur Clark. Je ne sais pas pourquoi, mais je pense à une phrase de mon service militaire:

> Avant l'heure, ce n'est pas l'heure,
> Après l'heure, ce n'est plus l'heure,
> A l'heure, c'est toujours l'heure.

Commençons notre dictée sans tarder.

[*Dix minutes plus tard, tout le monde écrit, silence général, un bruit régulier seulement: le tic-tac de la pendule.*]

VOCABULAIRE

Noms

l'air *m.* the air
le bruit the noise
le camarade the comrade
la course the race
 –**une course dans l'escalier** someone running up the stairs
l'escalier *m.* the stairs
le fond the bottom, back
le garçon the boy
l'heure *f.* the hour, time, o'clock
 –**quelle heure est-il?** What time is it?
 –**il est une heure (deux heures, etc.)** it is one (two, etc.) o'clock
 –**à l'heure** on time
la minute the minute
 –**d'une minute à l'autre** at any minute
le monde the world
 –**tout le monde** everybody
le mot the word
la parole the word
la pendule the clock
le service the service
le silence the silence
le temps the weather, time
le tic-tac the tick-tock
le travail the work
le vocabulaire the vocabulary

Verbes

s'asseoir to sit down
 –**asseyez-vous** sit down

–s'assied sits down
cesser to cease
construire to build, construct
continuer to continue
corriger to correct
croire to believe
–ne croyez-vous pas? don't you believe?
dire to say
–il dit he says
–vous dites you say
écrire to write
–écrit is writing
essayer to try
étudier to study
passer to pass
penser to think
prêter to lend
regarder to look at
rester to remain
tarder to delay

Interrogatifs

qu'est-ce qui? what? (subject of verb)
qu'est-ce que? what? (object of verb)

Adjectifs

essoufflé out of breath
général general
impossible impossible
inquiet anxious
matinal early (in the morning)
militaire military
nouveau new
précis precise, exact
régulier regular
réservé reserved
rouge red

Adjectifs numéraux

un, une one
deux two
trois three
quatre four
cinq five
six six
sept seven
huit eight
neuf nine
dix ten
onze eleven
quinze fifteen
vingt twenty
demi half
le quart the quarter
une demi-heure half an hour
un quart d'heure a quarter of an hour

Adverbes, prépositions, pronoms, etc.

avant before
ce (*f.* **cette**, *pl.* **ces**) this, that
beaucoup much, very much
depuis since, for (in time)
discrètement quietly, discreetly
doucement softly, gently
ensemble together
jusqu'à until
moins less
notre our
nous we
peu little
plus more
rapidement rapidly
sans without
seulement only
tout all
–tout le monde everybody
très very
vite quickly

Expressions diverses

avance
–en avance ahead of time
avoir l'air + *adj.* to seem
merci thank you
qu'avez-vous? what's the matter with you?
qu'est-ce qui arrive? what's up?
–arriver to happen, to come, to arrive
retard
–être en retard to be late (for a fixed appointment, a class)
s'il vous plaît if you please, please

EXERCICES

A. Répondez en français d'après le texte.

1. Quelle heure est-il quand le professeur regarde sa montre?
2. Est-ce qu'il est en retard?
3. Quand va commencer la classe?
4. Qu'est-ce qu'il y a au fond de la classe?
5. Pourquoi Joseph Ford a-t-il l'air inquiet?
6. Que dit le professeur à neuf heures précises?
7. Que dit-il à Monsieur Ford?
8. Qu'est-ce que la classe va faire jusqu'à neuf heures et quart ou neuf heures vingt?
9. Combien de temps les étudiants ont-ils pour corriger la dictée?
10. Quelle étudiante essaie d'aller très discrètement à sa place?
11. Qu'est-ce qu'on entend dans l'escalier?
12. Comment s'assied le garçon essoufflé?
13. Qu'est-ce que le professeur dit à Albert Clark?
14. Qu'est-ce qu'on entend pendant la dictée?
15. Que vont faire les étudiants avec les mots nouveaux du vocabulaire?

B. Demandez à un autre étudiant:

1. à quelle heure son premier cours commence.
2. à quelle heure son deuxième cours commence.
3. à quelle heure il déjeune.
4. à quelle heure il dîne.
5. l'heure qu'il est maintenant.
6. l'heure qu'il va être dans dix minutes.
7. l'heure qu'il va être dans un quart d'heure.
8. l'heure qu'il va être dans vingt minutes.
9. l'heure qu'il va être dans une demi-heure.

ETUDE DE GRAMMAIRE (*Grammar Study*) **II**

9. **The Infinitive of Regular Conjugations** (*L'Infinitif des conjugaisons régulières*)

There are three conjugations of regular verbs in French. They are identified by the endings of the infinitive: the first *-er*, the second *-ir*, and the third *-re*.

étudi *-er*, to study
fin *-ir*, to finish
entend *-re*, to hear

10. **Present Indicative of the Regular Conjugations** (*Le Présent de l'indicatif des conjugaisons régulières*)

First conjugation: ÉTUDIER

sing.	*pl.*
J'*étudie* la leçon.	Nous *étudions* l'anglais.
Tu *étudies* le français.	Vous *étudiez* la grammaire.
Il *étudie* les leçons.	Ils *étudient* les verbes.
Elle *étudie* les leçons.	Elles *étudient* les verbes.

Second conjugation: FINIR

sing.	*pl.*
Je *finis* la conversation.	Nous *finissons* la leçon.
Tu *finis* la soupe.	Vous *finissez* la semaine.
Il *finit* le livre.	Ils *finissent* les leçons.
Elle *finit* le livre.	Elles *finissent* les leçons.

Third conjugation: ENTENDRE

sing.	*pl.*
J'*entends* la question.	Nous *entendons* les voisins.
Tu *entends* les cloches.	Vous *entendez* les phrases.
Il *entend* la phrase.	Ils *entendent* la cloche.
Elle *entend* la phrase.	Elles *entendent* la cloche.

In studying the above examples you will notice that the stems of the verbs (*étudi- fin- entend-*) remain unchanged. To each stem are added the endings:

first conjugation		second conjugation		third conjugation	
-e	-ons	-is	-issons	-s	-ons
-es	-ez	-is	-issez	-s	-ez
-e	-ent	-it	-issent		-ent

In spoken French the first, second, and third person singular, and the third person plural of the first conjugation have the same pronunciation; the first, second, and third person singular of the second and third conjugations have the same pronunciation. In the second conjugation, the third person plural differs from the third person singular only in that in the plural an *s* is pronounced. In the third conjugation, the third person plural differs from the third person singular only in that in the plural the *d* is pronounced at the end. The L-shaped box is intended to help you remember the close relation between all three singular forms and the third person plural.

The French present indicative corresponds to the English ordinary *present, progressive present,* and *emphatic present.* Thus *j'étudie la leçon* could be rendered in English according to the shade of meaning to be expressed by (1) I study the lesson (*present*); (2) I am studying the lesson (*progressive present*), and (3) I do study the lesson (*emphatic present*).

Exercices

I. Mettez au pluriel (première conjugaison). (Change to the plural [first conjugation].)

EXEMPLE

Le professeur: J'aime le beau temps.
L'étudiant: Nous aimons le beau temps.

1. *Je cherche* le stylo depuis dix minutes.
2. *J'étudie* la leçon de français.
3. *J'entre* dans la salle de classe.
4. *Tu oublies* les beaux jours d'automne.
5. *Tu cesses* de chercher le stylo d'Albert.
6. *Tu continues* à chercher ton crayon.
7. *Il trouve* l'imperméable de Joseph.
8. *Il étudie* la leçon de français.
9. *Elle aime* l'automne.
10. *Elle écoute* la chanson des oiseaux.

II. Mettez au singulier (première conjugaison). (Change to the singular [first conjugation].)

1. *Nous écoutons* la chanson des oiseaux.
2. *Nous regardons* le ciel.
3. *Vous essayez* de commencer la leçon.
4. *Vous restez* dans la salle de classe.
5. *Ils oublient* l'heure.
6. *Elles essayent* de parler français.

III. Mettez au pluriel (deuxième conjugaison). (Change to the plural [second conjugation].)

1. *Je finis* la conversation.
2. *Tu rougis* aux paroles du professeur.
3. *Il finit* le livre.
4. *Elle rougit* trop souvent.

IV. Mettez au pluriel (troisième conjugaison). (Change to the plural [third conjugation].)

1. *J'attends* l'été.
2. *Tu entends* les cloches.
3. *Il attend* l'automne.
4. *Elle attend* la chanson des oiseaux.

V. Verbes réguliers. Exercice de synthèse. Mettez au pluriel les verbes au singulier. Mettez au singulier les verbes au pluriel. (Regular verbs. Assimilation exercise. Make the singular verbs plural and the plural verbs singular.)

EXEMPLES

Le professeur: L'étudiant écoute le tic-tac de la pendule.
L'étudiant: Les étudiants écoutent le tic-tac de la pendule.

Le professeur: Les étudiants écoutent le tic-tac de la pendule.
L'étudiant: L'étudiant écoute le tic-tac de la pendule.

1. *J'étudie* la première conversation.
2. *Ils attendent* le professeur.
3. *Nous aimons* un ciel gris de novembre.
4. *L'étudiant finit* la dictée.

5. *Vous parlez* du temps.
6. *L'oiseau chante* en été.
7. *Les étudiantes entrent* dans la salle de classe.
8. *Le professeur reste* avec les étudiants.
9. *Tu rougis* quand *tu parles.*
10. *Nous oublions* l'heure quand *nous entendons* la chanson des oiseaux.

VI. Verbes réguliers. Forme interrogative. Mettez les réponses aux phrases 1–8 de l'exercice V à la forme interrogative. (Make the answers to the sentences 1–8 of exercise V interrogative.)

EXEMPLE

Le professeur: L'étudiant écoute le tic-tac de la pendule.
L'étudiant: Les étudiants écoutent-ils le tic-tac de la pendule?

VII. Verbes réguliers. Forme négative. Mettez les réponses aux phrases 1–8 de l'exercice V (que vous avez déjà mises au pluriel) à la forme négative. (Change the answers to the sentences 1–8 of exercise V—which you have already put in the plural—to the negative.)

EXEMPLE

Le professeur: L'étudiant écoute le tic-tac de la pendule.
L'étudiant: Les étudiants n'écoutent pas le tic-tac de la pendule.

VIII. Verbes réguliers. Changez la personne des verbes.

EXEMPLES

Un étudiant: Joseph oublie l'hiver. Et moi?
Un autre étudiant: Vous oubliez l'hiver.

Un étudiant: Joseph oublie l'hiver. Et nous?
Un autre étudiant: Nous oublions l'hiver.

1. Joseph aime l'hiver. Et moi?
2. Albert entend la pendule. Et vous?
3. Suzanne rougit souvent. Et nous?
4. Nous étudions la leçon. Et les étudiants?
5. Je déteste l'hiver. Et Joseph?
6. Tu parles du mauvais temps. Et nous?
7. Nous regardons le beau soleil. Et Suzanne et Mary?
8. Joseph attend le professeur. Et les étudiants?
9. Je prête un stylo à Mary. Et Albert?
10. Il essaye d'arriver à l'heure. Et vous?

11. Vous finissez la quatrième conversation. Et Joseph et Albert?
12. Nous entendons la cloche. Et Joseph et Suzanne?

IX. Verbes réguliers. Mettez à la forme négative les réponses de l'exercice VIII. (Change the answers to the sentences in exercise VIII to the negative.)

EXEMPLE

Un étudiant: Joseph oublie l'hiver. Et nous?
Un autre étudiant: Nous n'oublions pas l'hiver.

X. Révision de la forme interrogative avec inversion. Le professeur donne une phrase. L'étudiant formule la question qui correspond à la phrase du professeur. (Review of the interrogative form with inversion. The professor gives a sentence; the student formulates the question which corresponds to the sentence of the professor.)

EXEMPLE[1]

– Oui, nous allons faire une dictée aujourd'hui.
– Allons-nous faire une dictée aujourd'hui?

1. Oui, j'aime aussi le soleil.
2. Oui, il fait beau en novembre.
3. Oui, monsieur, vous êtes en retard.
4. Oui, Albert Clark arrive pendant la dictée.
5. Oui, les étudiants vont construire des phrases avec les mots nouveaux.
6. Oui, je cherche mon crayon depuis une demi-heure.
7. Non, vous n'êtes pas à l'heure.
8. Non, avant l'heure, ce n'est pas l'heure.
9. Oui, Mlle Bernard est en retard.
10. Non, je n'ai pas peur du mauvais temps.

XI. Révision de la forme interrogative. (Review of the interrogative form.)

EXEMPLE

– Je vais faire une dictée aujourd'hui. (qu'est-ce que)
– Qu'est ce que vous allez faire aujourd'hui?

1. Les classes commencent à neuf heures. (quand)
2. L'été est ma saison favorite. (quelle)
3. Le professeur regarde sa montre. (qu'est-ce que)

[1] Henceforth we shall omit the words le professeur, l'étudiant, l'autre étudiant, it being understood that the instructor may decide who gives the stimulus and who gives the response. Any deviations from normal patterns will be indicated, however.

4. Je suis essoufflé parce que je cours. (pourquoi)
5. Le printemps vient après l'hiver. (quand)
6. Je ne sais pas pourquoi je pense à cette phrase. (pourquoi)
7. J'entends les chansons des oiseaux. (qu'est-ce que)
8. Mary essaye d'aller doucement à sa place. (quelle étudiante)

11. The Imperative (*L'Impératif*)

The *imperative,* used for commands, has three forms: second person singular, first person plural and second person plural. The forms are the same as the corresponding forms of the *present indicative,* with one exception: in the second person singular imperative of the first conjugation (*-er* verbs), the final *-s* is dropped.

First conjugation: ÉTUDIER

sing.	*pl.*
étudie la leçon, study the lesson	*étudions* la leçon, let us study the lesson
	étudiez la leçon, study the lesson

Second conjugation: FINIR

sing.	*pl.*
finis la soupe, finish the soup	*finissons* la phrase, let us finish the sentence
	finissez les leçons, finish the lessons

Third conjugation: ATTENDRE (to wait for)

sing.	*pl.*
attends ma question, wait for my question	*attendons* le professeur, let us wait for the professor
	attendez votre tour, wait for your turn

Exercices

XII. Verbes réguliers. Forme impérative. (Regular verbs. Imperative forms.)

EXEMPLE

— *Je veux parler* français, I want to speak French.
— *Parlez* français.

1. *Je veux écouter* Joseph.

2. *Je veux chercher* le fauteuil du professeur.
3. *Je veux finir* la leçon d'aujourd'hui.
4. *Je veux rougir* aux paroles de Joseph.
5. *Je veux attendre* l'heure du dîner.
6. *Je veux attendre* le professeur.

XIII. Même exercice. Forme familière. Employez la deuxième personne du singulier. (Same exercise. Familiar form. Use the second person singular.)

EXEMPLE

– Je veux parler français.
– Parle français.

12. The Adjective: Gender, Number, and Position (*L'Adjectif: genre, nombre et position*)

In French the adjective agrees in gender and in number with the noun it modifies.

A. GENDER (*Le Genre*)

The feminine of adjectives is formed by adding *-e* to the masculine. Adjectives whose masculine ends in mute *-e* are unchanged in the feminine.

masc.	*fem.*
chaud	chaude
bleu	bleue
mauvais	mauvaise
jeune	jeune

A certain number of adjectives have irregular feminines. The rules sometimes given for these are numerous and complicated, and it is probably more practical to learn them individually. The vocabulary at the end of the book gives the irregular feminines of adjectives used in this book. Five of the adjectives occurring in the conversations up to now have irregular feminines:

masc.	*fem.*
beau	belle
bon	bonne
doux	douce
favori	favorite
long	longue

B. NUMBER (*Le Nombre*)

Most masculine adjectives and all feminines form their plural by adding *-s* to the singular.

sing.		*pl.*	
masc.	*fem.*	*masc.*	*fem.*
chaud	chaude	chauds	chaudes
bleu	bleue	bleus	bleues
jeune	jeune	jeunes	jeunes
bon	bonne	bons	bonnes

Adjectives ending in *-s* and *-x* are unchanged in the plural.

sing.	*pl.*
mauvais	mauvais
doux	doux

A few masculine adjectives have irregular plurals. They are easily classified into two categories:

1. Adjectives in *-eau:* Adjectives in *-eau* form the plural by adding *-x.*

sing.	*pl.*
beau	beaux
nouveau	nouveaux

2. Adjectives in *-al:* Most adjectives in *-al* form the plural by substituting *-aux* for *-al.*

sing.	*pl.*
matinal	matinaux

C. POSITION (*La Place*)

Whereas in English the normal position of the adjective is immediately *before* the noun it modifies, in French the most frequent position of the adjective is immediately *after* the noun it modifies. This is particularly true of adjectives longer than the noun they modify.

un ciel *bleu*
un temps *automnal*
la route *nationale*

Certain very common adjectives are an exception to this rule, and precede the nouns they modify. Among these are: *beau,* beautiful, fine; *bon,* good;

grand, big, great; *jeune,* young; *long,* long; *mauvais,* bad; *petit,* little; *vieux,* old.

un *mauvais* temps
une *longue* nuit

Detailed rules on the position of adjectives are given later. (See section **61.**)

Exercices

XIV. L'adjectif.

A. Genre. Le professeur donne une petite phrase. Ensuite il change le nom de la phrase. L'étudiant répète la phrase avec le nouveau nom et il change la forme de l'adjectif. (The professor gives a short sentence. Then he changes the noun of the sentence. The student repeats the sentence with the new noun and he changes the form of the adjective.)

EXEMPLE

– Nous avons un hiver froid. (une salle)
– Nous avons une salle froide.

1. Joseph laisse le livre ouvert. (la fenêtre)
2. Nous voyons le ciel gris. (la maison)
3. Elle préfère un temps chaud. (une saison)
4. Vous arrivez à un moment précis. (une heure)
5. Je n'aime pas un travail impossible. (une leçon)
6. L'étudiant essoufflé s'assied. (l'étudiante)
7. C'est mon temps favori. (ma saison)
8. C'est un beau temps. (une nuit)
9. C'est un long livre. (une leçon)
10. Un bon étudiant est toujours à l'heure. (une pendule)

B. Nombre. Même exercice que le précédent.

1. Je n'aime pas un travail impossible. (des travaux)
2. Nous voyons une maison grise. (des maisons)
3. Les étudiants préfèrent un professeur patient. (des professeurs)
4. Il a toujours un stylo noir. (des stylos)
5. Regardez la maison bleue. (les maisons)
6. Voici un étudiant nouveau. (deux étudiants)
7. Arrivez à une heure régulière. (des heures)

8. Nous avons un hiver froid. (des hivers)
9. J'entends l'étudiant essoufflé. (les étudiants)
10. Ce n'est pas un garçon matinal. (des garçons)

C. *Position.* Mettez l'adjectif à sa place dans chaque phrase. (Put the adjective in the proper position in each sentence.)

EXEMPLE

— (difficile) J'ai un travail.
— J'ai un travail difficile.

1. (long) Je n'aime pas un *silence.*
2. (bleu) Je vois le *ciel.*
3. (inquiet) Vous voyez mon *air.*
4. (beau) Il achète un *stylo.*
5. (rouge) Il y a un *livre* sur la table.
6. (jeune) L'*homme* entre en retard.
7. (essoufflé) L'*étudiant* s'assied.
8. (bon) Un *professeur* est toujours à l'heure.
9. (impossible) Je n'aime pas ce *travail.*
10. (précis) Il arrive au *moment.*

13. Numerals (*Les Adjectifs numéraux*)

1. un
2. deux
3. trois
4. quatre
5. cinq
6. six
7. sept
8. huit
9. neuf
10. dix
11. onze
12. douze
13. treize
14. quatorze
15. quinze
16. seize
17. dix-sept
18. dix-huit
19. dix-neuf
20. vingt
21. vingt et un
22. vingt-deux
23. vingt-trois
24. vingt-quatre
25. vingt-cinq
26. vingt-six
27. vingt-sept
28. vingt-huit
29. vingt-neuf
30. trente
31. trente et un
32. trente-deux, etc.
40. quarante
50. cinquante
60. soixante
70. soixante-dix
71. soixante et onze
72. soixante-douze, etc.
80. quatre-vingts
81. quatre-vingt-un
82. quatre-vingt-deux
90. quatre-vingt-dix, etc.
100. cent

Exercices

XV. Lisez à haute voix les chiffres (numbers) dans la table au-dessus.

XVI. Dites en français:

1. 1, 2, 3, 4, 5, 6, 7, 8, 9, et 10.
2. 21, 22, 23, 31, 32, 33, 60, 61, 62, 70, 80, 81, 91.

XVII. Comptez:

1. Par 2, de 2 à 20 (2, 4, 6, etc.)
2. Par 5, de 5 à 100 (5, 10, 15, etc.)

XVIII. Faisons un peu d'arithmétique:

1. 2 et 2 font? 3 et 4 font? 5 et 7 font? 10 et 11 font? 35 et 25 font?
2. 3 fois 3 font? 4 fois 6 font? 9 fois 9 font? 8 fois 10 font?

14. The Weather (*Le Temps*)

Expressions giving the weather are usually constructed with the impersonal verb [2] *il fait,* followed by an adjective indicating the weather:

Quel temps fait-il?	What is the weather like, or what sort of weather do we have?
Il fait beau.	The weather is good, fine.
Il fait mauvais.	The weather is bad.
Il fait chaud.	It is hot.
Il fait froid.	It is cold.
Il fait doux.	The weather is mild.
Il fait du vent.	It is windy.

Special verbs are used for some types of weather. These are also impersonal.

Il neige.	It is snowing.
Il pleut.	It is raining.

15. Time (*L'Heure*)

Time is expressed in French by the impersonal verb, *il est,* followed by the number of the hour and the word *heure,* hour, singular or plural as the case may be:

Quelle heure est-il?	What time is it?
Il est une heure.	It is one o'clock.
Il est neuf heures.	It is nine o'clock.

[2] An impersonal verb is a verb used only in the third person singular, with *il,* it, as subject.

The minutes after the hour, between one and thirty, are indicated by stating, after the word *heure* (or *heures*), the number of minutes, but in general, without using the word *minutes*.

une heure dix	ten after one
neuf heures cinq	five after nine
onze heures vingt-cinq	twenty-five past eleven

The minutes between thirty and the following hour are indicated in a fashion somewhat similar to English: the number of the next hour is given, followed by the word *heure* (or *heures*), then *moins*, meaning "less," and the number of minutes:

dix heures moins vingt	twenty minutes to ten
une heure moins dix	ten minutes to one

Half and quarter hours are indicated as follows:

neuf heures et demie [3]	half past nine
une heure *et* quart	quarter past one
dix heures *moins le* quart	quarter to ten

Special words are used for 12:00 noon and 12:00 midnight. (*Douze heures* is never used to mean "twelve o'clock.")

Il est midi.	It is twelve o'clock (noon).
Il est minuit.	It is twelve o'clock (midnight).
Il est midi et demi [4]	It is half past twelve (12:30 P.M.)

Expressions of punctuality and lateness are the following. (The student should note especially the distinction between two kinds of lateness, a distinction not made in English.)

à l'heure	on time
en avance	ahead of time
en retard	late (for an appointment, a class, etc.)
tard	late (in the morning, night, etc.)

Joseph est *en retard;* il dort (sleeps) toujours trop *tard.*

Exercices

XIX. Comptez de cinq en cinq minutes. Vous allez commencer à 8 heures. (Begin at 8 o'clock and count off every five minutes.)

[3] *Demie* is feminine because it agrees in gender (not in number) with *heures.*
[4] After *midi* and *minuit,* which are masculine, *demi* is masculine.

XX. Dites en français:

1. 12:05 P.M.	**5.** 12:01 A.M.	**9.** 13:35 [5]	**13.** 8:30	**17.** 4:20
2. 1:30	**6.** 9:12	**10.** 12 noon	**14.** 2:15	**18.** 5:40
3. 10:45	**7.** 2:40	**11.** 6:30	**15.** 7:15	**19.** 3:50
4. 11:15	**8.** 9:15	**12.** 4:30	**16.** 9:15	**20.** 4:55

[5] Official time in Europe is given on a 24-hour basis; the hours from 1 P.M. to midnight are numbered 13 to 24. To convert to the familiar system, subtract 12.

Le garçon chuchote
le renseignement
à l'oreille de Joseph.

«5»

Allons au café!

[Nous retrouvons nos étudiants dans la salle de travail, en train de discuter.]

Albert Clark: Quelle heure est-il? Il y a deux heures que nous travaillons à ce problème. J'ai faim. J'ai une faim féroce!

Suzanne Bernard: Il est midi moins dix à ma montre.

Joseph Ford: Votre montre retarde! Le clocher vient de sonner midi.

Albert Clark: Je ne sais pas si sa montre retarde ou avance, mais mon estomac n'a jamais tort, et il marque midi depuis un bon moment. Je vous invite donc à venir déjeuner au café du coin.

Joseph Ford: Excellente idée! Puisque tu nous invites, je vais commander le repas de mes rêves: un bifteck aux pommes, une salade. . . .

Albert Clark: Attends! Je t'invite, je t'invite. . . . C'est une façon de parler. Je viens de suggérer d'aller manger, c'est tout! Tu peux commander le repas qui te plaît, mais tu vas régler l'addition toi-même.

[*Quelques minutes plus tard, le groupe est assis au café du coin, et examine attentivement le menu.*]

Le garçon: Voulez-vous commander, mesdemoiselles, messieurs?

Suzanne Bernard: Pour commencer, un jus d'orange pour moi.

Albert Clark: Je préfère la soupe à la tomate.

Joseph Ford: Garçon, recommandez-vous le rosbif maison?

Le garçon: Absolument, monsieur! Comment le voulez-vous: saignant, à point, ou bien cuit? Le voulez-vous avec pommes de terre et haricots verts?

Joseph Ford: Venez me dire à l'oreille le prix de ce fameux rosbif maison et je vais décider après.

Jeunes Français dans un café de Paris.

(*French Embassy Press and Information Division*)

[*Le garçon chuchote le renseignement demandé à l'oreille de J. Ford.*]

Joseph Ford: C'est drôle, mais je n'ai pas très faim aujourd'hui. Un repas léger me tente plutôt. Je vais prendre du lait, de la soupe et . . . vous avez du fromage?

Le garçon: Nous disons donc un sandwich au fromage.

Mary Morse: Comme dessert, avez-vous des fruits?

Le garçon: Oui, nous avons des pommes, des poires, des bananes, du raisin, et je vous recommande notre salade de fruits maison.

Mary Morse: Je vais prendre un bol de votre salade de fruits et une tasse de café.

[*Dix minutes plus tard, nos amis jouent activement du couteau et de la fourchette, et poursuivent une discussion animée.*]

VOCABULAIRE

Noms

l'addition *f.* the bill (in a restaurant)
l'ami *m.* the friend
la banane the banana
le bifteck the steak
le bol the bowl
le café coffee, restaurant
le clocher the steeple, bell tower
le coin the corner
le couteau the knife
le dessert dessert
la discussion the discussion
l'estomac *m.* the stomach
la façon the way, manner
la faim hunger
la fourchette the fork
le fromage the cheese
le fruit the fruit
le garçon the waiter
le groupe the group
le haricot the bean
l'idée *f.* the idea
le jus the juice
le lait the milk
le menu the menu
le moment the moment
–**un bon moment** a good while
la montre the watch
l'orange *f.* the orange
l'oreille *f.* the ear
la poire the pear
la pomme the apple
–**pomme de terre** potato (when the context makes no confusion possible, **de terre** is often omitted)
–**pommes frites** French fries
le prix the price
le problème the problem
le raisin the grape
–**du raisin** grapes
le renseignement the bit of information
–**les renseignements** information
le repas the meal
le rêve the dream

le rosbif the roast beef
 –**rosbif maison** our special roast beef
la salade the salad
la salle de travail the study hall
le sandwich the sandwich
la soupe the soup
 –**la soupe à la tomate** tomato soup
la tasse the cup
la tomate the tomato

Verbes

avancer to be fast (when speaking of a watch)
chuchoter to whisper
commander to order
décider to decide
déjeuner to lunch
discuter to discuss
examiner to examine
inviter to invite
jouer to play
 –**jouer du couteau et de la fourchette,** (*pop.*) to eat
manger to eat
marquer to mark
peux
 –**tu peux** you can (from **pouvoir**)
plaire to please
poursuivre to pursue
pouvoir to be able
prendre to take (**je prends,** *etc.*)
recommander to recommend
régler to pay (a bill)
retarder to be slow
retrouver to find again
suggérer to suggest
tenter to tempt
travailler to work
venir de (+ infinitive) to have just

Adjectifs et adverbes

absolument absolutely
animé animated
attentivement attentively
cuit cooked
 –**bien cuit** well done
drôle funny
excellent excellent
fameux (*f.* **fameuse**) famous, remarkable
féroce ferocious
léger (*f.* **légère**) light
nos (*pl.* of **notre**) our
quelques a few
saignant rare (literally, bleeding)
son (*f.* **sa,** *pl.* **ses**) his, her, its
ton (*f.* **ta,** *pl.* **tes**) your (familiar form)
vert green

Expressions diverses

avoir faim to be hungry
depuis (with expression of time) for
donc therefore
c'est it is
comme for, as
il y a (with expression of time) for
pour in order to, to, for
puisque since
si if, whether
à point medium (meat)
toi-même yourself
en train de in the act of

EXERCICES

A. Repondez aux questions suivantes d'après le texte.

1. Que font les étudiants dans la salle de travail?
2. Depuis combien de temps travaillent-ils?
3. Est-ce que la montre de Suzanne avance?
4. Qu'est-ce que le clocher vient de sonner?

5. Depuis quand l'estomac d'Albert Clark marque-t-il midi?
6. Où invite-t-il ses amis à venir déjeuner?
7. Que va commander Joseph si Albert l'invite?
8. Qui va régler l'addition de Joseph?
9. Que va commander Suzanne pour commencer?
10. Que chuchote le garçon à l'oreille de Joseph?
11. Que dit Joseph quand il apprend le prix du rosbif maison?
12. Que prend-il enfin?
13. Que recommande le garçon comme dessert?
14. Que prend Mary avec la salade de fruits?
15. Que font nos amis dix minutes plus tard?

B. Répondez aux questions suivantes.

1. Avez-vous faim?
2. Quand avez-vous une faim féroce?
3. Quelle heure est-il à votre montre?
4. Est-ce que votre montre retarde souvent?
5. Est-ce que votre estomac marque l'heure du déjeuner?
6. Si vous m'invitez à déjeuner, allez-vous régler l'addition?
7. Au déjeuner que préférez-vous pour commencer?
8. Comment préférez-vous le rosbif: saignant, à point, ou bien cuit?
9. Avec quoi prenez-vous souvent le rosbif?
10. Regardez-vous toujours le prix avant de décider?
11. Quelle sorte de repas vous tente quand vous n'avez pas très faim?
12. Aimez-vous les sandwichs au fromage?
13. Quels fruits préférez-vous?
14. Prenez-vous souvent une salade de fruits?
15. Quel est le repas de vos rêves?

C. Conversation dirigée. Demandez à un autre étudiant (employez la deuxième personne du pluriel):

EXEMPLE

— Demandez à un autre étudiant s'il cherche un stylo.
— Cherchez-vous un stylo?
— Oui, je cherche un stylo.

1. s'il aime le bifteck.
2. s'il regarde toujours le menu.
3. s'il préfère le jus d'orange.
4. s'il commande souvent un bifteck aux pommes.
5. s'il mange avec appétit.

6. s'il a un stylo.
7. s'il a faim.
8. s'il a peur du mauvais temps.
9. s'il est étudiant de première année.
10. s'il est en avance.
11. s'il est en retard.
12. s'il est à l'heure.

D. Même exercice que C. Employez la deuxième personne du singulier et répondez au négatif. (Same exercice as C; use the second person singular and answer in the negative.)

EXEMPLE

— Demandez à un autre étudiant s'il cherche un stylo.
— Cherches-tu un stylo?
— Non, je ne cherche pas un stylo.

Au restaurant de nos rêves.

« 6 »

Dans la rue

Le professeur:	D'où venez-vous?
Les étudiants:	Nous venons du café du coin.
Le professeur:	Vous avez l'air très, très satisfaits. Regardez Albert Clark. Il est rarement de si bonne humeur.
Albert Clark:	Je viens de finir une tasse de café délicieuse. . . . Comme vous le savez, c'est ma boisson favorite.
Suzanne Bernard:	Il oublie de mentionner qu'il vient aussi de dévorer un énorme morceau de tarte aux pommes.
Le professeur:	Mais voici M. Ford! Pourquoi cet air sombre et ces yeux furieux? Regardez-le!
Joseph Ford:	On vient de me demander une somme incroyable pour deux petites tranches de pain et un peu de fromage sec. Je ne vais plus remettre les pieds dans cet endroit! Mais pourquoi me regardez-vous comme cela? Je vous amuse? Je vous fais rire?

Albert Clark: Tu nous amuses parce que tu fais beaucoup de bruit pour un peu de nourriture.

Mary Morse: Pour notre ami Joseph la nourriture est un problème important!

Albert Clark: Eh bien, je te promets que nous allons chercher un petit restaurant idéal pour te faire plaisir!

Les étudiants: [*le bras levé*] Nous te le jurons!

[*Joseph Ford a l'air d'hésiter. Il regarde avec attention les visages de ses camarades.*]

Joseph Ford: Vous venez de me donner votre parole. J'ai confiance en vous. Je vous promets d'attendre calmement le restaurant de mes rêves. Jusqu'à l'heure du dîner.

VOCABULAIRE

Noms

l'attention *f.* attention
la boisson the drink
le bras the arm
la confiance confidence
le dîner dinner
l'endroit *m.* the spot, place
le fromage the cheese
l'humeur *f.* humor (state of feeling), mood
–**de si bonne humeur** in such good humor, in such a good mood
le morceau the piece
la nourriture the food
le pain the bread
le pied the foot
le plaisir the pleasure
–**faire plaisir à** to please
le restaurant the restaurant
la rue the street
la somme the sum
la tarte the tart, pie
–**tarte aux pommes** apple pie
la tranche the slice
le visage the face
les yeux *m. pl.* of **œil** the eyes

Pronom

cela that

Verbes

amuser to amuse
dévorer to devour
dîner to have dinner
hésiter to hesitate
jurer to swear
mentionner to mention
promettre to promise
remettre to put back

Adjectifs, adverbes

calmement calmly
délicieux (*f.* **délicieuse**) delicious
énorme enormous
furieux (*f.* **furieuse**) furious
idéal ideal
important important
incroyable incredible
levé raised
petit little
rarement rarely

Adjectifs, adverbes (suite)

satisfait satisfied
sec (*f.* **sèche**) dry
sombre gloomy, dark

Conjonctions, etc.

jusqu'à until
si so

Expressions diverses

avoir confiance en to trust
eh bien! well
faire du bruit to make a noise
faire rire to make laugh, to amuse (other people)
remettre les pieds dans cet endroit to set foot in that place again

EXERCICES

A. Répondez en français d'après le texte.

1. D'où viennent les étudiants?
2. Que dit le professeur aux étudiants?
3. Que dit-il d'Albert Clark?
4. Qu'est-ce qu'Albert vient de faire?
5. Quelle est la boisson favorite d'Albert?
6. Qu'est-ce qu'il oublie de mentionner?
7. Décrivez (describe) Joseph Ford.
8. Qu'est-ce qu'on vient de demander à Joseph?
9. Va-t-il retourner au café?
10. Pourquoi fait-il rire ses amis?
11. Que promet Albert à Joseph?
12. Comment ses amis jurent-ils?
13. Que fait Joseph ensuite?
14. Que dit-il à ses amis?
15. Jusqu'à quand va-t-il attendre calmement?

B. Conversation dirigée. Demandez à un autre étudiant ou à une autre étudiante:

EXEMPLE

— Demandez à un autre étudiant s'il étudie l'histoire.
— Etudiez-vous l'histoire?
— Oui, j'étudie l'histoire.

1. s'il recommande la salade de fruits.
2. s'il regarde toujours le menu.
3. s'il invite le professeur.
4. s'il rougit souvent en classe.
5. s'il finit la leçon.
6. s'il attend calmement le déjeuner.
7. s'il entend la question.
8. s'il est toujours de bonne humeur.

9. s'il est furieux quand il paie une somme incroyable.
10. s'il est heureux quand il retrouve des amis.
11. s'il est de mauvaise humeur quand il a faim.
12. s'il est de bonne humeur quand il entend la cloche.

C. Même exercice. Utilisez la deuxième personne du singulier et répondez au négatif. (Same exercise. Use the second person singular and answer in the negative.)

EXEMPLE

— Demandez à un autre étudiant s'il étudie l'histoire.
— Etudies-tu l'histoire?
— Non, je n'étudie pas l'histoire.

D. Exercices sur l'impératif. Le professeur dit qu'il veut faire quelque chose. L'étudiant lui dit de le faire. (The teacher says that he wants to do something. The student tells him to do it.)

EXEMPLE

—*Je veux parler* français.
— *Parlez* français!

1. *Je veux mentionner* le prix.
2. *Je veux amuser* les autres étudiants.
3. *Je veux déjeuner* avec Mary.
4. *Je veux finir* cette leçon.
5. *Je veux choisir* un bon dîner.
6. *Je veux entendre* la discussion.
7. *Je veux attendre* Albert.

EXEMPLE

— *Je veux finir mon* café.
— *Finissez votre* café!

1. *Je veux dévorer ma* tarte aux pommes.
2. *Je veux attendre* le repas de *mes* rêves.
3. *Je veux regarder mon* menu.
4. *Je veux aller* à *mon* cours d'histoire.
5. *Je veux aller déjeuner* à *mon* café favori.

E. Même exercice, mais l'étudiant répond à la première personne du pluriel. (Same exercise but the student responds in the first person plural.)

EXEMPLES

(*a*) — *Je veux parler* français.
— *Parlons* français.

(*b*) — *Je veux finir mon* café.
— *Finissons notre* café.

F. Même exercice, mais un étudiant dit qu'il veut faire quelque chose, et un autre étudiant lui dit de le faire, en employant la forme familière. (Same drill, but one student says that he wants to do something, and another student, using the familiar form, tells him to do it.)

EXEMPLES

(*a*) — *Je veux parler* français.
— *Parle* français!

(*b*) — *Je veux finir mon* café.
— *Finis ton* café.

ETUDE DE GRAMMAIRE III

16. Present Indicative of *venir* (Présent de l'indicatif de venir)

Je viens à la maison.	*Nous venons* souvent au café.
Tu viens au cours d'anglais.	*Vous venez* voir le restaurant.
Il (elle) vient demander le prix.	*Ils (elles) viennent* travailler.

17. Immediate Past (Le Passé immédiat)

Je *viens de finir* une tasse de café.
Vous *venez de* me *donner* votre parole.
Il *vient de dévorer* une tarte aux pommes.

An action which *has just* taken place is expressed by using the present of the verb *venir* followed by the preposition *de* [1] and the infinitive of the verb denoting the action.

Exercices

I. Exercice sur le passé immédiat

EXEMPLE

– *Corrigez* la dictée.
– *Je viens de corriger* la dictée.

1. *Commandez* la tarte aux pommes.
2. *Payez* le garçon.
3. *Donnez* l'addition à Joseph.
4. *Amusez* les autres étudiants.

[1] When the infinitive follows *venir* directly, the meaning is "to come for the purpose of." Je viens vous parler.

EXEMPLE

— *Demandez votre* note au professeur.
— *Je viens de demander ma* note au professeur.

5. *Donnez votre* parole à Mary.
6. *Fermez votre* livre.
7. *Attendez votre* tour.
8. *Finissez votre* café.

EXEMPLE

— *Demandez à Albert de corriger* la dictée. (Ask Albert to correct the dictation)
— *Il vient de corriger* la dictée.

9. *Demandez* à Albert de dévorer la tarte aux pommes.
10. *Demandez* à Joseph de payer l'addition.
11. *Demandez* à Mary de prendre le bifteck maison.
12. *Demandez* au professeur de donner la dictée.

EXEMPLE

— *Demandez à Albert et à Joseph de corriger* la dictée.
— *Ils viennent de corriger* la dictée.

13. *Demandez à Jean et à Albert de fermer* les fenêtres.
14. *Demandez à vos voisins de poursuivre* la discussion.
15. *Demandez à Mary et à Suzanne de suggérer* un bon restaurant.
16. *Demandez à vos voisines de recommander* un autre café.

II. Exercice sur le passé immédiat

EXEMPLE

— *Mary étudie* ses leçons.
— *Mary vient d'étudier* ses leçons.

1. *Le garçon chuchote* le prix.
2. *Albert examine* le menu.
3. *Je donne* ma parole à Albert.
4. *Nous réglons* l'addition.
5. *Le professeur choisit* de la soupe.
6. *Elles attendent* patiemment le garçon.
7. *Elle finit* une tasse de café délicieuse.
8. *Vous dévorez* un énorme morceau de tarte aux pommes!
9. *Tu regardes* l'addition.
10. *Elles rougissent* aux paroles de Joseph.
11. *Les étudiants travaillent* deux heures.
12. *Nous commandons* un bifteck aux pommes.

18. Immediate Future (*Le Futur immédiat*)

An action which is going to take place immediately is expressed by using the present of the verb *aller,* followed by the infinitive of the verb denoting the action.

Je vais commander un repas.
Il va régler l'addition.
Nous allons chercher un petit restaurant.

Exercices

III. Employez les phrases de l'exercice I, 1–16. (Use the sentences of exercise I, 1–16.)

EXEMPLES

– *Corrigez* la dictée.
– *Je vais corriger* la dictée.

– *Demandez* une somme incroyable à *vos* amis.
– *Je vais demander* une somme incroyable à *mes* amis.

– *Demandez à Albert (Mary)* de corriger la dictée.
– *Il (Elle) va corriger* la dictée.

– *Demandez à vos voisins (voisines)* de corriger la dictée.
– *Ils (elles) vont corriger* la dictée.

IV. Employez les phrases de l'exercice II. (Use the sentences of exercise II.)

EXEMPLE

– *Mary étudie* ses leçons.
– *Mary va étudier* ses leçons.

19. Use of *depuis* and of *il y a* with the Present (*L'Emploi* de depuis et d'il y a avec le présent)

Compare: I *have been looking* for my pen *for* ten minutes.
and
Je *cherche* mon stylo *depuis* dix minutes.

Also: My stomach *has been saying* it's noon *for* a good while.
and
Mon estomac *marque* midi *depuis* un bon moment.

This construction is for actions begun in the past, which, at the moment the statement is made, are still continuing. A somewhat similar construction, having the same meaning, replaces *depuis* with *il y a . . . que.*

Il y a	time	que	verb
Il y a	deux heures	que	nous travaillons

Note that *que* must be inserted after the expression of time preceded by *il y a,* which comes at the beginning of the sentence.

Exercices

V. Exercice sur *depuis*

EXEMPLE

– Mon estomac marque midi. (un bon moment)
– Mon estomac marque midi depuis un bon moment.

1. Nous travaillons à ce problème. (deux heures)
2. J'ai faim. (trois jours)
3. Le groupe est assis. (quelques minutes)
4. Nos amis jouent du couteau et de la fourchette. (une demi-heure)
5. La nourriture est un problème important. (trois années)

VI. Exercice sur *il y a*

EXEMPLE

– Il marque midi. (un bon moment)
– Il y a un bon moment qu'il marque midi.

(Employez les phrases de V, 1–5.)

20. Present Indicative of *pouvoir* and *vouloir* (Présent de l'indicatif de pouvoir et de vouloir)

POUVOIR, to be able

Je *peux* [2] commander le repas.	Nous *pouvons* parler ici.
Tu *peux* partir.	Vous *pouvez* régler l'addition.
Il (elle) *peut* prendre son livre	Ils (elles) *peuvent* finir le repas.

[2] There is also a first person singular form *puis.* This must be used whenever the word order is inverted: puis-je? (may I?)

VOULOIR, to wish, want

Je *veux* un rosbif.
Tu *veux des* pommes de terre.
Il (elle) *veut* commander un rosbif.
Nous *voulons* aller au café.
Vous *voulez* rire.
Ils (elles) *veulent* chercher un restaurant.

Exercices

VII. Changez le sujet et le verbe. (Change the subject and the verb.)

EXEMPLE

— Je peux commander un excellent repas. Et Albert?
— Albert peut commander un excellent repas.
— Albert veut commander un excellent repas. Et moi?
— Vous voulez commander un excellent repas.

1. Je peux partir. Et Joseph?
2. Elle peut prendre une tasse de café. Et moi?
3. Tu veux jouer du couteau et de la fourchette. Et Mary et Suzanne?
4. Le groupe veut aller au café du coin. Et toi?
5. Nous pouvons finir le repas. Et Joseph et Mary?
6. Nous voulons régler l'addition. Et vous?
7. Le groupe veut faire du ski. Et Suzanne?
8. Vous pouvez finir le repas. Et les étudiants?
9. Ils veulent prendre le métro. Et nous?
10. Mary peut entendre la cloche. Et Albert et Suzanne?

VIII. Répétez l'exercice VII, mais répondez à la forme négative. (Repeat exercise VII, but make the answer negative.)

IX. Changez les verbes dans les phrases suivantes d'après les sujets indiqués. (Change the verbs in the following sentences according to the subjects indicated.)

EXEMPLE

— Je peux commander une soupe à la tomate. Tu. . . .
— Tu peux commander une soupe à la tomate.

1. Je peux commander un rosbif maison. tu . . . , le groupe . . . , nous . . . , vous . . . , Suzanne et Albert. . . .

2. Elles veulent régler l'addition. je . . . , tu . . . , Joseph . . . , nous . . . , vous. . . .
3. Tu entends Albert? je . . . , Mary . . . , nous . . . , vous . . . , nos amis. . . .
4. Finis la tasse! je . . . , tu . . . , l'étudiant . . . , nous . . . , vous . . . , les trois étudiants. . . .
5. Le garçon entre dans le restaurant. je . . . , tu . . . , nous . . . , vous . . . , Mary et Suzanne. . . .
6. Nous n'avons pas faim aujourd'hui. je . . . , tu . . . , Joseph . . . , vous . . . , les professeurs. . . .
7. Allez-vous au café du coin? je . . . , tu . . . , le groupe . . . , nous . . . , Joseph et Albert. . . .

21. The Partitive Article (*L'Article partitif*)

Avez-vous *du* pain?
Nous avons *des* fruits.

When a noun denotes, in the singular, an indefinite quantity and, in the plural,[3] an indefinite number, it is preceded by the preposition *de* and the definite article. This is equivalent, more or less, to "some" in English, but usually in English the noun stands alone.

Je vais prendre *de la* soupe.
*De l'*air! ouvrez la fenêtre!

22. Some Uses of the Definite Article (*Quelques emplois de l'article défini*)

As in English, the *definite* article is used with a noun to indicate that it is *definite:*

Le pain est sur la table.

This is not a vague, indefinite quantity of bread, which, as shown above, is *du pain,* but a definite bread that has presumably been already mentioned. There are in addition to this obvious use, several other uses of the definite article, where none would appear in English.

[3] The form *des* in the sentence "nous avons *des* pommes" is sometimes considered as the plural of the indefinite article. Compare "nous avons *une* pomme," "nous avons *des* pommes."

A. GENERAL NOUNS (*Noms généraux*)

When a noun is used in a general sense, that is, when a statement means all the objects or persons of a type or class indicated, with no restrictions, the definite article is used.

Aimez-vous *les* haricots verts?
Je préfère *la* soupe.

B. ABSTRACT NOUNS (*Noms abstraits*)

Le temps passe trop vite.
La liberté nous appelle!

(Abstract nouns take the definite article.)

C. PROPER NOUNS PRECEDED BY TITLES OR ADJECTIVES (*Noms propres précédés de titres ou d'adjectifs*)

Le jeune Albert Clark est dans ma classe.
Le professeur Delavigne a un bel accent.
Le président de Gaulle écrit bien.

Exercice

X. Répondez affirmativement aux questions, en remplaçant le pronom *en italique* par le nom donné entre parenthèses. Ajoutez un article (défini ou partitif) s'il en faut un. (Answer affirmatively. Add an article definite or partitive, if necessary.)

EXEMPLE

– Est-ce qu'il *l'*aime? (café)
– Oui, il aime le café.
– *Qu'est-ce qu'*il demande? (café)
– Il demande du café.

1. *Qu'est-ce qu'*il prend? (pommes)
2. Est-ce qu'il *les* aime? (pommes)
3. *Qu'est-ce qu'*il a? (fromage)
4. Est-*il* bon ici? (fromage)
5. *Qu'est-ce qu'*il prend dans ce restaurant? (café)
6. Est-*elle* bonne dans ce restaurant? (salade de fruits)
7. Sont-*ils* rares? (bons restaurants)

8. Est-*il* saignant? (bifteck)
9. *La* regarde-t-il? (jeune Suzanne)
10. A-t-*il* l'air furieux? (Colonel Ronchonnot)
11. La nourriture est-elle un problème pour *lui*? (professeur Durand)

23. Conjunctive Object Pronouns (*Les Pronoms compléments atones*)

A. BEFORE THE VERB (*Avant le verbe*)

Compare: je vois *le professeur*.
je *le* vois.
and
I see *the professor*.
I see *him*.

In many respects English word order and French word order are similar. One important difference is that, in English, pronoun objects always *follow* the verb, in French, they *precede* the verb.[4]

Pronoun objects agree in gender and number with the nouns for which they stand.

Je vois *Albert Clark*.	Je *le* vois.
Je vois *Mary Morse*.	Je *la* vois.
Albert aime *Mary*.	Il *l'*aime.
Mary aime *Albert*.	Elle *l'*aime.
Je vois *Albert et Mary*.	Je *les* vois.
Je parle *à Albert Clark*.	Je *lui* parle.
Je parle *à Mary Morse*.	Je *lui* parle.
Je parle *à Albert et à Mary*.	Je *leur* parle.

You have noticed that, in the singular, *le* serves as masculine and *la* as feminine direct object, except before a vowel, where *l'* is used for both masculine and feminine. In the plural, *les* is used as direct object masculine and feminine. As indirect object, *lui* is used for both masculine and feminine singular, and *leur* is used for both masculine and feminine plural.

In the first and second persons there are fewer forms.

Je *vous* vois, Albert.
Je *vous* vois, Mary.
Je *vous* parle, Albert.
Je *vous* parle, Mary.

[4] Except for the affirmative imperative, which will be treated in 23B.

Me, te, nous and *vous* ("me" or "to me," "you" or "to you"—familiar form, "us" or "to us," and "you" or "to you"—formal, both singular and plural) are used for both masculine and feminine, direct and indirect objects.

Le professeur *me* parle.
Je *te* parle, Azor. (Azor is a dog's name in France.)
La classe *nous* écoute.

Exercices

XI. Répondez affirmativement aux questions suivants en employant un pronom comme objet. (Answer the following questions affirmatively using a pronoun as object.)

EXEMPLE

— Recommandez-vous *le fromage?*
— Oui, je *le* recommande.

1. Regardez-vous *le menu?*
2. Commandez-vous *la soupe?*
3. Etudiez-vous *le problème?*
4. Chuchotez-vous *le prix?*
5. Cherchez-vous *nos amis?*
6. Aimez-vous *nos frites?*
7. Examinez-vous *ce menu?*
8. Cherchez-vous *cet endroit?*

EXEMPLE

— Est-ce que je parle *à Albert?*
— Oui, vous lui parlez.

1. Est-ce que je parle *à Joseph?*
2. Est-ce que je réponds *au professeur?*
3. Est-ce que je chuchote le prix *à mon voisin?*
4. Est-ce que je mentionne le sujet *à Marie?*
5. Est-ce que je donne le menu *à Mary* et *à Suzanne?*
6. Est-ce que je montre la leçon *à Joseph* et *à Albert?*

EXEMPLE

— Recommandent-ils *le fromage?*
— Oui, ils le recommandent.

1. Regardent-ils *le menu?*
2. Commandent-ils *la soupe?*
3. Examinent-ils *le menu?*
4. Aiment-ils *nos fruits?*

EXEMPLES

— *Me* parlez-*vous* français?
— Oui, *je vous* parle français.

— Est-ce que *je vous* parle français?
— Oui, *vous me* parlez français.

1. *Me* montrez-*vous* cette dictée?
2. *Me* donnez-*vous* ce stylo?
3. *Me* tentez-*vous?*
4. *Me* regardez-*vous?*
5. Est-ce que *je vous* attends?
6. Est-ce que *je vous* entends?
7. Est-ce que *je vous* amuse?
8. Est-ce que *je vous* tente?

XII. Répondez négativement aux questions de l'exercice XI. (Make the answers to exercise XI negative.)

EXEMPLE

— Recommandez-vous le fromage?
— Non, je ne le recommande pas.

XIII. Exercice de synthèse. Répondez aux questions, en remplaçant les expressions en italiques par des pronoms. (Assimilation exercise. Answer the questions, substituting pronouns for the italicized words.)

1. Recommandez-vous *la tarte aux pommes* à Albert Clark?
2. Recommandez-vous la tarte aux pommes *à Albert Clark?*
3. Regarde-t-il *les visages de ses camarades?*
4. Est-ce que je donne *ma parole?*
5. Aimez-vous beaucoup *ce café?*
6. Donnez-vous une leçon *à ces étudiants?*
7. Finit-il *le café?*
8. Donnez-vous *la bonne soupe* à Albert?
9. Nos amis poursuivent-ils *une discussion animée?*
10. Montrez-vous *le restaurant* à vos amis?
11. Est-ce que je montre *la leçon* à Joseph?
12. Est-ce que je montre le restaurant *à Suzanne?*

B. CONJUNCTIVE OBJECT PRONOUNS WITH THE IMPERATIVE (*Les Pronoms objets atones avec l'impératif*)

With the *affirmative* [5] imperative the pronoun object is placed *after*

[5] With the *negative* imperative, the normal word order is used: that is, the pronoun precedes the verb (and comes after *ne*).

Ne le regardez pas.	(Regardez-le.)
Ne me montrez pas le crayon.	(Montrez-moi le crayon.)

the verb and attached to it by a hyphen. *Moi* is used instead of *me* with the *affirmative* imperative.

Regardez-le.
Regardez-les.
Montrez-moi le crayon.
Parlons-lui du repas.
Donnez-nous le menu.
Demandez-leur si le café est délicieux.

Exercices

XIV. Dans les phrases suivantes un étudiant dit qu'il veut faire quelque chose. Répondez en lui disant de le faire, et en remplaçant les mots en italiques par un pronom. (In the following sentences a student says that he wants to do something. Answer him by telling him to do it, and substitute a pronoun for the italicized words.)

EXEMPLES

– Je veux finir *mon café.*
– Alors, finissez-le.

– Nous voulons finir *notre café*
– Alors finissons-le.

1. Je veux demander *le nom de ce restaurant.*
2. Je veux commander *la salade de fruits.*
3. Nous voulons finir *les leçons de grammaire.*
4. Je veux chercher *un bon restaurant.*
5. Nous voulons finir *notre déjeuner.*
6. Nous voulons écouter *le tic-tac de la pendule.*
7. Je veux choisir *les fruits.*
8. Je veux poursuivre *la discussion.*

EXEMPLE

– Je veux écouter le *professeur.*
– Ecoutez-*le.*

1. Je veux regarder le *menu.*
2. Nous voulons prendre la *salade de fruits.*
3. Je veux inviter nos *amis.*
4. Je veux parler à *Suzanne.*

5. Je veux donner cette *banane* à Albert.
6. Nous voulons donner des renseignements à nos *amis*.
7. Je veux manger ma *soupe*. (un chien parle)

XV. Mettez les phrases de XIV au négatif et répondez au négatif.

EXEMPLE

— Je ne veux pas écouter le *professeur*.
— Ne l'écoutez pas.

XVI. Répondez aux phrases de XIV, en indiquant que vous voulez bien faire cette action, mais ensemble (together).

EXEMPLE

— Je veux écouter le *professeur*.
— Ecoutons-le.

"Je travaille
jour et nuit. . . ."

«7»

Un programme chargé

Joseph Ford: Excusez-moi, Mary, vous êtes étudiante de deuxième année, n'est-ce pas?

Mary Morse: Non, j'ai commencé mes études ici il y a deux ans, je suis étudiante de troisième année.

Joseph Ford: Tant mieux! Je suis certain que vous allez pouvoir m'aider. Comme vous le savez, je suis étudiant de première année, et depuis septembre dernier j'essaye de suivre un programme impossible.

Mary Morse: Eh bien, parlez-moi de vos difficultés!

Joseph Ford: J'ai choisi des cours de mathématiques, d'histoire, de littérature anglaise et de français. Voilà les cours que j'ai choisis!

Mary Morse: N'est-ce pas le programme ordinaire?

Joseph Ford: Ordinaire! Je vous ai demandé de m'aider et vous qui avez l'air de me comprendre, vous venez me dire que ce programme est ordinaire!

Mary Morse: Calmez-vous! Moi aussi, j'ai trouvé mes premiers mois difficiles. J'ai été surprise par la variété et la difficulté de mes sujets. J'ai été obligée de faire un gros effort pour recevoir des notes satisfaisantes et. . . .

Joseph Ford: Vous dites que vous avez été obligée de faire un gros effort! Moi, j'ai perdu le sommeil et mon appétit a disparu! Je travaille jour et nuit, et les notes qu'on me donne ne sont même pas moyennes!

Mary Morse: Allons, du calme!

Joseph Ford: Ecoutez! Savez-vous quelle note j'ai reçue pour tous mes efforts en mathématiques, la semaine dernière? Je vais vous la dire.

Mary Morse: Eh bien, quelle note avez-vous reçue?

Joseph Ford: Ma note? C'est bizarre, mais je l'ai oubliée.

VOCABULAIRE

Noms

l'an *m.* year
l'année *f.* year
l'appétit *m.* appetite
le calme calm
la difficulté difficulty
l'effort *m.* effort
l'étude *f.* study
l'histoire *f.* history
le jour day
la littérature literature
les mathématiques *f. pl.* mathematics
le mois month
la note grade, mark
la nuit night
le programme program
septembre *m.* September
le sommeil sleep
le sujet subject
la variété variety

Pronoms relatifs

qui who
que which, that

Verbes

aider to help, aid
calmer to calm
choisir to choose
être (*past part.* **été**) to be
disparaître (*past part.* **disparu**) to disappear
excuser to excuse
perdre to lose
recevoir (*past part.* **reçu**) to receive, get
suivre to follow

Adjectifs

anglais English
bizarre strange
certain certain
chargé loaded, heavy
dernier (*f.* **dernière**) last

deuxième second
gros (*f.* **grosse**) big, fat
difficile difficult
moyen (*f.* **moyenne**) average
obligé obliged
–**être obligé de** to have to
ordinaire ordinary, regular
satisfaisant satisfactory
surpris surprised
vos your

Expressions diverses

allons! come now!
du calme! take it easy!
eh bien! well!
faire un gros effort to try very hard
il y a + expression de temps ago
–**il y a deux ans** 2 years ago
tant mieux so much the better
les notes que j'ai reçues ne sont même pas moyennes the grades I received are not even average

Nouveau temps: le passé composé
(verbes conjugués avec *avoir*)

J'*ai commencé* mes études il y a deux ans.
I began my studies two years ago.
Tu *as trouvé* tes cours difficiles.
You found your courses difficult.
Il *a été obligé* de faire un gros effort.
He was obliged (had) to make a considerable effort.
Nous *avons trouvé* nos cours difficiles.
We found our courses difficult.
Quelle note *avez*-vous *reçue?*
What grade did you get?
Dites-moi les cours qu'ils *ont choisis.*
Tell me the courses they chose.

EXERCICES

A. Répondez en français d'après le texte.

1. Mary Morse est étudiante de quelle année?
2. Quand a-t-elle commencé ses études?
3. Que fait Joseph Ford depuis septembre dernier?
4. Qu'est-ce que Mary l'encourage à faire?
5. Quels cours Joseph a-t-il choisis?
6. Qu'est-ce que Mary pense du programme de Joseph Ford?
7. Quelle est la réaction de Joseph quand il entend la réponse de Mary?
8. Comment Mary a-t-elle trouvé ses premiers mois à l'université?
9. Par quoi a-t-elle été surprise?
10. Qu'a-t-elle été obligée de faire pour recevoir des notes satisfaisantes?
11. Quelles ont été les conséquences des gros efforts de Joseph?
12. Travaille-t-il beaucoup?
13. Pourquoi n'est-il pas content de ses notes?
14. Quel exemple donne-t-il à Mary?
15. Joseph a-t-il donné sa note à Mary?

B. Exercice sur le passé composé. Mettez les verbes en italiques au passé composé. (Exercise on the passé composé. Change the italicized verbs to the passé composé.)

EXEMPLE

— Mary *commence* ses études. (Mary is beginning her studies.)
— Mary *a commencé* ses études. (Mary began [has begun] her studies.)

1. Je *commence* mes études.
2. Je *choisis* des cours difficiles.
3. Je *trouve* mes premiers mois difficiles.
4. J'*oublie* ma note.
5. Je *suis* surpris par la difficulté de mes sujets.
6. Je *suis* obligé de faire un gros effort.
7. Je *perds* le sommeil.
8. Je *vous demande* de m'aider.
9. Je *vous demande* d'ouvrir la fenêtre.
10. Je *vous demande* de me parler.

C. Exercice sur le passé composé, forme négative. Employez les phrases de l'exercice B. (Exercise on the passé composé, negative form. Use the sentence of exercise B.)

EXEMPLE

— Mary *commence* ses études.
— Mary *n'a pas commencé* ses études.

"A la gare d'arrivée
mon cousin m'a reçu."

«8»

Souvenirs de week-end

Joseph Ford: Quel bon week-end je viens de passer!

Albert Clark: Tant mieux. Raconte-le-moi. Je n'ai rien fait, j'ai passé un week-end terriblement ennuyeux.

Mary Morse: Racontez-le-lui, mais attention, il va vous dire qu'après tout, votre week-end n'a pas été exceptionnel.

Suzanne Bernard: Ou s'il le trouve exceptionnel, il va être jaloux.

Joseph Ford: Tant pis, je le lui raconte quand même. Samedi matin, réveil à 7 heures. Une demi-heure plus tard, lavé, rasé, et habillé, j'ai quitté le dortoir. J'ai marché rapidement vers la gare.

Albert Clark: Tu n'as pas pris ton petit déjeuner? Moi, sans mon petit déjeuner, je ne peux pas mettre un pied devant l'autre. L'autre jour. . . .

Suzanne Bernard: Laissez-le raconter son week-end. C'est vous qui le lui avez demandé. Vos histoires, nous les connaissons!

Joseph Ford: Je suis monté dans le train. "Départ dans deux minutes, messieurs les voyageurs!" Heureusement que je n'ai pas pris mon petit déjeuner, mon vieux. . . . Le voyage a été un peu long, mais un magazine m'a permis de passer le temps agréablement. A la gare d'arrivée, mon cousin, venu m'attendre, m'a reçu à bras ouverts. A midi, nous avons pris ensemble un déjeuner exquis, préparé par sa femme qui a fait des merveilles.

Albert Clark: C'est toi qui dis cela! Pour toi la nourriture ne compte jamais. C'est toi qui l'as dit il y a un instant.

Joseph Ford: Moi, j'ai dit cela? Tu rêves! Quel drôle de garçon. Avec lui toutes les surprises sont possibles.

Albert Clark: C'est de moi que tu parles de cette façon. Oh! j'ai assez patienté. Cette fois, tu es allé trop loin. Tant pis pour toi. [*La scène finit dans le tumulte.*]

VOCABULAIRE

Noms

le cousin the cousin
le départ the departure
le dortoir the domitory
la femme the woman, wife
la fois the time (in a succession of occurrences)
la gare the station
–**la gare d'arrivée** the station of (our) destination
l'histoire *f.* the story
l'instant *m.* the instant
le magazine the magazine
midi *m.* noon
le petit déjeuner the breakfast
le réveil the waking up
samedi *m.* Saturday
le souvenir the memory
la surprise the surprise
le tumulte the tumult, the uproar
le voyage the trip
le voyageur the traveler
le week-end the week end

Verbes

compter to count
connaître to know
–**nous connaissons** we know
marcher to walk
monter to climb up, get into
passer to spend
patienter to be patient
permettre (*past part.* **permis**) to permit, enable
prendre (*past part.* **pris**) to take
quitter to leave
raconter to tell
recevoir (*past part.* **reçu**) to receive
rêver to dream

Adjectifs

autre other
ennuyeux (*f.* **ennuyeuse**) boring
exceptionnel exceptional
exquis exquisite
habillé dressed
jaloux jealous

lavé washed
long (*f.* **longue**) long
ouvert open
possible possible
rasé shaved

Adverbes

agréablement agreeably
assez enough
heureusement luckily
jamais
  –ne . . . jamais never
loin far
rien
  –ne . . . rien nothing
tard late
  –plus tard later
terriblement terribly

Préposition

vers toward

Expressions diverses

attention watch out
de cette façon in this way
faire des merveilles to outdo oneself
mettre un pied devant l'autre to take a single step
mon vieux old fellow
quand même anyway
tant pis too bad
  –tant mieux so much the better

Nouveau temps: le passé composé
(verbes conjugués avec *être*)

Je ***suis monté*** **dans le train.**
  I got into the train.
Tu ***es allé*** **trop loin.**
  You have gone too far.
Ma cousine ***est venue*** **m'attendre.**
  My cousin came to meet me.
Nous ***sommes montés*** **dans le train.**
Vous ***êtes monté*** **dans le train, Joseph.**
Elles ***sont montées*** **dans le train.**

EXERCICES

A. Répondez en français d'après le texte.

1. Quelle sorte de week-end Joseph Ford vient-il de passer?
2. Qu'a fait Albert Clark?
3. Quelle est la conséquence de cela?
4. D'après Mary, que va dire Albert si Joseph raconte son week-end?
5. Et si Albert trouve le week-end exceptionnel, quelle sera sa réaction?
6. A quelle heure Joseph a-t-il quitté le dortoir?
7. Qu'est-ce qu'il n'a pas pris?
8. Sans son petit déjeuner qu'est-ce qu'Albert ne peut pas faire?
9. Que dit Suzanne à Albert quand il veut commencer à raconter son histoire?
10. Une fois dans le train qu'est-ce que Joseph a entendu?
11. Qu'est-ce qui lui a permis de passer le temps agréablement?
12. A la gare d'arrivée qui est venu l'attendre?
13. Comment son cousin a-t-il reçu Joseph?

14. Qu'est-ce qu'ils ont fait à midi?
15. Comment la scène finit-elle?

B. Exercice sur le passé composé. (Exercise on the *passé composé.*) Mettez le verbe en italiques au *passé composé.* (Change the italicized verb to the *passé composé.*)

1. Je *passe* un week-end ennuyeux.
2. Je *quitte* le dortoir.
3. Je *marche* rapidement vers la gare.
4. Vous *demandez* cette histoire.
5. Le *voyage est* long.
6. Sa *femme fait* des merveilles.
7. Je *dis* cela.
8. Tu *dis* cela.

C. Exercice sur le passé composé, forme négative. Mettez les expressions en italiques au *passé composé.* (Change the italicized words to the *passé composé.*)

EXEMPLE

— Mary *ne commence pas* ses études.
— Mary *n'a pas commencé* ses études.

1. Je *ne passe pas* un week-end ennuyeux.
2. Je *ne quitte pas* le dortoir.
3. Je *ne marche pas* rapidement vers la gare.
4. Vous *ne demandez pas* cette histoire.
5. Le voyage *n'est pas* long.
6. Sa femme *ne fait pas* de merveilles.
7. Je *ne dis pas* cela.
8. Tu *ne dis pas* cela.

D. Exercice sur la construction *il y a.* Répondez aux questions suivantes. Utilisez *il y a* et l'expression de temps suggérée entre parenthèses. (Exercise on the construction *il y a.* Answer the following questions. Use *il y a* and the expression of time suggested in parentheses.)

EXEMPLE

— Quand avez-vous dit cela? (deux jours)
— J'ai dit cela *il y a deux jours.*

1. Quand l'automne a-t-il commencé? (trois semaines)
2. Quand avons-nous commencé ces exercices? (un quart d'heure)
3. Quand avez-vous commencé vos études? (une semaine)
4. Quand êtes-vous arrivé en classe? (une demi-heure)
5. Quand avez-vous vu le professeur? (deux heures)

ETUDE DE GRAMMAIRE IV

24. The Passé Composé (*Le Passé composé*)

1. *J'ai étudié* ma leçon.	I studied [1] my lesson.
2. Tu *as choisi* un cours de mathématiques.	You chose a mathematics course.
3. Albert *a perdu* le sommeil.	Albert has lost his sleep.
4. Nous *avons pris* un déjeuner exquis.	We ate an exquisite lunch.
5. Vous *avez fait* des merveilles.	You did something wonderful.
6. Ils *ont marché* vers la gare.	They walked toward the station.
7. Je n'*ai* pas *commencé* mes études.	I didn't begin my studies.
8. Quelle note *as*-tu *reçue*?	What grade did you get?
9. Mary *est montée* dans le train.	Mary got into the train.
10. Nos amis *sont venus* à la gare.	Our friends came to the station.

The italicized verbs in the preceding sentences are examples of the tense called the passé composé (compound past, sometimes called past indefinite, perfect or present perfect). As you have seen, it is formed by using the auxiliaries *avoir* (1–8) or *être* (9–10)—it is customary to say that the verb is *conjugated* with *avoir* or *être*—and the *past participle* of the verb. It is the different persons of the *auxiliary* that are conjugated.

A. THE PAST PARTICIPLE (Le Participe passé)

The past participle of the three *regular* conjugations is formed as follows:

infinitive	*infinitive stem*	*past participle ending*	*past participle*
étudier	étudi-	-é	étudié
finir	fin-	-i	fini
entendre	entend-	-u	entendu

[1] Note that although in form this tense resembles the English *present perfect* (and occasionally its meaning is similar), in general it corresponds to the English *past* tense. You may have noticed that French people speaking English, misled by the similarity of form, often say "I have gone to New York," when they mean "I went to New York." They are translating: "Je suis allé à New York."

The past participles of the *irregular* verbs introduced so far are as follows:

infinitive	*past participle*
avoir, to have	eu
être, to be	été
aller, to go	allé
ouvrir, to open	ouvert
venir, to come	venu
connaître, to be acquainted with	connu
croire, to believe	cru
dire, to say	dit
disparaître, to disappear	disparu
écrire, to write	écrit
faire, to make, do	fait
mettre, to put	mis (permettre, promettre and remettre are similar)
plaire, to please	plu
prendre, to take	pris (comprendre and apprendre are similar)
suivre, to follow	suivi (poursuivre is similar)
pleuvoir, to rain	plu
pouvoir, to be able	pu
recevoir, to receive	reçu
savoir, to know	su
voir, to see	vu
vouloir, to wish	voulu

B. THE AUXILIARIES (*Les Auxiliaires*)

All transitive verbs and many intransitive verbs are conjugated with *avoir*. A limited number of *intransitive* verbs and all *pronominal* verbs (see section 30) are conjugated with *être*. The intransitive verbs conjugated with *être* can, in general, be classified as verbs of motion or of change of condition. Grouping them as follows may make it easier for you to remember them:

aller, to go
venir, to come
arriver, to arrive
partir, to leave
sortir, to go out

entrer, to enter
rester, to stay, remain
rentrer, to re-enter, return
retourner, to return, turn around
revenir, to return
monter, to climb up, mount, go up
descendre, to go down, descend
tomber, to fall
devenir, to become
naître, to be born
mourir, to die

C. AGREEMENT OF THE PAST PARTICIPLE (*L'Accord du participe passé*)

Look back at the examples given on page 75. As you will note (examples 8, 9, 10), the form of the past participle varies; feminine and plural forms are used on certain occasions. Here are the rules:

1. In verbs conjugated with *avoir* and pronominal verbs (all of which are conjugated with *être*), the past participle agrees with a *preceding direct object*.

Compare: j'ai vu *sa femme*
and
je *l'*ai *vue*

In the first the direct object follows the verb; there is no agreement. In the second the direct object precedes; the *-e* of *vue* indicates that *l'* is feminine. The preceding direct object is usually a personal pronoun or a relative pronoun.

Voilà les cours *que* j'ai *choisis*.
Nous *les* avons *entendues,* vos histoires.

(The relative pronoun *que* is considered to be of the same gender, number and person as its antecedent, which in the sentence just given is *les cours,* masculine plural.) In questions, a *noun* direct object often precedes the verb, and thus causes agreement of the past participle:

Quelle *note* as-tu *reçue?*

A preceding *indirect* object has no effect on a past participle:

J'ai demandé à Suzanne où elle va.
Je *lui* ai *demandé* où elle va.

(We shall discuss the agreement of the past participle in pronominal verbs in section **30B.**)

2. In intransitive verbs conjugated with *être,* the past participle agrees with the *subject:*

Suzanne est *venue* à la gare.
Nous sommes *montés* dans le train.
Elles sont *montées* dans le train.

D. USE OF THE PASSÉ COMPOSÉ (*L'Emploi du passé composé*)

Napoléon Ier *a perdu* la bataille de Waterloo en 1815.
J'*ai quitté* le dortoir, j'*ai pris* mon petit déjeuner, et j'*ai marché* vers la gare.
Quand je *suis arrivé* à la gare, je *suis monté* dans le train.

The *passé composé* states a completed event in the past or a succession of such events. It is the historical or narrative past tense, and it is used primarily in *conversation* or in *informal writing.* (The narrative or historical past tense used in *formal writing* is the *passé simple,* introduced and explained later: see section **49.**)

E. NEGATION WITH THE PASSÉ COMPOSÉ (*La Négation avec le passé composé*)

In the negative of the passé composé, *ne* precedes the auxiliary and *pas* follows the auxiliary.

Je	*n'*	ai	*pas*	étudié ma leçon.
Nous	*ne*	sommes	*pas*	montés dans le train.

F. INTERROGATION WITH THE PASSÉ COMPOSÉ (*L'Interrogation avec le passé composé*)

In the interrogative of the passé composé, the auxiliary verb is put in the interrogative form.

	As-tu	pris	ton petit déjeuner?
Mary	a-t-elle	raconté	son week-end?
Quelle note Joseph	a-t-il	reçue?	

G. NEGATIVE INTERROGATION WITH THE PASSÉ COMPOSÉ (*L'Interrogation négative avec le passé composé*)

In the negative interrogative of the passé composé, the auxiliary verb is put in the negative interrogative form.

	N'avez-vous pas	raconté	votre week-end?
Joseph	n'a-t-il pas	reçu	de bonnes notes?
Mary	n'a-t-elle pas	pris	son petit déjeuner?

Exercices

I. Mettez les verbs en italiques au passé composé. (Change the italicized verbs to the passé composé.)

A. Verbs réguliers.

1. Je *raconte* mon week-end.
2. Tu le *trouves* exceptionnel?
3. Albert *choisit* ses cours.
4. Nous *entendons* les histoires de Joseph.
5. Vous *parlez* de cette façon.
6. Les scènes *finissent* dans le tumulte.

B. *Avoir* et *être*.

1. Où *êtes*-vous ce week-end?
2. J'*ai* un long devoir.
3. Ils *ont* un déjeuner exquis.
4. Elle *est* étudiante de deuxième année.
5. Nous *sommes* des étudiants de première année.
6. Albert *a* une bonne note.

C. Verbes au participe passé en *u*.

1. Albert *connaît* New York.
2. Je vous *crois*, Monsieur.
3. Il *pleut* très fort aujourd'hui.
4. Nous ne *pouvons* pas aller à Paris.
5. Ils ne *veulent* pas nous raconter leur week-end.
6. Vous *savez* que j'ai de bonnes notes, Albert.
7. Il ne *voit* pas le train.
8. Nos amis *reçoivent* de bonnes notes.

D. D'autres verbes irréguliers.

1. *Ouvrez*-vous la porte, Suzanne?
2. Je *dis* que je fais un effort.
3. Je dis que je *fais* un effort.
4. Joseph *écrit* souvent.
5. Vous me *promettez* de travailler
6. Nous *prenons* notre petit déjeuner.
7. Les garçons *suivent* Suzanne.

E. Verbes conjugués avec *être*.

1. Joseph *monte* dans le train.
2. Deux heures plus tard ils *arrivent*.
3. A quelle heure est-ce que tu *pars* de Paris?
4. Mes cousins *viennent* m'attendre.
5. Mary *va* trop loin.
6. Après le week-end les étudiants *reviennent* à l'université.
7. Suzanne *s'ennuie* terriblement.

II. Exercice de transformation. Répondez au passé composé à un ordre à l'impératif. (Answer, in the passé composé, an order in the imperative.)

EXEMPLE

– Corrigez le devoir!
– J'ai corrigé le devoir.

1. Trouvez le stylo noir!
2. Commandez la tarte aux pommes!
3. Demandez l'addition!
4. Fermez les fenêtres!
5. Finissez cette leçon!
6. Perdez cette habitude!
7. Attendez les étudiants!
8. Ecoutez les cloches!

III. Refaites l'exercice précédent avec les mêmes phrases, mais en remplaçant le nom objet par un pronom, et en faisant l'accord du participe passé quand il le faut. (Redo the preceding exercise with the same sentences, but replacing the noun object by a pronoun, and making the past participle agree when necessary.)

EXEMPLES

– Corrigez le devoir!
– Je l'ai corrigé.

– Corrigez la dictée!
– Je l'ai corrigée.

IV. Exercice de synthèse. (Assimilation exercise.)

A. Mettez les verbes en italiques dans les phrases suivantes au passé composé. Faites l'accord du participe passé quand il le faut. (Change the italicized verbs in the following sentences to the passé composé. Make the past participle agree when necessary.)

1. Quels cours *choisissez*-vous?
2. Quelles notes *recevez*-vous?
3. C'est de moi que tu *parles?*
4. C'est Suzanne que je *vois.*
5. Vos histoires, nous les *entendons.*
6. Mes premiers mois je les *trouve* trop difficiles.
7. Je *quitte* le dortoir à neuf heures.
8. Tu les *oublies.*
9. Mary et Suzanne *montent* dans le train.
10. Nous *perdons* le sommeil.
11. Il les *reçoit* trop souvent.
12. Je leur *demande* de m'aider.
13. Mon week-end *est* exceptionnel.
14. Les trains *partent* à deux heures.

B. Mettez chacune des phrases que vous avez faites dans l'exercice précédent (1) à l'interrogatif (sauf celles qui sont déjà à l'interrogatif), (2) au négatif, (3) au négatif interrogatif. (Change each of the sentences you have done in the preceding exercice (1) to the interrogative—except for those already in the interrogative—(2) to the negative, (3) to the negative interrogative.)

25. Conjunctive Object Pronouns: Order of Two Pronoun Objects (*Les Pronoms compléments atones: ordre de deux pronoms compléments*)

A. BEFORE THE VERB (*Devant le verbe*)

(1) Je raconte mon *week-end à Albert.*
Je *le* raconte *à Albert.*
Je *lui* raconte *mon week-end.*
Je *le lui* raconte.
Joseph demande *l'heure à ses amis.*
Joseph *la leur* demande.

When a verb has two pronoun objects, one direct and the other indirect, if both are of the *third* person, the direct object precedes the indirect.

(2) Il me dit sa note.	Il me la dit.
Je te dis ta note.	Je te la dis.

When a verb has two pronoun objects, one an indirect object of the first or second persons, the other a direct object of the third person, the indirect object precedes the direct.

Table showing order of pronouns before the verb:

me, te, se, nous, vous	le, la, les	lui, leur	y	en

B. AFTER THE VERB—THE AFFIRMATIVE IMPERATIVE (*Après le verbe—l'impératif affirmatif*)

Raconte-*moi ton week-end.*
Raconte-*le-moi.*

Dites *vos notes à vos amis.*
Dites-*les-leur*.

After the verb, in the affirmative imperative, the direct object pronoun precedes the indirect. Note the use of the hyphen.

Exercices

V. Exercices sur les *pronoms personnels*—deux compléments.

EXEMPLE

— Nous racontons notre week-end à notre ami.
— Nous le lui racontons.

1. Je vous ai raconté mon week-end.
2. Je vous ai donné ce repas léger.
3. Je vous donne sa note.
4. Je vous ai dit cette histoire.
5. Il nous a raconté son week-end.
6. Il nous donne la note.
7. Il nous a dit cette histoire.
8. Il nous donne ce repas léger.
9. Nous lui avons raconté notre week-end.

10. Nous lui avons dit cette histoire.
11. Nous lui avons donné ces repas légers.
12. Nous lui avons demandé sa note.
13. Vous l'avez raconté aux professeurs.
14. Vous l'avez demandé au garçon.
15. Vous l'avez donné à Marie.
16. Vous l'avez dit à cet homme.

VI. Exercice: deux pronoms compléments devant le verbe. Répondez à chaque question (1) affirmativement, (2) négativement, en remplaçant les noms par des pronoms. (Answer each question (1) positively, (2) negatively, by changing the nouns by pronouns.

EXEMPLE

— Avez-vous donné le livre au professeur?
— Oui, je le lui ai donné.
— Non, je ne le lui ai pas donné.

1. Avez-vous montré le petit restaurant à Joseph?
2. Le professeur a-t-il donné les notes aux étudiants?
3. Avez-vous raconté votre week-end à Albert?
4. Avez-vous dit votre nom au professeur?
5. Avez-vous présenté Georges à votre ami?
6. M'avez-vous présenté Georges?
7. Est-ce que je vous ai dit mon nom?
8. Est-ce que j'ai dit mon nom à Joseph?
9. Est-ce que vous avez montré votre note à Mary?
10. Avez-vous raconté ces histoires à Suzanne?
11. Est-ce que je vous ai montré la gare?
12. M'avez-vous montré mes notes?
13. Avez-vous donné un repas léger à Joseph?
14. Avez-vous demandé son nom à cet homme?
15. Cet homme vous a-t-il dit son nom?

26. Disjunctive Pronouns (*Les Pronoms personnels toniques*)

Moi, j'ai dit cela?
Tant pis pour *toi.*
Voici Joseph. Avec *lui* toutes les surprise sont possibles.
Je vous présente à *elle* maintenant.
Lui et *moi* allons partir demain.
C'est *nous* qui disons cela.

C'est *vous* qui venez de frapper? *Vous?*
Présentez-nous à vos amis. Présentez-nous à *eux*.
Voilà Suzanne et Mary. Qu'est-ce qu'elles font, *elles?*

The preceding sentences illustrate the various uses of the *disjunctive pronouns,* an example being given of each pronoun. They are used when a pronoun must be separated from the verb, that is, when it does not immediately precede or immediately follow the verb. In detail, the uses may be enumerated as follows:

A. OBJECT OF A PREPOSITION (*Objet d'une préposition*)

Tant pis pour *toi*.

B. PREDICATE OF THE VERB "ETRE" (*Attribut du verbe* être)

C'est *nous* qui disons cela.
Ce sont [2] *eux* qui disent cela.

(This is the construction used for emphasis, *"la mise en relief."*)

C. PRONOUN USED ALONE (*Comme pronom tout seul*)

Qui vient de frapper? *Toi?*

D. EMPHASIS OF A PRONOUN SUBJECT OR OBJECT (*La Mise en relief du sujet ou de l'objet*) [3]

Moi, j'ai dit cela?
Je l'ai vu, *lui*.
Elle est venue hier, *elle; lui* ne vient jamais.

When the object is emphasized, the conjunctive object pronoun *must* be retained:

Je *l'*ai vu, *lui*.

When the subject is emphasized, the subject pronoun of the first or second person must be retained, but a third person subject pronoun may be omitted:

Toi, tu vas partir, *lui* va rester.

[2] When the predicate is a plural noun or a third person pronoun, the verb is in the plural.

[3] This disjunctive pronoun may be placed either at the beginning or the end: Moi, j'ai dit cela? or J'ai dit cela, moi?

E. ONE OR MORE PRONOUNS IN A COMPOUND SUBJECT (*Un seul ou plusieurs pronoms dans un sujet composé*)

Jean et moi avons dit cela.
Jean et moi nous avons dit cela.
Elle et lui sont nos amis.
Toi et moi nous allons partir demain

When the subjects are of different persons, the verb is plural: first person plural if first and second, or first and third persons are involved, second person plural if second and third persons are involved.

F. When a personal pronoun of the *first* or *second* persons is direct object of the verb, the indirect object must be disjunctive, and must *follow* the preposition *à after* the verb. This occurs most frequently with the verbs *présenter* and *donner*. Compare:

Suzanne *me les* présente. (Suzanne introduces *them to me.*)
Suzanne *me* présente *à eux*. (Suzanne introduces *me to them.*)
Je *te la* présente. (I introduce *her to you.*)
Je *te* présente *à elle*. (I introduce *you to her.*)

Exercices

VII. Exercices sur les pronoms toniques.

Dans les phrases suivantes, remplacez les noms en italiques par des pronoms:

1. Avec *Joseph* toutes les surprises sont possibles.
2. Pour *mon cousin* la nourriture ne compte pas.
3. Le déjeuner a été préparé par *la femme de mon cousin*.
4. C'est d'*Albert* et de *Mary* que je parle.
5. Parlez-moi de *vos voisines*.
6. Tant pis pour *Joseph et Suzanne*.
7. Suzanne est partie vers la gare sans *Mary*.

VIII. Répondez affirmativement aux questions, en employant un pronom tonique.

EXEMPLE
– Qui l'a demandé? Vous?
– Oui, c'est moi.

1. Qui a dit cela? Toi?

2. Qui a dit cela? Moi?
3. Qui l'a fait? Joseph?
4. Qui n'a pas pris son petit déjeuner? Vous deux?
5. Qui sont arrivés en retard? Albert et Joseph?
6. Qui sont allées trop loin? Suzanne et Mary?
7. Qui a passé un bon week-end? Mary?

IX. Accentuez le pronom en italiques, en ajoutant le pronom tonique donné entre parenthèses.

EXEMPLE

— *J*'ai dit cela. (moi)
— J'ai dit cela, moi? *or*
— Moi, j'ai dit cela?

1. Je ne *l*'ai pas vu. (lui)
2. *Elle* ne me fait pas peur. (elle)
3. Je veux *lui* faire plaisir. (à lui)
4. *Nous* ne savons pas vos notes. (nous)
5. Où sont Suzanne et Mary? Je ne *les* ai pas vues. (elles)
6. Où sont Suzanne et Mary? *Je* ne les ai pas vues. (moi)
7. Avez-vous vu Albert et son ami? Non, je ne *les* ai pas vus. (eux)
8. Avez-vous vu Albert et son ami? Non, *je* ne les ai pas vus. (moi)
9. *Elle* vous a dit cela? (elle)
10. Elle *vous* a dit cela? (à vous)
11. *Tu* n'a pas pris ton petit déjeuner? (toi)
12. A-t-*il* pris son petit déjeuner? (lui)
13. *Ils* sont allés trop loin? (eux)

X. Remplacez le sujet en italiques par un sujet composé, en employant des pronoms toniques.

EXEMPLE

— Nous avons dit cela. (Jean et moi)
— Lui et moi avons dit cela.

1. *Ils* sont étudiants. (Mary et Albert)
2. *Vous* allez passer un bon week-end. (Mary et toi)
3. *Nous* sommes allés trouver notre cousin. (moi et Joseph)
4. *Nous* avons pris un bon déjeuner. (nous et eux)
5. *Ils* ont marché vers la gare. (Mary et lui)
6. *Vous* avez quitté le dortoir. (vous et elles)
7. *Nous* sommes allés trop loin. (Suzanne et moi)

XI. Remplacez le nom en italiques par un pronom tonique.

1. Je vous présente à *Suzanne.*
2. Elle s'est présentée à *mon ami.*
3. Il m'a présenté à *ses amis.*
4. Je te présente à *Suzanne et Mary.*

XII. Modifiez les phrases suivantes. Utilisez la mise en relief (emphasis), *c'est moi qui, c'est lui qui, c'est elle qui,* etc.

1. Tu dis cela.
2. Je te le dis.
3. Elle va raconter son week-end.
4. Il m'a reçu à bras ouverts.
5. Il fait des merveilles.
6. Elle a eu un week-end ennuyeux.
7. Vous le lui avez demandé.
8. Tu es allé trop loin.
9. Nous connaissons vos histoires.
10. Je suis monté dans le train.
11. Je le raconte.
12. Il le trouve exceptionnel.

XIII. Exercice de synthèse.

A. Remplacez les noms en italiques par des pronoms toniques.

1. Je vous présente à *Mary et à Marguerite.*
2. Le petit déjeuner a été préparé par *la femme de mon cousin.*
3. Qui est-ce? Ce sont *nos amis.*
4. Jean et *Albert* sont partis ensemble.
5. Ils sont partis, *les étudiants.*
6. Qui avez-vous vu, *Mary*?
7. Je lui ai parlé, à *Mary.*

B. Répondez affirmativement aux questions, en employant des pronoms toniques.

1. C'est vous qui parlez?
2. Avec qui voulez-vous sortir? Avec moi?
3. C'est à moi que vous dites cela?
4. C'est à Joseph que vous dites cela?
5. Qui avez-vous vu? Joseph et moi?
6. Ce sont Mary et Suzanne qui ont eu un bon week-end?
7. C'est Suzanne qui a trouvé un bon petit restaurant?

27. The Relative Pronouns *qui* and *que* (Les Pronoms relatifs qui et que)

C'est Albert Clark *qui* a dit cela.
C'est Albert Clark *que* nous avons vu hier.

Relative pronouns introduce relative clauses, whose function is to modify a noun or pronoun. This noun or pronoun is called the *antecedent.* The relative pronoun may be either the subject or the direct object of the verb in the clause (or indirect object or object of a preposition; this will be discussed later: see section **40**). As you will have noted, from the examples above, when the relative pronoun is subject, *qui* (who, which, that) is used; when it is direct object (or predicate of the verb *être*), *que* (whom, which, that) is used.

A relative pronoun is said to be of the same gender and number as its antecedent, and thus, as we saw above (section **24C**), if it is the direct object of the verb in the clause, it causes agreement of the past participle:

Voilà *les cours que* j'ai *choisis.*

It is also of the same *person* as the antecedent, which means that, if the antecedent is first or second person and the relative pronoun subject of the verb in the clause, the verb must be in the first of second person:

C'est *toi qui* l'*as dit.*
C'est *vous qui dites* cela.

Exercice

XIV. Rattachez ensemble chaque paire de phrases en employant *qui* ou *que.*

EXEMPLE

— Voici sa femme. Elle fait des merveilles.
— Voici sa femme qui fait des merveilles.

1. J'ai trouvé Joseph. Il a dit cela.
2. Voici les cours. Je les ai choisis.
3. C'est un long voyage. Je l'ai commencé hier.
4. C'est un beau livre. Je l'ai trouvé ce matin.
5. Voilà mes amis. Ils sont venus m'attendre.
6. Il a reçu une note. Il l'a oubliée.
7. N'oubliez pas ce gros effort. Je l'ai fait.
8. Je suis monté dans le train. Il part dans deux minutes.
9. Nous.allons prendre le petit déjeuner. Il est exquis.
10. J'ai aimé ce petit déjeuner. Nous l'avons pris.
11. Je suis un programme. Il est impossible.
12. C'est toi. Tu l'as dit.

13. Oui, c'est moi. Je l'ai dit.
14. C'est toi et Albert. Vous avez quitté le dortoir.
15. Oui, c'est Albert et moi. Nous avons quitté la classe.

28. *Faire* et *prendre*

Study, in the irregular verb table found in Appendix I (p. 388), the present indicative of

faire, to do, make
prendre, to take

Exercices

A. Je *prends* le livre et je *fais* le devoir. Mettez à la place des sujets des verbes de cette phrase les sujets suivants. Changez les verbes comme il convient. (Substitute the following subjects for the subjects, in the given sentence. Change the form of the verbs as needed.)

1. Mary
2. il
3. Mary et Joseph
4. Albert
5. elles
6. vous
7. nous
8. tu

B. Même exercice que le précédent. Je *prends* mon petit déjeuner et je *fais* ma promenade comme d'habitude. Faites bien attention aux pronoms possessifs. (Same exercise as the preceding one. Be very careful of the possessive pronouns.)

1. Suzanne
2. elles
3. Joseph
4. ils
5. Suzanne et Joseph
6. nous
7. vous
8. tu

«9»

Projets de vacances

[*Dans la salle de classe. Joseph est en train de rêver.*]

Joseph Ford: Encore dix minutes et la cloche sonnera et les vacances de Noël commenceront. . . . Albert Clark et moi nous partirons immédiatement prendre l'autocar qui, huit heures plus tard, nous déposera à New York. Que ferons-nous d'abord? Nous nous promènerons, le nez au vent, et regarderons les vitrines, car il ne nous restera que quelques jours pour choisir les cadeaux à envoyer à nos parents. Nous pourrons aussi prendre des billets pour une pièce de théâtre. Il faudra chercher un peu, car nous ne serons pas les seuls clients, bien entendu. Aurons-nous la chance de trouver deux places pour une représentation de la Comédie Française en tournée? Je m'imagine la tête que le professeur de français fera quand il nous entendra dire: "C'est la vivacité des acteurs dans cette pièce de Molière qui nous a particulièrement frappés. . . ." Il s'approchera de nous avec un respect nouveau et s'écriera d'un ton admiratif. . . .

Le professeur: M. Ford, vous êtes dans la lune une fois de plus! Vous vous croyez déjà en vacances. Permettez-moi de vous rappeler que le cours ne finira que dans cinq minutes. . . . Vous me ferez le plaisir de vous remettre au travail ou vous aurez de mes nouvelles.

Une représentation de la Comédie-Française.

(*French Cultural Services*)

VOCABULAIRE

Noms

l'acteur (*f.* **actrice**) the actor
l'autocar *m.* the bus (between cities)
le billet the ticket
le cadeau the gift
le client the client, customer, buyer
la Comédie Française the Comédie Française (French National Theater)
la lune the moon
le nez the nose
Noël *m.* Christmas (when this is used with the definite article, the feminine article is given, because **la fête de Noël** is understood)

Noms (suite)

le parent the parent
la pièce de théâtre the play
le projet the plan
la représentation the performance
le respect the respect
le ton the tone
la tournée the tour
les vacances *f.* the vacation
la vitrine the shopwindow
la vivacité the vivacity, liveliness

Verbes

s'approcher (de) to approach
déposer let off, set down
s'écrier to cry out
envoyer to send
frapper to strike
partir to leave
se promener to take a walk
rappeler to remind

Adjectifs et adverbes

admiratif admiring
déjà already
encore still, yet
immédiatement immediately
particulièrement particularly
seul *adj.* only
seulement *adv.* only

Expressions diverses

vous aurez (il aura, etc.) de mes nouvelles you (he, etc.) will hear from me
bien entendu of course
car for (i.e., because)
être dans la lune to be daydreaming
il faudra we will have to
le nez au vent looking here and there at random
je m'imagine la tête qu'il fera I can just see the look on his face
une fois de plus once more, once again
il nous restera quelques jours seulement we will have only a few days left

Etude de la construction il . . . reste

il reste quelques jours there are a few days left
il *me* reste quelques jours *I* have a few days left
il *te* (*vous*) reste quelques jours *you* have a few days left
***il lui* reste quelques jours** *he* (*she*) has a few days left
il *leur* reste quelques jours *they* have a few days left

Nouveau temps: le futur

Encore dix minutes et la cloche *sonnera.*
Ten minutes more and the bell will ring.
Les vacances de Noël *commenceront.*
Je *partirai* dans l'autocar.
***Aurons*-nous la chance de trouver deux places?**
Vous me *ferez* le plaisir de vous remettre au travail.
You will be so good as to (literally, "will do me the pleasure to") go back to work.

EXERCICES

A. Répondez en français d'après le texte.

1. Quand sonnera la cloche?
2. Qu'est-ce qui commencera à ce moment-là?

3. Que feront Joseph et Albert immédiatement?
4. Qu'est-ce qui les déposera à New York huit heures plus tard?
5. Une fois arrivés à New York que feront-ils d'abord?
6. Pourquoi regarderont-ils les vitrines?
7. Quels billets pourront-ils prendre?
8. Pourquoi faudra-t-il chercher un peu?
9. Quelle question Joseph se pose-t-il à propos de la Comédie Française?
10. Que s'imagine-t-il?
11. Que fera le professeur de français quand Joseph emploiera sa belle phrase à propos de la Comédie Française?
12. Que dit le professeur à Joseph au milieu de ses rêves?
13. Dans quelle situation Joseph se croit-il déjà d'après le professeur?
14. Mais quand finira le cours?
15. Qu'est-ce que le professeur dit à Joseph ensuite?

B. Exercice sur le futur. Mettez au futur. (Change to the future.)

EXEMPLE

– L'autocar nous *dépose* à New York. (The bus *lets us off* at New York)
– L'autocar nous *déposera* à New York. (The bus *will let us off* at New York)

1. La cloche *sonne.*
2. Il nous *reste* quelques jours.
3. Il nous *entend.*
4. Il *s'approche* de nous.
5. Il *s'écrie* d'un ton admiratif. . . .
6. Il *faut* chercher un peu.
7. Les vacances de Noël *commencent.*
8. Que *faisons-nous* d'abord?
9. Nous *pouvons* prendre des billets.
10. Nous ne *sommes* pas les seuls clients.
11. *Avons*-nous la chance de trouver deux places?

C. Exercices sur la construction *il . . . reste. . . .* (Voyez l'étude de cette construction au vocabulaire de cette leçon.)

EXEMPLE

– Est-ce qu'il y a deux (trois) crayons dans cette boîte?
– Oui, il reste deux (trois) crayons dans cette boîte.

1. Est-ce qu'il y a deux billets pour cette représentation?
2. Est-ce qu'il y a trois oranges sur cette table?

3. Est-ce qu'il y a quatre garçons dans le groupe?
4. Est-ce qu'il y a cinq garçons dans ce café?

D. Exercices sur la construction *il me (te, lui, nous, vous, leur) reste. . . .* (Voyez l'étude de cette construction au vocabulaire de cette leçon.)

EXEMPLES

– *Vous* avez quelques jours?
– Il *me* reste quelques jours.

– *J*'ai deux jours?
– Il *vous* reste deux jours.

1. Vous avez un billet?
2. Vous avez deux stylos?
3. Tu as trois minutes?
4. Tu as quatre leçons à faire?
5. J'ai trois acteurs?
6. J'ai deux amis?
7. Elle a un seul ami?
8. Il a sa vieille mère?
9. Ils ont un seul billet?
10. Elles ont ces trois cadeaux?

"Je suis à sec."

«10»

Albert Clark s'inquiète

Albert Clark: Je ne sais pas pourquoi je m'inquiète. J'ai peut-être tort de m'inquiéter . . . Nous disputerons-nous pendant nos vacances à New York? Moi, je suis rarement de mauvaise humeur mais Joseph est si colérique. Il a besoin de se mettre en colère! Il y aura certainement beaucoup d'occasions de nous quereller. J'en imagine très facilement une.

[*Dans les rues de New York. Il fait froid et le ciel est menaçant.*]

Albert Clark: Où se trouve Times Square?
Joseph Ford: Mais tu y es! Quel distrait!
Albert Clark: Tiens! j'y suis en effet. Mais, nous ne sommes plus dans la quarantième rue.
Joseph Ford: Tu en viens! Elle est juste derrière toi; Quel imbécile!
Albert Clark: Ne pouvons-nous pas nous parler calmement, tranquillement? N'allons pas nous disputer pendant nos vacances. Pas de querelles aujourd'hui! Si nous nous promettons de compter mentalement jusqu'à dix, nous nous entendrons, je suis sûr de cela.
Joseph Ford: Je n'en suis pas aussi sûr que toi. Mais, essayons!
Albert Clark: Regarde un peu cette vitrine.
Joseph Ford: Pourquoi? Je n'y vois rien!
Albert Clark: Vois-tu cette chaise couverte de cravates?
Joseph Ford: Oui, il y en a beaucoup, et après?
Albert Clark: Il y en a une rouge au milieu.
Joseph Ford: En effet, j'en vois une. Tu en as envie? Je n'ai plus d'argent. J'ai fait trop de folies dans le magasin de disques où nous nous sommes arrêtés. Je suis à sec.
Albert Clark: Attends! Que penses-tu de cette cravate rouge?
Joseph Ford: J'en ai vu de plus belles!
Albert Clark: C'est possible. Mais, est-ce qu'elle te plaît?
Joseph Ford: Elle ne me déplaît pas . . . mais je n'en suis pas fou!
Albert Clark: C'est dommage! Je ne pourrai donc pas te l'acheter.
[*Joseph commence à rougir. Il sent qu'il va se mettre en colère. Il essaye en vain de compter jusqu'à dix. Nos amis vont sûrement se disputer. Espérons qu'ils ne se battront pas!*]

VOCABULAIRE

Noms

l'argent *m.* money
la chaise chair
la colère anger
la cravate necktie
le disque record, disk
le distrait absent-minded person
la folie folly
 –faire des folies to be extravagant
l'imbécile *m.* fool
le magasin store
le milieu middle
l'occasion *f.* opportunity
la querelle quarrel

Verbes

acheter to buy
s'arrêter to stop
se battre to fight
déplaire to displease
se disputer to argue
s'entendre to agree (with one another), to get along together
espérer to hope
s'inquiéter to be worried
se quereller to quarrel
renoncer to give up
rougir to redden, blush
sentir to feel
se trouver to be, be situated

Adjectifs et adverbes

colérique hot-tempered, fiery
couvert covered
facilement easily
fou (*f.* **folle**) crazy
intéressant interesting
juste just, correct
menaçant threatening
mentalement mentally, in one's head
particulier special
quarantième fortieth
remarquable remarkable
sec (*f.* **sèche**) dry
 –être à sec to be broke
sûr sure
sûrement surely
tranquillement quietly

Expressions diverses

avoir besoin (de) to need (with a noun or a verb)
avoir envie (de) to want, desire (with a noun or a verb)
c'est dommage it's a pity
en effet indeed
en vain in vain
et après? so what?
se mettre en colère to become angry
tiens! well! to be sure! (expresses surprise)

En and y

en *pron. adv.* (some) of it, of them, from it, from them, from there
y *pron. adv.* to it, to them, there

EXERCICES

A. Répondez en français d'après le texte.

1. D'après Albert de quelle humeur est Joseph?
2. De quoi Joseph a-t-il besoin?
3. Quel temps fait-il dans la scène imaginée par Albert?

4. Quelle première question Albert pose-t-il à Joseph?
5. Quelle est la réponse de Joseph?
6. Où est la quarantième rue par rapport à Albert?
7. Qu'est-ce qu'Albert propose à Joseph pour ne pas se quereller?
8. Qu'est-ce qu'Albert lui demande de regarder?
9. Quelle remarque Joseph fait-il au sujet de la vitrine?
10. Qu'y a-t-il au milieu des cravates?
11. Pourquoi Joseph est-il à sec?
12. Est-ce que la cravate rouge plaît à Joseph?
13. Après la dernière réponse de Joseph, que décide Albert?
14. Que fait Joseph quand il sent qu'il va se mettre en colère?

B. Exercice avec *en*. Répondez aux questions suivantes en remplaçant les mots en italiques par *en*.

EXEMPLES

— Viens-tu *de Philadelphie?*
— Oui, *j'en* viens.

— Est-il fou *de la cravate rouge?*
— Oui, il *en* est fou.

1. Vient-elle directement *du café?*
2. Venez-vous directement *du cours d'anglais?*
3. Parle-t-il *de ses souvenirs?*
4. Parlez-vous *de vos souvenirs?*
5. Sont-elles sûres *de cela?*
6. Ont-ils besoin *de ce livre?*
7. Avez-vous besoin *de mon stylo?*
8. Sommes-nous sûrs *de ce projet?*

C. Exercice avec *y*.

EXEMPLES

— Est-ce que je suis *sur la quarantième rue?*
— Oui, vous *y* êtes.

— Trouve-t-il des places *au théâtre?*
— Oui, il *y* trouve des places.

1. Allez-vous *à New York?*
2. Monte-t-elle *dans le train?*
3. Montent-ils *dans l'autocar?*
4. Arrivons-nous *à la gare?*
5. Déjeunent-ils *au café du coin?*
6. Voit-il ces cravates *dans la vitrine?*
7. Voyez-vous cet homme *dans la gare?*
8. Trouvez-vous toujours des places *au théâtre?*

D. Exercice de synthèse: *en* et *y*. (Assimilation exercise: *en* and *y*).

1. Venez-vous *du café?*
2. Laisse-t-il toujours son imperméable *dans la salle de classe?*
3. Dîne-t-elle souvent *dans ce restaurant?*
4. Perdez-vous souvent des stylos *dans les cafés?*
5. Etes-vous sûr *de cette réponse?*
6. Allez-vous souvent *à Philadelphie?*
7. Avons-nous besoin *de nos skis?*
8. A-t-il invité Suzanne *au café?*

ETUDE DE GRAMMAIRE V

29. The Future (*Le Futur*)

J'étudierai demain.
Tu *choisiras* des cadeaux.
Il nous *répondra* d'un ton admiratif.
Nous nous *entendrons*.
Vous ne *finirez* que dans cinq minutes.
Ils *regarderont* les vitrines.

The future stem of all first and second conjugation verbs is identical to the infinitive. The future stem of the third conjugation and most other *-re* verbs is identical to the infinitive with the final *-e* omitted.

infinitive	*future stem*
étudier	étudier-
finir	finir-
entendre	entendr-
dire	dir-
croire	croir-

The future endings, always the same, are as follows:

sing.	*pl.*
-ai	-ons
-as	-ez
-a	-ont

Note that the endings of the first, second and third person singular and the third person plural are identical with the corresponding forms of the present indicative of *avoir*. Note also the third person plural ending, pronounced [ɔ̃].

A. FUTURE OF IRREGULAR VERBS (*Le Futur des verbes irréguliers*)

Most irregular verbs in French have regular futures. Seventeen common irregular verbs have irregular future stems (almost all of the verbs in *-oir* have irregular futures), but of course they have the regular future endings. It is necessary to learn the first form of these very common verbs with irregular future stems.

infinitive	*future*
avoir	aurai
être	serai
aller	irai
envoyer	enverrai
courir, to run	courrai
mourir, to die	mourrai
tenir, to hold	tiendrai
venir	viendrai
faire	ferai
devoir	devrai
falloir	il faudra [1]
pouvoir	pourrai
recevoir	recevrai
savoir	saurai
valoir, to be worth	vaudrai
voir	verrai
vouloir	voudrai

EXAMPLES:

Vous *aurez* de mes nouvelles.
Il *faudra* chercher un peu.
Que *ferons*-nous d'abord?
Il y *aura* une querelle.
Je *verrai* la tête qu'il *fera*.

B. USE OF THE FUTURE (*L'Emploi du futur*)

The use of the future in French is very similar to its use in English. Note, however, that, in English, the use of the auxiliary *will* does not always indicate a future. It may indicate an expression of *volition*. To express this in French, instead of a future a form of the verb *vouloir* would be used.

Compare:

if you will follow me
and
si vous voulez me suivre

[1] This is an impersonal verb; in the tenses it occurs only as third person singular, with *il* (it) as subject.

Exercices

Mettez au futur les verbes en italiques. (Change the italicized verbs to the future tense.)

I. Les verbes réguliers.

1. Nous *regardons* les vitrines.
2. Le cours *finit* dans cinq minutes.
3. Les autocars nous *déposent* à New York.
4. Quand est-ce que vous *commencez* vos vacances de Noël?
5. Je me *promène* le nez au vent.
6. La cloche *sonne* dans dix minutes.
7. Ils se *disputent* pendant les vacances.
8. Pendant les vacances Albert Clark *s'inquiète*.
9. M. Delavigne ne nous *entend* pas.
10. Je *reste* quelques jours à New York.
11. Le professeur *s'écrie* d'un ton admiratif: "C'est beau!"
12. Nous nous *arrêtons* dans ce magasin de disques.

II. Les verbes irréguliers.

1. Albert et moi nous *partons* immédiatement.
2. Que *fait* le professeur de français?
3. Ils ne *sont* pas les seuls clients.
4. Je n'*ai* pas de chance.
5. Il *faut* chercher un peu.
6. Ne *pouvons*-nous pas parler calmement?
7. Albert ne *sait* pas pourquoi Joseph est si colérique.
8. Ils *vont* à New York pour les vacances.
9. Nous *prenons* des billets pour une pièce de théâtre.
10. Ils se *promettent* de compter jusqu'à dix.
11. Cette cravate ne me *déplaît* pas.
12. Je *vois* la cravate rouge.

III. Exercice de synthèse. (Assimilation exercise.) Répondez à la question avec "Non, mais," et le verbe au futur. (Answer the question with "Non, mais," and the verb in the future.)

EXEMPLE

– Etes-vous allé en France?
– Non, mais j'irai en France.

1. Avez-vous regardé les vitrines?
2. Avez-vous eu la chance, Joseph et vous, de trouver deux places?
3. M'avez-vous fait le plaisir de travailler?
4. Avez-vous pu prendre des billets?
5. Avez-vous cherché un peu?
6. Etes-vous partis, vous et votre ami?
7. Avez-vous vu Joseph?
8. Joseph a-t-il fini son travail?
9. Les étudiants ont-ils eu de bonnes notes?
10. Mary s'est-elle remise au travail?
11. Albert s'est-il inquiété de Joseph?
12. Joseph et Albert se sont-ils disputés?

IV. Exercice sur le futur avec compléments.

EXEMPLE

— Corrigez votre devoir! Corrigez votre dictée.
— Je le corrigerai bientôt. Je la corrigerai bientôt.

1. Racontez votre week-end!
2. Commencez votre leçon!
3. Demandez votre tarte!
4. Finissez votre café!
5. Choisissez votre cadeau!
6. Faites votre devoir!
7. Faites votre leçon!
8. Prenez votre billet!
9. Prenez votre place!

30. Pronominal Verbs (*Les Verbes pronominaux*)

A pronominal [2] verb is a verb that must always have with it as object (direct or indirect) a pronoun representing the same person as the subject. This pronoun is called a reflexive pronoun. In the first and second person, singular and plural, masculine and feminine, direct and indirect object, the reflexive pronouns are the same as the corresponding personal object pronouns you have already studied: *me, te, nous, vous.*

Je *me* promène, le nez au vent.
Tu *t*'approches de nous avec respect.
Nous *nous* promettons de compter jusqu'à dix.
Vous *vous* écrierez d'un ton admiratif: "Quel garçon!"

[2] This term, though rare in English, is used, rather than the term *reflexive verb,* to stress the fact that French pronominal verbs are used in functions other than the reflexive one.

In the third person, singular and plural, masculine and feminine, direct and indirect object, there is only one form: *se*.

> Il *se* croit déjà en vacances.
> Ils *se* disputent trop souvent.

The reflexive pronoun accompanies all forms of the pronominal verb, including the infinitive.

> Je veux *me* promener.
> Tu peux *t'*approcher de lui.
> Il (elle) veut *se* croire en vacances.
> Nous venons de *nous* promettre cela.
> Vous avez envie de *vous* promener.
> Ils (elles) ne veulent pas *se* disputer.

After an affirmative imperative, *te* becomes *toi,* but *nous* and *vous* remain the same.

> Lève-*toi.*
> Promettons-*nous* de compter jusqu'à dix.
> Asseyez-*vous.*

A. USE OF PRONOMINAL VERBS (*L'Emploi des verbes pronominaux*)

Pronominal verbs are used very frequently in French. They may be *reflexive* verbs, *reciprocal* verbs, *essentially pronominal* verbs, or they may function as a substitute for the passive voice.[3]

1. REFLEXIVE VERBS (*les verbes réfléchis*). A reflexive verb is a pronominal verb in which the action is accomplished upon the subject. The reflexive pronoun in this case may be either a direct or an indirect object.

(*a*) Direct object:

> Je me promène souvent quand il fait beau.
> Assieds-toi.
> Elle s'est levée à sept heures.
> Elle s'est lavée (washed) à sept heures et quart.

(*b*) Indirect object:

> Je me promets de compter jusqu'à dix.
> Tu te dis que tu as tort.
> Elle se demande si elle a tort.
> Elle s'est lavé les mains (hands).

Note the use of the auxiliary *être* in the passé composé.

[3] For this use see section 79.

2. RECIPROCAL VERBS (*les verbes réciproques*).

Compare: Joseph se bat.
and
Joseph et Albert se battent.

The first sentence means *Joseph est engagé dans une bataille* (battle); the second can mean *Joseph et Albert sont engagés dans une bataille,* but it can also mean *Joseph bat Albert et Albert bat Joseph.* A verb used this latter way is called *reciprocal.* Pronominal verbs in French are often reciprocal. In English this type of verb must be followed by a reciprocal pronoun, such as *each other, one another,* etc. In French the corresponding reciprocal pronouns *l'un l'autre* and the like *may* be used but generally are not required, since the context usually makes the reciprocal nature of the verb evident.

EXAMPLES:

Nous nous disputerons aujourd'hui.
Il y aura beaucoup d'occasions de nous quereller.
Espérons qu'ils ne se battront pas!

3. ESSENTIALLY PRONOMINAL VERBS (*verbes pronominaux proprement dits*). These are verbs which either (1) exist only in the pronominal form, or (2) have a reflexive pronoun whose syntactical function in the sentence cannot be determined. The verbs *s'écrier,* to cry out, and *se souvenir (de),* to remember, are of the first type:

Il s'écriera, "Quel garçon."

and *s'apercevoir,* to notice is of the second type:

Je me suis aperçu de *votre arrivée.*

(There is also a *transitive* form of this verb: *apercevoir,* to perceive, to notice.)

B. AGREEMENT OF THE PAST PARTICIPLE OF PRONOMINAL VERBS (*L'Accord du participe passé des verbes pronominaux*)

1. ESSENTIALLY PRONOMINAL VERBS (*verbes pronominaux proprement dits*). The past participle of essentially pronominal verbs agrees with the subject.

Ils se sont écriés: "Vive le roi."
Elle s'est aperçue de mon arrivée.

2. THE OTHER PRONOMINAL VERBS (*les autres verbes pronominaux*). The past participle of all other pronominal verbs agrees with a preceding direct object. It thus agrees with the reflexive pronoun (and hence the subject also), when the reflexive pronoun is the *direct* object. This is not always the case, and the student should be careful.

Compare: Elle s'est lavée.
and
Elle s'est lavé les mains.

In the second sentence, the direct object, *les mains,* follows the verb; *se* is then indirect.

Exercices

V. Exercice sur le passé composé des verbes pronominaux. Mettez au passé composé.

EXEMPLE

– Il se promène, nous nous promenons, ils se promènent.
– Il s'est promené, nous nous sommes promenés, ils se sont promenés, etc.

1. Joseph s'inquiète.
2. Il s'excuse.
3. Jim s'achète des cravates.
4. Mary s'ennuie à Philadelphie.
5. Albert et Joseph se battent souvent.
6. Mary et Suzanne s'entendent.
7. Elles s'imaginent une occasion d'aller à New York.
8. Nous nous quittons à midi.
9. Nous nous asseyons au café.
10. Vous vous calmez difficilement.
11. Vous vous parlez trop souvent.
12. Ils se querellent.
13. Nous nous entendons.
14. Elle s'assied.
15. Nous nous disputons.

VI. Exercice sur l'interrogatif des verbes pronominaux. Mettez à la forme interrogative.

EXEMPLE

– Il se promène, etc.
– Se promène-t-il, etc.

Utilisez les phrases de l'exercice V.

VII. Exercice sur le négatif des verbes pronominaux.

EXEMPLE

– Il se promène.
– Il ne se promène pas.

Utilisez les phrases, de l'exercice V.

VIII. Exercice sur le passé composé interrogatif des verbes pronominaux.

EXEMPLE

– Se promène-t-il?
– S'est-il promené?

Utilisez les phrases de l'exercice V.

IX. Exercice de synthèse sur les verbes pronominaux.

EXEMPLE

– *Nous nous* promènerons. (je)
– Je me promènerai.

1. *Je m'*imagine la tête du professeur. (Joseph)
2. *M. Delavigne s'*approchera de nous avec respect. (les autres étudiants)
3. *Il s'*écriera: "Quel acteur!" (tu)
4. *Vous vous* croyez déjà en vacances. (elles)
5. *Albert Clark* s'inquiète. (Mary Morse)
6. *Nous* disputerons-*nous* pendant les vacances? (vous)
7. *Il* a besoin de *se* mettre en colère. (tu)
8. Ne pouvons-*nous* pas *nous* parler calmement? (ils)
9. Si *nous nous* promettons de compter jusqu'à dix ça ira mieux. (ils)
10. *Il s'*est arrêté dans le magasin de disques. (nous)
11. *Il* va *se* mettre en colère. (les étudiants)
12. *Je* suis sûr que *nous nous* entendrons. (Ils)
13. *Nous nous* sommes vus pendant les vacances. (elles)
14. *Vous* inquiétez-*vous* de ce problème? (nous)

31. The Pronouns *en* and *y* (*Les Pronoms* en *et* y)

En and *y* are used just as if they were conjunctive personal object pronouns.

A. USE OF "EN" (*Emploi* d'en)

1. As a partitive pronoun. *En* is used, before a verb, to replace a partitive noun (see section **21**).

Avez-vous *des fruits*? Oui, nous *en* avons.
Y a-t-il *beaucoup de cravates* sur cette chaise? Oui, il y *en* a beaucoup.
Il y aura *des occasions* de nous quereller. J'*en* imagine une.

As you will have observed in the preceding example, when a numeral, without a noun, is the object of a verb, *en* (to replace the noun) *must* be put before the verb. Compare:

Voyez-vous ces cravates? Je vois *une cravate*.
Voyez-vous ces cravates? J'*en* vois *une*.

2. To replace *de* + a noun. When a verb requires *de* before a complement, *en* replaces *de* + the noun.

Tu as envie *d'une cravate*? Tu *en* as envie?
Il a besoin *de cravates*. Il *en* a envie.
Etes-vous fou *de cette cravate*? Je n'*en* suis pas fou.
Venez-vous *de la quarantième rue*? Oui, j'*en* viens.

NOTE: *En* is used for things, not for persons.

Parles-tu *de ta mère*? Oui, je parle *d'elle*.

B. USE OF "Y" (*L'Emploi* d'y)

1. *Y* is used to replace *à, dans, sur* and other prepositions indicating motion toward or location + the noun. (It never replaces *de*.)

Montons *dans le train*. Montons-*y*.
Va-t-il *à San Francisco*? Oui, il *y* va.

2. *Y* is used as the equivalent of *là,* there.

Je regarde la vitrine et je n'*y* vois rien de remarquable.
Tu cherches Times Square? Tu *y* es.

3. *Y* is used as an indirect object.

Répondez *à cette question*. Bon, j'*y* réponds.
Pense-t-il *à cette phrase* célèbre? Oui, il *y* pense.

NOTE: *Y* (like *en*) is used for things, not for persons.

Répondez *à votre voisin*. Bon, je *lui* réponds.
Pense-t-il souvent *à ses amis*? Oui il pense souvent *à eux*.

32. Other Uses of the Partitive Article[4] (*Autres emplois de l'article partitif*)

The partitive article is *de* (instead of *du, de la, de l'* or *des*) in the following cases.

A. AFTER A VERB IN THE NEGATIVE (*Après un verbe au négatif*)

Avez-vous *du* fromage? Non, nous n'avons pas *de* fromage.
Avez-vous *des* fruits? Non, nous n'avons pas *de* fruits, non plus.

B. BEFORE A NOUN IN THE PLURAL PRECEDED BY AN ADJECTIVE (*Devant un nom au pluriel précédé par un adjectif*)

Voici *des* cravates rouges, *de* belles cravates.
Avez-vous des fruits? Oui, j'ai *de* beaux fruits.[5]

but contrast

Avez-vous *du* vin? Oui, j'ai *du* bon vin.

C. AFTER AN ADVERB OF QUANTITY OR A NOUN OF QUANTITY (*Après un adverbe de quantité ou un nom de quantité*)

J'ai *plus d'*argent que lui.
Joseph a fait *trop de* folies.
Il y aura *beaucoup d'*occasions de nous quereller.
On me demande une somme incroyable pour *deux tranches de* pain.

Exceptions to this rule are *bien,* many, and *la plupart,* most, which take *du, de la, de l'*, or *des.*

Il y aura *bien des* occasions de nous quereller.
Joseph et Albert se disputent *la plupart du* temps.

D. AFTER ADJECTIVES, NOUNS, AND VERBAL EXPRESSIONS FOLLOWED BY "DE"[6] (*Après adjectifs, noms, et expressions verbales suivis par* de)

Vois-tu cette chaise *couverte de* cravates?
Avez-vous *besoin de* cravates?

[4] Review the uses of the partitive article given in section 21.
[5] This rule is not observed when the adjective that precedes is thought of as combining with the noun.

Il y a *des* jeunes filles dans cette maison.

(*Jeunes filles* does not mean *young* girls, it means simply *girls.*)
[6] Obviously only one *de* is used.

Exercices

X. Exercices sur l'emploi d'*en*.

A. Pour remplacer un nom partitif. Répondez aux questions d'après l'exemple. (As a substitute for a partitive noun. Answer the questions as shown in the example.)

EXEMPLE

— Avez-vous des *cadeaux*?
— Oui, j'en ai.

1. Choisirez-vous des *cadeaux*?
2. Avez-vous pris des *billets*?
3. Aurons-nous des *nouvelles du professeur*?
4. Il vous restera de l'*argent*?
5. Voyez-vous des *cravates*?
6. Est-ce que j'ai acheté des *cravates rouges*?
7. Auront-ils de *bonnes vacances*?

B. Pour remplacer un nom après un adverbe de quantité. Répondez d'après l'exemple.

EXEMPLE

— Voyez-vous beaucoup de *cravates*?
— Oui, j'en vois beaucoup.

1. Choisirez-vous beaucoup de *cadeaux*?
2. Y aura-t-il trop d'*occasions de se quereller*?
3. Vous n'avez plus d'*argent*?
4. Ont-ils assez de *temps*?

C. Pour remplacer un nom précédé d'un chiffre. Répondez d'après les exemples.

EXEMPLES

— Voyez-vous une *cravate rouge*?
— Oui, j'en vois une.

— Combien de *mains* a-t-il?
— Il en a deux.

1. Avez-vous encore dix *jours de vacances*?
2. Ont-ils acheté deux *billets*?

3. Vous avez eu trois *mauvaises notes*?
4. A-t-elle mangé quatre *salades de fruits*?
5. Vous allez lui donner cinq *cadeaux*?
6. Combien d'*heures* y a-t-il dans une journée?

XI. Répondez affirmativement aux questions, en remplaçant le pronom en italiques par le nom donné entre parenthèses, ajoutant un article (défini ou partitif) s'il en faut un. (Give a positive answer to the questions, replacing the italicized pronoun by the noun in parentheses, adding a definite or partitive article if needed.)

EXEMPLES

— Est-ce qu'il l'aime?
— Oui, il aime le café.

— *Qu'est-ce qu'*il demande? (café)
— Il demande du café.

1. *Qu'est-ce que* vous prenez? (pommes)
2. Est-ce que vous *les* aimez? (pommes)
3. *Qu'est-ce que* vous avez? (fromage)
4. Est-*il* bon ici? (fromage)
5. *Qu'est-ce que* vous prenez dans ce café? (boissons)
6. Sont-*elles* bonnes dans ce café? (boissons)
7. Sont-*ils* rares? (bons restaurants)
8. Est-*il* saignant? (bifteck)
9. *La* regardez-vous? (jeune Suzanne)
10. A-t-*il* l'air furieux? (Colonel Ronchonnot)
11. La nourriture est-elle un problème pour *lui*? (Professeur Durand)

XII. Répondez à ces questions en remplaçant les noms compléments par des pronoms (*en*, *y*, ou un pronom personnel).

1. Es-tu à Times Square?
2. Y a-t-il beaucoup de cravates?
3. Voyez-vous une belle cravate sur cette chaise?
4. N'avez-vous pas besoin de cravates?
5. Pourront-ils prendre des billets?
6. Pourront-ils prendre les billets?
7. Viens-tu de la quarantième rue?
8. As-tu envie de cette cravate?
9. S'approchera-t-il du professeur?
10. Ferez-vous plaisir au professeur?
11. L'autocar vous déposera-t-il à New York?

12. Est-ce que nous parlerons de cette querelle?
13. Est-ce que nous parlerons de nos amis?
14. Etes-vous une fois de plus dans la lune?
15. Avez-vous pensé à vos vacances?

XIII. Remplacez le pronom en italiques par le nom donné entre parenthèses, en ajoutant un article (défini ou partitif):

EXEMPLE

— Je *l*'aime. (cravate)
— J'aime la cravate.

1. Nous pourrons *en* prendre pour une pièce de théâtre. (billets)
2. Mais ils n'*en* ont pas pour Antigone. (places)
3. Nous *les* prendrons aujourd'hui. (billets)
4. Il n'*en* a pas acheté. (cadeaux)
5. *Elles* sont fréquentes. (occasions)
6. Je ne *les* aime pas. (cravates rouges)
7. Je n'*en* veux pas. (cravates rouges)
8. Il *lui* a parlé. (Président de Gaulle)

XIV. Mettez l'adverbe ou le nom de quantité donné entre parenthèses devant le nom en italiques, en ajoutant la préposition ou l'article qu'il faut.

EXEMPLE

— Nous avons des *amis*. (beaucoup)
— Nous avons beaucoup d'amis.

1. Joseph a fait des *folies* dans le magasin. (trop)
2. Les *disputes* d'Albert et de Joseph sont stupides. (la plupart)
3. Il a écrit des *pièces*. (deux douzaines)
4. Anouilh a écrit des *pièces*. (beaucoup)
5. Joseph a pris du *pain*. (deux tranches)
6. J'ai vu des *cravates rouges*. (bien)
7. Elles n'ont pas de *fromage*. (plus)

33. *Savoir* et *connaître*

Study, in the irregular verb table found in the Appendix, the present indicative and imperative of

savoir, to know, know how
connaître, to know, be acquainted with

Learn also the past participle and the future of these verbs.

Exercices

XV. Exercice sur *savoir* et *connaître*. Modifiez les phrases suivants, en employant les sujets donnés entre parenthèses. (Modify the following sentences, using the subjects given in parentheses.)

A. *savoir*

1. Joseph ne sait pas rester calme. (je . . . , tu . . . , nous . . . , vous . . . , les étudiants . . .)
2. Enfin j'ai su ma leçon. (tu . . . , Mary . . . , nous . . . , vous . . . , Mary et Suzanne . . .)
3. Saurez-vous manger une salade de fruits? (je . . . , tu . . . , le jeune professeur . . . , nous . . . , les amis de Joseph . . .)

B. *connaître*

1. Les étudiants connaissent M. Delavigne. (je . . . , tu . . . , Joseph . . . , nous . . . , vous . . .)
2. As-tu connu les parents de Joseph? (je . . . , le garçon . . . , nous . . . , vous . . . , les professeurs . . .)
3. Nous connaîtrons bientôt la quarantième rue. (je . . . , tu . . . , Suzanne . . . , vous . . . , les étudiants . . .)

“Qui portait la malle et les cartons à chapeau?”

«11»

Vacances de Noël

Suzanne Bernard: Si vos vacances ont été mouvementées, les nôtres ont été merveilleuses.

Mary Morse: Il faisait nuit quand nous sommes arrivées au centre de New York. Nous étions en route depuis le début de l'après-midi et quand le train s'est arrêté, nous nous sommes précipitées sur nos valises, car nous ne pouvions plus attendre.

Quelques minutes plus tard nous descendions dans le métro, et bientôt nous roulions vers l'appartement des parents de Suzanne.

Suzanne Bernard: Quand nous sommes sorties du métro, il faisait un petit froid sec qui nous piquait les joues, mais nous marchions joyeusement, la valise à la main, avec quinze jours de liberté à nous.

Albert Clark: Une valise pour quinze jours! J'avoue que je ne m'attendais pas à ce changement radical dans vos habitudes, Suzanne. Ni dans les vôtres, Mary. Si vous nous disiez la vérité au sujet de vos bagages. Qui portait la malle et les cartons à chapeau?

Jim Gerald [*nouveau camarade de chambre d'Albert Clark* *]: Si tu te taisais au lieu de dire des bêtises. Continuez, mesdemoiselles, ne faites pas attention à lui.

Mary Morse: Monsieur et Madame Bernard nous ont reçues comme des princesses. Nous avons dîné joyeusement et sans nous presser; les questions et les réponses se croisaient de tous côtés. Nous étions tous plongés dans une discussion animée, quand soudain on a sonné à la porte de l'appartement. J'ai vu Monsieur et Madame Bernard qui échangeaient un regard complice. Puis Madame Bernard a dit: "Permettez-nous de vous présenter Monsieur Jacot et Monsieur Gautier, deux jeunes Français qui travaillent aux Nations-Unies depuis deux mois et dont nous avons fait la connaissance récemment."

Albert Clark: [*à Jim*] Je commence à comprendre pourquoi ces vacances étaient si merveilleuses que ça! Tu croyais qu'elles racontaient leurs souvenirs pour tes beaux yeux ou pour les miens? Non, c'était pour évoquer le souvenir de deux charmants Français.

Suzanne Bernard: Ma parole, vous êtes jaloux!

Albert Clark: Moi! Mais continuez donc vos poétiques évocations, charmantes demoiselles. Parlez-nous de vos nouveaux amis! Je m'intéresse de plus en plus à eux!

[*à suivre*]

* Comme Albert Clark et Joseph Ford se disputaient trop, ils ont changé de chambre . . . et de camarade de chambre.

VOCABULAIRE

Noms

l'appartement *m.* apartment
l'après-midi *f.* afternoon
les bagages *m. pl.* baggage
la bêtise stupidity, nonsense
le camarade de chambre roommate

Noms (suite)

le carton à chapeau hatbox
le centre center
la chambre the room (bedroom)
le changement the change
la connaissance acquaintance
le côté side
le début beginning, first part of
la demoiselle young lady
l'évocation *f.* evocation
l'habitude *f.* habit
la joue cheek
la liberté liberty
la main hand
la malle trunk
le métro subway
les Nations-Unies United Nations
la princesse princess
le regard look
–**un regard complice** a look of understanding
la réponse answer
la route road
–**être en route** to be traveling
le train train
la valise suitcase

Pronoms possessifs

le mien, les miens mine
le tien, les tiens yours
le sien, les siens his, hers
le nôtre, les nôtres ours
le vôtre, les vôtres yours
le leur, les leurs theirs

Verbes

s'attendre (à) to expect
avouer to admit
croiser to cross
descendre to go down
dîner to dine, eat dinner
échanger to exchange
évoquer to evoke
s'intéresser (à) to be interested (in)
piquer to sting
porter to carry
se précipiter to rush
présenter to introduce
se presser to hurry
rouler to roll, ride
sortir to go (or come) out, leave
se taire to keep quiet, be silent

Adverbes et Adjectifs

bientôt soon
charmant charming
joyeusement joyously
merveilleux marvelous
mouvementé animated
onzième eleventh
plongé plunged
poétique poetic
puis then
quinze jours two weeks, a fortnight
radical radical
récemment recently
soudain suddenly
ne . . . ni . . . ni neither, nor

Prépositions, pronom

au lieu de instead of
au sujet de about
dont whose, of whom

Expressions diverses

changer de change
de plus en plus more and more
pour tes beaux yeux ou pour les miens out of regard for you or for me

Nouveau temps: l'imparfait

Tu *croyais* qu'elles *racontaient* leurs souvenirs pour tes beaux yeux?
You thought they were telling what they remembered out of regard for you?

Il *faisait* nuit quand nous sommes arrivés.
It was dark when we arrived.

Bientôt nous *roulions* vers l'appartement.
Soon we were riding toward the apartment.

EXERCICES

A. Répondez en français d'après le texte.

1. Que pensent Mary et Suzanne de leurs vacances?
2. Quand sont-elles arrivées à New York?
3. Depuis quand étaient-elles en route?
4. Pourquoi se sont-elles précipitées sur leurs valises quand le train s'est arrêté?
5. Vers quel appartement roulaient-elles quelques minutes plus tard?
6. Quel temps faisait-il quand elles sont sorties du métro?
7. A quoi Albert ne s'attendait-il pas?
8. Comment M. et Mme Bernard ont-ils reçu Suzanne et Mary?
9. Comment les Bernard et les jeunes filles ont-ils dîné?
10. A qui M. et Mme Bernard les ont-ils présentées?
11. Depuis quand ces jeunes Français travaillaient-ils aux Nations-Unies?
12. Selon Albert, pourquoi Suzanne et Mary racontaient-elles leurs souvenirs?
13. A qui Albert s'intéresse-t-il de plus en plus?

B. Exercice sur l'imparfait. Mettez à l'imparfait.

EXEMPLE

— Il *fait* nuit.
— Il *faisait* nuit.

1. Il *fait* un petit froid sec.
2. Le froid nous *pique* les joues.
3. Qui *porte* la malle?
4. Je ne *m'attend* pas à ce changement.
5. Les questions et les réponses se *croisent*.
6. Ils *échangent* un regard complice.
7. Elles *racontent* leurs souvenirs.
8. Nos vacances *sont* merveilleuses.
9. Nous ne *pouvons* plus attendre.
10. Nous *roulons* vers l'appartement de Suzanne.
11. Nous *marchons* joyeusement.
12. Nous *sommes* tous plongés dans une discussion animée.

C. La construction idiomatique *si* + l'imparfait.

EXEMPLES

Suggérez à votre camarade:

(*a*) de dire la vérité.
— Si tu disais la vérité.

(*b*) de se taire.
— Si tu te taisais.

1. d'aller au café du coin.
2. de porter la malle.
3. de sonner à la porte de l'appartement.
4. de changer de camarade de chambre.
5. de se plonger dans une discussion animée.
6. de se disputer avec Albert.
7. de se précipiter sur les valises.
8. de s'intéresser à la conversation.

D. Variations. Transposez les suggestions à la deuxième personne du pluriel.

EXEMPLE

Suggérez à votre professeur de dire la vérité.

— Si vous disiez la vérité.

E. Variations. Transposez les suggestions à la première personne du pluriel.

EXEMPLE

Suggérez à vos camarades de dire la vérité.

— Si nous disions la vérité.

«12»

Vacances de Noël (suite)

Suzanne Bernard: Ces jeunes Français, nous les avons revus plusieurs fois pendant nos vacances. Leur emploi du temps, qui était assez souple, leur permettait de s'adapter au nôtre. Tous les matins, nous allions faire une promenade dans ce New York qu'ils aimaient tant. Comme il ne leur restait que quelques mois, ils voulaient tout voir, ils tenaient à tout explorer: musées, galeries, restaurants de toutes nationalités, petites boutiques, grands magasins. Grâce à eux j'ai eu l'impression de revoir ma ville avec des yeux neufs.

Albert Clark: Musées . . . galeries . . . je vois ça d'ici. L'air docte et sérieux, le menton sur le poing, le sourcil froncé, une méditation profonde. . . . Comme ils devaient être ennuyeux!

Mary Morse: Pas du tout, ils étaient très drôles. Ils savaient rire de beaucoup de choses et tout d'abord d'eux-mêmes. Grâce à leurs conseils nous sommes allées voir un film français très curieux: DROLE DE DRAME, sous-titré BIZARRE, BIZARRE. . . .

Albert Clark: Encore un de ces films étrangers emplis de crimes et d'obsédés.

Drôle de drame: (*Brandon Films, Inc.*)
Le regard autoritaire de Louis Jouvet.

Drôle de drame: Michel Simon et
Jean-Louis Barrault. (*Brandon Films, Inc.*)

Suzanne Bernard: Mais non! Il s'agissait d'une parodie de film policier. On pouvait y voir certains des meilleurs acteurs français dans des rôles absolument incroyables. Michel Simon y jouait un botaniste simple d'esprit dont la joie secrète était d'écrire des romans policiers qui faisaient frissonner l'opinion publique. Louis Jouvet y créait le rôle d'un évêque pique-assiette, autoritaire . . . et terrorisé par son inflexible épouse. Jean-Louis Barrault interprétait un redoutable assassin dont la tête était mise à prix. Avec sa fidèle bicyclette (il ne s'en séparait jamais), il recherchait avec ardeur le mystérieux créateur de ces romans policiers qui, prétendait-il, étaient responsables de sa carrière criminelle.

Une situation insensée succédait à l'autre et le public riait de tout son cœur, et nous, nous riions avec lui.

[*Elle regarde les garçons.*] Mais mon histoire n'a pas du tout l'air de vous amuser. [*A Mary.*] Si nous reparlions de nos vacances quand ils seront plus disposés à nous écouter?

Mary Morse: Entièrement d'accord!

VOCABULAIRE

Noms

l'ardeur *f.* ardor
l'assassin *m.* murderer
la bicyclette bicycle
le botaniste botanist
la boutique shop
la carrière career
la chose thing
le cœur heart
le conseil advice
le créateur creator
le crime crime
le drame drama
l'emploi *m.* utilization
  –l'emploi du temps schedule
l'épouse *f.* wife, spouse
l'esprit *m.* mind
l'évêque *m.* bishop
le film movie, film
la galerie the picture gallery
l'impression *f.* impression
la joie joy
le grand magasin department store
le matin morning
la méditation meditation
le menton chin
le musée museum
la nationalité nationality
l'obsédé *m.* maniac
l'opinion *f.* opinion

Noms (suite)

la parodie parody
le poing fist
la promenade walk, excursion
le public audience
le rôle role
le roman novel
la situation situation
le sourcil eyebrow
la tête head

Verbes

adapter to adapt
il s'agit (de) to be about, to be a question (of) *always in third person singular with impersonal subject* **il**
créer to create
frissonner to shudder
interpréter to interpret, play the role of
prétendre to claim
rechercher to seek, hunt for
reparler to speak again
revoir to see again
séparer to separate
succéder to follow, come after
tenir to hold
  –tenir à to insist upon

Adjectifs

autoritaire domineering
certain some
criminel (*f.* **criminelle**) criminal
curieux (*f.* **curieuse**) curious
disposé disposed
docte learned
empli (de) full (of)
ennuyeux (*f.* **ennuyeuse**) boring
étranger (*f.* **étrangère**) foreign
fidèle faithful
froncé wrinkled
incroyable incredible
inflexible inflexible
insensé crazy
meilleur better
  –le meilleur the best
même same (after a *pron.*), self
mystérieux (*f.* **mystérieuse**) mysterious
neuf new (brand-new or newly created)
plusieurs several
policier detective
profond deep, profound
public (*f.* **publique**) public
redoutable dangerous
responsable responsible
secret (*f.* **secrète**) secret
sérieux (*f.* **sérieuse**) serious
simple simple
  –simple d'esprit simple minded
souple flexible
sous-titré subtitled
terrorisé terrorized

Adverbe

entièrement entirely

Prépositions

grâce à thanks to
pendant during

Expressions diverses

d'accord agreed
devaient être must have been
mettre à prix to put a price on
pique-assiette sponger (free meals)
pas du tout not at all
tout d'abord first of all

EXERCICES

A. Répondez en français d'après le texte.

1. Quels amis Suzanne et Mary ont-elles revus plusieurs fois?
2. Que disent-elles de l'emploi du temps des deux Français?

3. Que faisaient les quatre jeunes gens?
4. Pourquoi ces Français voulaient-ils tout voir?
5. Quelle impression Suzanne a-t-elle eue grâce à eux?
6. Comment Albert imagine-t-il ces jeunes Français?
7. Comment étaient-ils vraiment?
8. De quoi, et tout d'abord de qui, savaient-ils rire?
9. Quel film les deux jeunes filles sont-elles allées voir?
10. Pourquoi Albert n'aime-t-il pas les films étrangers?
11. De quoi s'agissait-il dans *Drôle de drame?*
12. Que pouvait-on y voir?
13. Quel rôle Michel Simon y jouait-il?
14. Quelle était la joie secrète de ce botaniste?
15. Quel rôle Louis Jouvet créait-il dans ce film?
16. Qu'interprétait Jean-Louis Barrault?
17. Que recherchait-il avec ardeur?
18. Quelle était la réaction du public pendant tout le film?
19. Pourquoi Suzanne a-t-elle cessé de raconter ses souvenirs de vacances?
20. Qu'est-ce qu'elle propose à Mary?

B. Exercice sur l'imparfait. Toutes les réponses sont dans le texte.

EXEMPLE

— Elle *raconte* ses souvenirs.
— Elle *racontait* ses souvenirs.

1. Il nous *reste* très peu d'argent.
2. Jouvet *crée* le rôle d'un pique-assiette.
3. Jean-Louis Barrault *interprète* un redoutable assassin.
4. Une situation *succède* à l'autre.
5. Il s'*agit* d'une comédie.
6. Il leur *permet* de revoir souvent leurs amis.
7. Leur emploi du temps *est* souple.
8. Sa tête *est* mise à prix.
9. Elles *parlent* de leurs souvenirs.
10. Ils *tiennent* à tout voir.
11. Ils *savent* rire de beaucoup de choses.
12. Ils *doivent* être ennuyeux.
13. Nous *allons* faire une promenade.
14. Nous *reparlons* de nos vacances.

C. Exercice de transformation du commencement de la conversation jusqu'à "... yeux neufs."

Suzanne Bernard parle à la première personne *du singulier* et mentionne *un* jeune Français. "Ce jeune Français, je. . . ."

D. Deuxième exercice de transformation.

C'est un des jeunes Français qui parle d'une des jeunes filles. "Cette jeune Américaine, je. . . ."

ETUDE DE GRAMMAIRE VI

34. The Imperfect (*L'Imparfait*)

A. FORMS OF THE IMPERFECT (*Les Formes de l'imparfait*)

Je ne m'*attendais* pas à ce changement radical dans vos habitudes.
Il *faisait* nuit au centre de New York.
Je *roulais* vers l'appartement de mes parents.
Tu *finissais* ton déjeuneur à midi et demi.
Pendant qu'il *descendait* dans le métro, il a vu Monsieur Jacot.
Nous *allions* faire une promenade tous les matins.
Si vous nous *disiez* la vérité au sujet de vos bagages!
Ils *étaient* très drôles.

The italicized verbs are in the *imperfect tense*. The stem of the imperfect tense in French is the same as the stem of the *first person plural* of the present indicative.

	infinitive	*1st person plural present indicative*	*imperfect stem*
1st conj.	étudier	étudions	étudi-
2nd conj.	finir	finissons	finiss-
3rd conj.	entendre	entendons	entend-
irreg. verbs	avoir	avons	av-
	venir	venons	ven-
	aller	allons	all-
	pouvoir	pouvons	pouv-
	vouloir	voulons	voul-
	faire	faisons	fais-
	prendre	prenons	pren-
	savoir	savons	sav-
	connaître	connaissons	connaiss-
exception	être	sommes	ét-
impersonals	pleuvoir	——	il pleuvait
	falloir	——	il fallait

The imperfect endings are as follows:

sing.	*pl.*
-ais	-ions
-ais	-iez
-ait	-aient

Note that the first and second person plural endings differ from the corresponding present indicative endings only in that *i-* precedes *-ons* and *-ez.*

nous finiss*i*ons
vous entend*i*ez

Verbs whose imperfect stem ends in *i-* have two *i*'s in these persons:

Nous étud*ii*ons la leçon
Nous r*ii*ons avec lui

B. USES OF THE IMPERFECT (*Emplois de l'imparfait*)

The imperfect is a past tense that refers to continuous or habitual states and events, as opposed to the *passé composé* (see section **24**), which refer to single complete actions. There is no single tense in English that is exactly equivalent to the imperfect, but such uses as "I was studying," "I used to study," "I would study" all correspond to it. Remember that the English simple past, such as "he showed," can be used for single actions (passé composé) as well as for descriptions and habitual events (imperfect).

He showed me the way.
He showed (used to show, would show) me the film every Thursday.
The foliage showed (was showing) the red and gold of autumn.

You must be particularly careful of the English "was," which can be the equivalent of either "était" or "a été."

To be specific, the imperfect is used for:

1. A state or condition in the past still existing at the moment being referred to:

Il *faisait* un petit froid sec qui nous *piquait* les joues.
Ils *étaient* très drôles.

2. An action in the past still going on at the moment being referred to:

Nous *marchions* joyeusement la valise à la main.

3. Habitual or repeated action in the past:

Tous les matins nous *allions* faire une promenade.
Une situation insensée *succédait* à l'autre.

4. Past mental states, conditions, or actions, indicated by such verbs as *croire, pouvoir, savoir, vouloir:*

> Nous nous sommes précipitées sur nos valises, car nous ne *pouvions* plus attendre.
>
> Tu *croyais* qu'elles *racontaient* leurs souvenirs pour tes beaux yeux.
>
> Ils *voulaient* tout voir, ils *tenaient* à tout entendre.

The passé composé is used with these verbs to indicate a definite limit to a mental state or action, and frequently involves a special meaning.

> Ils n'*ont* pas *pu* nous attendre. They were unable to wait for us. (Something happened.)
>
> Ils *ont voulu* tout voir. They insisted on seeing everything.
>
> J'*ai su* que vous étiez à New York. I found out that you were in New York.

C. SPECIAL USES OF THE IMPERFECT (*Emplois particuliers de l'imparfait*)

1. Imperfect with *depuis.* You have already studied (section **19**) the special use of the present with *depuis.*

> Nous *étudions* le français depuis septembre.
> We *have been studying* French since September.

Similarly, an action begun in the past, at a time indicated by a word or phrase after the preposition *depuis,* and still going on at the moment referred to, takes the imperfect in French (pluperfect or pluperfect progressive in English).

> Nous *étudiions* le français depuis septembre.
> We *had* been studying French since September.

2. The imperfect is used for suppositions after *si* ("suppose that," "suppose that"—the "that" of course is often omitted—or even colloquially "what about," "how about").

> Si vous *disiez* la vérité au sujet de vos bagages.
> Suppose you tell the truth about your baggage.
> How about telling the truth about your baggage.
> Si tu *te taisais* au lieu de dire des bêtises.
> How about keeping quiet instead of talking nonsense.
> Si nous *allions* au cinéma.
> How about going to the movies. Let's go to the movies.

Exercice

I. Exercice sur l'imparfait. Mettez les verbes en italiques à l'imparfait.

1. L'étudiant *montre* au professeur le stylo de Suzanne.
2. Joseph et Albert *descendent* dans le métro quelques minutes plus tard.
3. Tu *choisis* tes cours, Joseph?
4. Vous *oubliez* les plaisirs du ski.
5. Il *pleut* très fort.
6. Il *fait* froid à New York.
7. Pourquoi ces vacances *sont*-elles si merveilleuses?
8. Elles *ont* toujours de bonnes notes.
9. Après l'automne *vient* l'hiver avec ses pluies.
10. Tu *vas* d'habitude à la classe d'anglais après la classe de français, n'est-ce pas?
11. Je ne *connais* pas encore M. Jacot.
12. Il *sait* commander un bon dîner, M. Delavigne.
13. Il *faut* tout explorer.
14. Je ne *peux* pas aller voir ce film.
15. Il ne *veut* pas acheter la cravate rouge.
16. Suzanne *prend* toujours un beau bifteck.

35. Comparison of the Imperfect and the Passé Composé (*Comparaison de l'imparfait et du passé composé*)

The *passé composé* is used for actions and mental states in the past, which, at the moment referred to, *have happened, are over*. The limits of the action or state are not always indicated, but the use of this tense shows that these limits existed.

> Nos vacances *ont été* merveilleuses.
>
> Quand le train *s'est arrêté,* nous nous *sommes précipitées* sur nos valises.

The *imperfect* is used for actions or states in the past, which, at the moment referred to, *were still going on*.

> Quelques minutes plus tard nous *descendions* dans le métro, et bientôt nous *roulions* vers l'appartement de mes parents.

The times are given here, though not precisely, but the use of the imperfect shows that, at each stated time, the action indicated was still going on. For *both verbs* the *passé composé* could have been used. This would have made a simple narrative in two successive steps. It would have been static. The use of the imperfect has the effect of making the reader present, almost joining in with the happy, excited state of the two girls.

A simple way of contrasting the two tenses is to say that the *passé composé* is used for *successive* actions in the past; the imperfect for actions which occur at the same time in the past. When two things are happening simultaneously in the past, if both go on for a period of time, without the end being indicated, both verbs are imperfect.

> Pendant que nous *descendions* dans le métro, le vent nous *piquait* les joues.

If, however, during the period when one action is taking place in the past, another happens and is completed, the imperfect is used for the continuing action, the *passé composé* for the other.

> Nous *étions* tous plongés dans une discussion animée, quand soudain, on *a sonné* à la porte.
>
> J'*ai vu* Monsieur et Madame Bernard qui *échangeaient* un regard. (While they were exchanging the look, Mary glanced at them for a moment.)

Exercices

II. Exercices sur la comparaison de l'imparfait et du passé composé.

A. Mettez tout ce récit au passé, en employant ou l'imparfait ou le passé composé.

Quand les étudiants arrivent au restaurant, le garçon leur donne le menu. Pendant que Joseph l'examine attentivement, Albert demande au garçon le prix du rosbif. Quelques minutes après, tout le monde mange. Il fait bien chaud dans le restaurant. Pendant que Joseph règle sa note avec mauvaise humeur, Albert et Mary échangent un regard complice. Puis tout le monde sort. Le froid leur pique les joues, mais ils regardent les vitrines où il y a beaucoup de cadeaux de Noël. Mary et Suzanne descendent dans le métro, et bientôt elles roulent vers leur appartement. Elles n'ont plus faim.

B. Même exercice que le précédent.

Le train s'arrête au centre de New York. Je ne peux pas attendre plus longtemps. Je descends vite dans le métro. Cinq minutes plus tard je suis en route pour l'appartement de mes amis. Quand je sors du métro, il pleut. Je ne m'attends pas à cela.

Enfin j'arrive. On me reçoit comme un prince. Pendant que nous nous parlons et pendant que je raconte mes souvenirs, on sonne à la porte. Mais ce n'est que mon frère.

36. Possessive Adjectives (*Les Adjectifs possessifs*)

In French there is a different possessive adjective for each person: first, second, and third, singular (one possessor), and first, second, and third, plural (more than one possessor). There is only one possessive adjective for the third person singular; the distinction made in English between *his, her,* and *its* does not exist in French. The French possessive adjectives agree with the *thing possessed* in number, and, for one possessor, in gender.

Table of Possessive Adjectives

ONE POSSESSOR

sing.		*pl.*
masc.	*fem.*	*masc. and fem.*
mon	ma (mon)[1]	mes
ton	ta (ton)[1]	tes
son	sa (son)[1]	ses

MORE THAN ONE POSSESSOR

sing.	*pl.*
masc. and fem.	*masc. and fem.*
notre	nos
votre	vos
leur	leurs

EXAMPLES:

1. J'ai pris *mon* petit déjeuner.
2. J'ai revu *ma* ville.

[1] Before a vowel.

3. *Mon* ardeur était grande.
4. *Mes* vacances ont été merveilleuses.
5. *Ton* voyage a-t-il été long?
6. *Ta* bêtise ne me fait pas rire.
7. C'est *ton* habitude de te lever tôt?
8. Non, ce n'est pas dans *tes* habitudes.
9. Il a perdu *son* temps.
10. Il n'a pas perdu *sa* fidèle bicyclette.
11. Et il n'a pas perdu *son* ancienne bicyclette.
12. Elle parle beaucoup de *sa* ville.
13. Albert dit que *ses* vacances ont été mouvementées.
14. *Notre* professeur n'est pas venu.
15. *Notre* ville est belle.
16. *Nos* vacances ont été belles.
17. *Votre* ami se met en colère, Albert.
18. *Votre* bicyclette est dans la rue.
19. Dites la vérité au sujet de *vos* habitudes.
20. Nous avons trouvé *leur* malle.
21. Ils nous ont donné *leurs* conseils.

As you will have noted from examples 3, 7 and 11, *mon, ton* and *son* are used in all cases, *regardless of gender,* when a singular word beginning with a vowel follows the possessive adjective.

In a compound subject or object, one possessive adjective may not, as in English, serve for several nouns. The possessive adjective must be repeated.

mes amis et mes voisins — my friends and neighbors

A. THE DEFINITE ARTICLE USED INSTEAD OF A POSSESSIVE ADJECTIVE (*L'Article défini employé au lieu d'un adjectif possessif*)

Note the following:

Un petit froid sec *nous* piquait *les* joues.
Je les vois, *l'*air docte et sérieux, *le* menton sur *le* poing.
Elle *se* lave *les mains*. (She washes her hands)
Elle lève *la* tête. (She raises her head.)

In all of these instances a possessive adjective would be used in English ("A dry cold stung *our* cheeks," etc.). The possessive adjectives might be used in French also (in the first and second examples, at least), but it is more characteristically French to omit them in these cases. Here is the rule:

With parts of the body or clothing, or qualities of the mind or the soul, when no ambiguity is likely, the French prefer the definite article to the possessive adjective.

Elle lève *la* tête.
Il a *le* cœur blessé (wounded).

When an action is performed *upon* a part of the body (by oneself or by an outside agent), the definite article is used, and an indirect object pronoun indicating the person upon whom the action is being performed is placed before the verb. If the person is performing the action upon *himself*, a reflexive pronoun is used.

Le vent *nous* pique *les* joues.
Il *se* frappe *la* tête.

Exercices

III. Exercice d'utilisation de l'article défini avec le sens d'un possessif. (Exercise on the use of the definite article as a possessive adjective.)

A. Répondez affirmativement aux questions suivantes.

1. A-t-il toujours *le* sourcil froncé?
2. Joseph va-t-il remettre *les* pieds dans cet endroit?
3. Marchait-elle joyeusement la valise à *la* main?
4. Les étudiants ont-ils *le* bras levé?
5. Entrez-vous dans le café *le* chapeau sur *la* tête?
6. Levez-vous *les* yeux vers le ciel?
7. Le garçon vous a-t-il dit cela à *l'*oreille?
8. Faisait-il un petit froid sec qui nous piquait *les* joues?
9. Est-ce que nous nous lavions *les* mains quand la cloche a sonné?
10. Est-ce que tu te lavais *les* mains quand la cloche a sonné?
11. Est-ce que vous vous promenez *le* nez au vent?
12. Faisait-il un petit froid sec qui te piquait *les* joues?

B. Répondez aux questions en remplaçant l'expression qui qualifie le nom en italiques par l'adjectif possessif convenable.

EXEMPLES

— Est-ce que c'est le *professeur* que tu as en classe?
— Oui, c'est *mon* professeur.

— Est-ce que c'est la *cravate* que vous avez achetée?
— Oui, c'est *ma* cravate.

1. Est-ce que les *vacances* que vous avez eues ont été bonnes?
2. Cherchez-vous la *bicyclette* que vous avez perdue?
3. A-t-elle trouvé les *valises* qu'elle cherchait?
4. Albert et Joseph ont-ils mis les *cravates* qu'ils ont achetées?
5. La *joie* secrète du botaniste était-elle d'écrire des romans?
6. Le romancier était-il responsable de la *carrière* du criminel?
7. C'est grâce aux *conseils* des deux jeunes Français que vous avez vu le film?
8. Est-ce que l'*épouse* du botaniste le terrorisait?
9. Est-ce dans les *habitudes* de Suzanne de porter une seule valise?
10. As-tu trouvé l'*appartement* de Monsieur Gautier?
11. Disent-elles la vérité au sujet des *bagages* qu'elles ont pris?
12. Est-ce que c'est le *stylo* que tu m'as donné et que j'ai perdu?
13. Les *histoires* que je raconte vous amusent-elles?
14. L'*opinion* que j'ai donnée ne vous plaît donc pas?
15. Préférez-vous le *professeur* de français que vous avez maintenant?

37. Possessive Pronouns (*Les Pronoms possessifs*)

A possessive pronoun is used to replace a noun accompanied by a possessive adjective.

> Si vos vacances ont été mouvementées, *les nôtres* ont été merveilleuses.

The possessive pronoun agrees in gender and number with the thing possessed.

Table of Possessive Pronouns

ONE POSSESSOR			
sing.		*pl.*	
masc.	*fem.*	*masc.*	*fem.*
le mien	la mienne	les miens	les miennes
le tien	la tienne	les tiens	les tiennes
le sien	la sienne	les siens	les siennes

MORE THAN ONE POSSESSOR

sing.		*pl.*
masc.	*fem.*	*masc. and fem.*
le nôtre	la nôtre	les nôtres
le vôtre	la vôtre	les vôtres
le leur	la leur	les leurs

EXAMPLES:

Voilà un changement dans vos habitudes, Suzanne, et dans *les vôtres,* Mary.

Ils racontent leurs souvenirs pour tes beaux yeux, pas pour *les miens.*

Ils adaptent leur emploi du temps au *nôtre.*[2]

A. POSSESSION AFTER "ETRE" (*Possession après le verbe* être)

Possession after the verb *être* is ordinarily indicated in French by *à* + a disjunctive pronoun.

Elle est *à vous,* cette cravate?
Oui, cette cravate est *à moi.*
Ce livre n'est pas *à toi,* il est *à lui.*

Exercices

IV. Exercice sur les pronoms possessifs. Dans les phrases suivantes, remplacez les noms en italique et les adjectif possessifs qui les déterminent par des pronoms possessifs.

EXEMPLE

— Si les époux de ses amies étaient gentils, son *époux* la terrorisait.
— Si les époux de ses amies étaient gentils, le *sien* la terrorisait.

1. Si vos vacances ont été désagréables, nos *vacances* ont été merveilleuses.
2. Je ne m'attendais pas à un changement dans tes habitudes, Joseph, ni dans vos *habitudes,* Suzanne.
3. Disent-elles tout cela pour tes beaux yeux ou pour nos *beaux yeux?*

[2] Note how the English possessive pronoun is expressed in this French construction: Voici un de mes amis. (Here is a friend of mine.)

4. Mary a eu de mauvaises notes. Mes notes ont été meilleures que ses *notes*.
5. Joseph a pris la cravate d'Albert; il a oublié sa *cravate*.
6. Voici vos cadeaux, et, comme Joseph vient d'arriver, voici ses *cadeaux*.
7. Votre week-end a été bien plus intéressant que mon *week-end*.
8. Mary a fini sa soupe; Suzanne et Jeanne n'ont pas fini leur *soupe*.
9. Vous venez de me donner votre parole, et je vous donnerai ma *parole*.
10. Le café est ma boisson favorite; et, toi, quelle est ta *boisson favorite?*
11. Il regarde leurs visages, et, eux, ils regardent son *visage*.
12. Les étudiants connaissent les histoires du professeur, et il connaît *leurs histoires*.
13. Voilà, M. Delavigne, ma réaction à ce film. Quelle est votre *réaction?*
14. Dis, Joseph, j'ai perdu mon stylo. Pourrais-tu me prêter ton *stylo?*
15. J'ai perdu mes livres aussi. Veux-tu me prêter tes *livres?*
16. J'ai payé ses billets et naturellement j'ai payé mes *billets* aussi.

V. Exercice sur la possession après *être*. Répondez aux questions, en indiquant par le pronom donné, la personne qui possède quelque chose.

EXEMPLE

— A qui est ce stylo? (moi)
— Ce stylo est à moi.

1. Ce livre est à vous? (moi)
2. Ce livre n'est pas à moi? (toi)
3. A qui est cette montre? (vous)
4. Est-elle à Jim, cette cravate? (lui)
5. Cette automobile est à qui? (eux)
6. Cet appartement est-il à Mme Gautier? (elle)
7. Cette automobile est-elle à Mary et à Suzanne? (elles)

38. *Croire* et *voir*

Study, in the irregular verbs table given in the Appendix, the present indicative of

croire, to believe, think
voir, to see and (revoir, to review, to see again)

Review the forms of these verbs in the other parts or tenses we have studied (imperative, past participle, *passé composé,* future, imperfect).

Exercice

VI. Exercice sur croire et voir. Modifiez les phrases suivantes, en employant les sujets donnés entre parenthèses, et en faisant d'autres changements, si le sens le demande.

A. *croire*

1. Je crois que je suis en retard. (tu . . . , Joseph . . . , nous . . . , vous . . . , les étudiants . . .)
2. Tu as cru cela? (je . . . , M. Delavigne . . . , nous . . . , vous . . . , Suzanne et Mary . . .)
3. Nos amis croiront ce qu'ils voudront. (je . . . , tu . . . , le garçon . . . , nous . . . , vous . . .)
4. Nous croyions que tout cela était pour nos beaux yeux. (je . . . , tu . . . , le professeur . . . , vous . . . , Joseph et Albert . . .)

B. *voir*

1. Voyez-vous des livres français? (je . . . , tu . . . , Albert . . . , nous . . . , nos amis . . .)
2. Nous avons tout vu. (je . . . , tu . . . , M. Jacot . . . , vous . . . , les deux Français . . .)
3. Albert reverra ses notes demain. (je . . . , tu . . . , nous . . . , vous . . . , les étudiants . . .)
4. Dans ce film on voyait certains des meilleurs acteurs français. (je . . . , tu . . . , nous . . . , vous . . . , les deux jeunes filles . . .)

Chanson à boire

Ah, que nos pères étaient heureux (*bis*)
Quand ils étaient à table! (*bis*)
Le vin coulait à qui mieux mieux (*bis*),[3]
Ça leur était fort [4] agréable (*bis*),
Et ils buvaient à pleins tonneaux,[5]
Comme des trous,[6] comme des trous.
Morbleu! [7] bien autrement que nous (*bis*).

[3] *à qui mieux mieux* en grande quantité.
[4] *fort agréable* très agréable.
[5] *à pleins tonneaux* full casks.
[6] *comme des trous* sans fin (literally: like holes).
[7] *Morbleu!* By golly!

"Des achats fabuleux
dans les plus beaux magasins. . . ."

« 13 »

Quelques rêves

Suzanne Bernard: Qu'est-ce que je choisirais de faire si j'étais millionnaire? Quelle drôle de question! Je me demande à quoi M. Delavigne pensait quand il nous l'a posée. Si tu étais millionnaire, que ferais-tu?

Mary Morse: Je n'hésiterais pas une seconde! Je partirais faire un long voyage autour du monde.

Albert Clark: Avec une seule valise?

Mary Morse: Non! J'irais d'abord faire des achats fabuleux dans les plus beaux magasins. J'entrerais comme une reine, je m'installerais nonchalamment et je demanderais d'un air indifférent à être servie par le chef du personnel. Je m équiperais des pieds à la tête: chaussures de lézard . . .

Albert Clark: Je voudrais bien vous voir en train de disparaître sous une pile de cartons à chapeaux.

Suzanne Bernard: N'aurais-tu pas peur de t'adresser à ces chefs du personnel si hautains? Il me semble que je ne pourrais jamais les regarder en face. Ils ont toujours l'air si impassibles et si impeccables.

Albert Clark: Mary aurait peur? Vous ne savez pas à qui vous parlez. Regardez-la; elle a déjà le menton autoritaire d'une richissime touriste dont le carnet de chèques peut faire ou défaire des empires. Remarquez cet œil hautain. Elle s'imagine déjà en train de dominer un monde d'esclaves à genoux auxquels elle jette ses ordres.

Jim Gerald: Je vous avoue que vos achats ne me tenteraient guère. Par contre, moi aussi j'aimerais voyager. L'autre jour je feuilletais une brochure sur la Provence. Il y avait comme illustrations des paysages d'Arles par Van Gogh et d'Aix par Cézanne . . . Si j'avais un million je sais bien où j'irais, moi.

Albert Clark: Voyageurs exotiques, moi je préférerais me retirer dans la chambre de mes rêves:

> Nous aurions des lits pleins d'odeurs légères,
> Des divans profonds comme des tombeaux . . .[1]

Jim Gerald: Nous *aurons*.

Albert Clark: Nous *aurions*.

[1] Ces deux vers (verses) viennent du sonnet, "La Mort des amants," de Charles Baudelaire (1821–1867).

Jim Gerald: *Aurons.*
Albert Clark: *Aurions.*[2]
[Et la dispute continue.]

VOCABULAIRE

Noms

l'achat *m.* purchase, thing bought
Aix, Aix-en-Provence city north of Marseille, birthplace of Cézanne, who spent most of his life there, painting many landscapes
Arles city of Provence, near the mouth of the Rhône. Van Gogh spent the last years of his life there.
la brochure brochure, booklet
le carnet notebook
 –carnet de chèques checkbook
la chaussure shoe
le chef the chief
 –chef du personnel manager
le chèque check
le divan couch
l'empire *m.* empire
l'esclave *m.* or *f.* slave
la face face, (rarely of human face)
 –regarder en face to be face to face with
l'illustration *f.* illustration
le lézard lizard
 –chaussure de lézard lizard shoe
le lit the bed
le million million
le millionnaire millionaire
l'odeur *f.* odor, scent, perfume
l'œil *m.* (*pl.* **yeux**) eye
l'ordre *m.* order
le paysage landscape
la pile pile
la Provence former province of France. The name is now applied to the section of France east of the Rhône and south of the Durance river (but not including the Riviera).
la reine queen
la seconde second
le tombeau tomb
le or **la touriste** tourist

Verbes

s'adresser (à) speak to, apply to
défaire to unmake
se demander to wonder, ask oneself
dominer to dominate
s'équiper to fit oneself out
feuilleter to leaf through
s'installer to settle down
jeter to throw
remarquer to notice
se retirer to withdraw, to retire
sembler to seem
servir to serve

Adjectifs, adverbes

exotique exotic
fabuleux fabulous
'hautain haughty
impassible impassive
impeccable impeccable
indifférent indifferent
nonchalamment nonchalantly
plein full
richissime excessively rich
treizième thirteenth

[2] Jim a raison; Baudelaire a écrit, "nous aurons."

Prépositions

autour de around
contre against
 –**par contre** on the other hand
sous under

Expressions diverses

à genoux kneeling
guère
 –**ne . . . guère** scarcely
quoi what

Nouveau temps: le conditionnel

Qu'est ce que je *choisirais* de faire si j'étais millionnaire?
What *would* I *choose* to do if I were a millionaire?
Qu'est ce que tu *choisirais* de faire si tu étais millionnaire?
Qu'est-ce que Joseph *choisirait* de faire s'il était millionnaire?
Qu'est-ce que nous *choisirions* de faire si nous étions millionnaires?
Qu'est-ce que vous *choisiriez* de faire si vous étiez millionnaires?
Qu'est-ce que nos amis *choisiraient* de faire s'ils étaient millionnaires?

EXERCICES

A. Répondez en français d'après le texte.

1. Que se demande Suzanne à propos de la question que M. Delavigne a posée?
2. Que ferait Mary si elle était millionnaire?
3. Avant de faire un voyage autour du monde que ferait-elle?
4. Comment entrerait-elle dans les plus beaux magasins?
5. Que demanderait-elle d'un air indifférent?
6. Comment s'équiperait-elle?
7. Qu'est-ce qu'Albert voudrait bien voir?
8. Qu'est-ce que Suzanne ne pourrait jamais faire?
9. Pourquoi?
10. De quoi Mary a-t-elle déjà l'air d'après Albert?
11. Comment se voit-elle d'après Albert?
12. Que pense Jim de leurs achats?
13. Qu'est-ce qu'il aimerait faire, lui?
14. Qu'est-ce qu'il feuilletait l'autre jour?
15. Qu'y avait-il comme illustrations dans cette brochure?
16. Qu'est-ce qu'Albert préférerait faire?
17. Comment se termine la scène?

B. Exercices sur le conditionnel.

EXEMPLES

– Elle *demandera* à être servie. (She will ask to be served.)
– Elle *demanderait* à être servie. (She would ask to be served.)

— Tu *demanderas* à être servi.
— Tu *demanderais* à être servi.

1. Elle choisira de faire un long voyage.
2. Il partira pour Paris.
3. Il hésitera à lui parler.
4. Elle entrera dans les plus beaux magasins.
5. Elle s'équipera des pieds à la tête.
6. Il voudra bien la voir.
7. Il préférera se retirer dans sa chambre.
8. Tu auras le menton autoritaire d'un richissime touriste.
9. Tu feras un long voyage.
10. Nous aurons des rêves exotiques.

C. Exercice sur le conditionnel (suite).

EXEMPLES

— J'*aimais* voyager. (I {liked to travel. / used to like to travel.})
— J'*aimerais* voyager. (I would like to travel.)

— Nous *avions* des rêves exotiques.
— Nous *aurions* des rêves exotiques.

1. Je préférais un beau temps chaud.
2. Tu avais l'air autoritaire.
3. Tu avais peur du chef du personnel.
4. Mary avait peur.
5. Elle s'équipait des pieds à la tête.
6. Elle demandait à être servie.
7. Elle entrait comme une reine.
8. Elle partait faire un long voyage.
9. Il préférait se retirer dans la chambre de ses rêves.
10. Nous avions un monde d'esclaves.
11. Elle voulait bien vous voir.
12. Nous voulions des brochures sur la Provence.

D. Exercice sur les phrases conditionnelles.

EXEMPLE

— Si j'ai le temps, j'*irai* au cinéma.
— Si j'avais le temps, j'*irais* au cinéma.

1. Si j'ai un million, je ferai un long voyage.
2. Si je suis riche, je m'équiperai des pieds à la tête.
3. Si tu entres comme une reine, le chef du personnel te servira.
4. Si tu t'installes dans ce coin, tu ne seras jamais servi.

5. S'il a le choix, il voudra se retirer dans sa chambre.
6. Si elle pense à cela, elle n'hésitera pas une seconde.
7. Si nous avons faim, nous pourrons aller au petit café.
8. Si nous sommes libres, nous nous promènerons.
9. Si vous avez tort, vous rougirez.
10. Si vous n'aimez pas ce livre, vous en imaginerez un autre.
11. S'ils arrivent en retard, ils auront peur du professeur.
12. Si elles préfèrent se disputer, elles se disputeront.

"Je serais le pilote
de l'avion. . . ."

«14»

D'autres rêves... professionnels

Mary Morse: Si nous reprenions nos rêves? Quelle profession aimerais-tu choisir?

Suzanne Bernard: Je me verrais très bien en hôtesse de l'air. Je porterais une jupe et un chemisier bleu ciel, un coquet petit calot sur le côté de la tête . . .

Albert Clark: Elle ferait les yeux doux aux passagers élégants. Elle épouserait le plus riche et cinq ans plus tard, installée dans une jolie propriété avec trois enfants, soupirerait à la pensée du bel avion dont elle était responsable . . .

Mary Morse: Vous êtes impossible! C'est curieux, moi aussi je préférerais être hôtesse de l'air. Je parlerais cinq ou six langues. Je m'occuperais de mes passagers, dont la plupart seraient de vieux habitués, venus de tous les coins du monde.

Mais vous me semblez rêveur, Jim. Quelle serait la profession de votre choix?

Jim Gerald: Je serais tout simplement le pilote de l'avion dont vous seriez les hôtesses, le pilote auquel vous porteriez de temps en temps un rafraîchissement sur un plateau d'argent. Vêtu d'un blouson de cuir et d'un vieux pantalon de travail, je fixerais d'un œil impassible la mer de nuages qui nous entourerait.

Que deviendriez-vous tous, passagers internationaux et charmantes hôtesses, si votre pilote ne veillait pas sur vous? Personne d'entre vous n'échapperait à ces énormes vagues qui dansent sous notre avion. Mais ne craignez rien. Je suis là, fidèle au poste, conscient de mon devoir.

Albert Clark: A propos de devoir, me permettriez-vous de rappeler à l'équipage qu'il serait peut-être temps de songer au devoir que le professeur nous a suggéré? Sans cela l'atterrissage risquerait d'être dur. . . .

VOCABULAIRE

Noms

l'argent *m.* silver
l'atterrissage *m.* landing (of a plane), coming back to earth
l'avion *m.* airplane
le blouson jacket
le calot cap
le chemisier blouse
le choix choice
le cuir leather
le devoir duty, homework assignment
l'enfant *m.* or *f.* child
l'équipage *m.* crew
l'habitué *m.* regular customer
l'hôtesse *f.* hostess
la jupe skirt
la langue language
la mer sea
le pantalon trousers
le passager passenger
la pensée thought
le pilote pilot
le plateau tray
le poste post, position
la profession profession
la propriété property, estate
le rafraîchissement refreshment
la vague wave

Verbes

craindre to fear
danser to dance
devenir to become
échapper (à) to escape
entourer to surround
épouser to marry
fixer to keep one's eyes fixed on
s'occuper de to take care of
reprendre to resume
risquer to risk
songer to think, to muse
soupirer to sigh
veiller to watch

Adjectifs, adverbes

conscient conscious
coquet smart (coquettish)
dur hard, rough

doux sweet, gentle, soft
élégant elegant
international international
joli pretty
là there
la plupart most
professionel professional
quartorzième fourteenth
rêveur dreaming, dreamy
simplement simply
vêtu (de) wearing
vieux (*m.* before vowel, **vieil;** *f.* **vieille**) old

Expressions diverses

l'atterrissage risquerait d'être dur the landing might be hard
de temps en temps from time to time
entre among
faire les yeux doux to make eyes at
personne
–**ne . . . personne** (or **personne . . . ne**) no one, nobody
–**personne d'entre vous** no one of you
que deviendriez-vous what would become of you
sans cela otherwise

EXERCICES

A. Répondez en français d'après le texte.

1. Que suggère Mary?
2. Comment Suzanne se verrait-elle bien?
3. Qu'est-ce qu'elle porterait?
4. Que ferait-elle d'après Albert?
5. Dans quelle situation serait-elle cinq ans plus tard?
6. Que préférerait Mary?
7. Combien de langues parlerait-elle?
8. De qui s'occuperait-elle?
9. Quel genre de passagers aurait-elle?
10. Jim a-t-il l'air de suivre avec attention cette discussion?
11. Quelle serait sa profession?
12. De quel avion serait-il le pilote?
13. Qu'est-ce que Mary lui apporterait de temps en temps?
14. Comment serait-il vêtu?
15. Que fixerait-il d'un œil impassible?
16. Sur qui veillerait-il?
17. Qu'est-ce qui arriverait s'il ne veillait pas sur ses passagers?
18. De quoi serait-il conscient?
19. Qu'est-ce qu'Albert rappelle à ses camarades?
20. Qu'est-ce qui risquerait d'être dur s'ils ne songeaient pas au devoir?

B. Exercice sur le conditionnel.

EXEMPLES

– Elle *portera* un chemisier bleu. (She will wear. . . .)
– Elle *porterait* un chemisier bleu. (She would wear. . . .)

– Vous *porterez* un imperméable.
– Vous *porteriez* un imperméable.

1. Elle *portera* une jupe bleue.
2. Il *portera* un blouson de cuir.
3. Elle *épousera* un passager riche.

4. Elle *soupirera* à la pensée du bel avion.
5. Elle *préférera* être hôtesse de l'air.
6. Mary *parlera* cinq ou six langues.
7. Elle *sera* hôtesse de l'air.
8. Elle *sera* responsable d'un bel avion.
9. Jim *se verra* en pilote.
10. Vous *aimerez* faire un long voyage.
11. Vous *porterez* un rafraîchissement.
12. Vous *deviendrez* très riche.
13. Vous *serez* millionnaire.
14. Vous vous *verrez* bien avec trois enfants.
15. Vous vous *verrez* bien avec un monde d'esclaves.

C. Exercice sur le conditionnel

EXEMPLES

— Je *demandais* le chef du personnel.
— Je *demanderais* le chef du personnel.

— Vous *demandiez* le chef du personnel.
— Vous *demanderiez* le chef du personnel.

1. Je *portais* un petit calot.
2. Je *préférais* un vieux chapeau.
3. Je *parlais* avec les passagers.
4. Je *fixais* la mer d'un œil impassible.
5. J'*étais* un vieil habitué.
6. J'*étais* vêtu d'un blouson de cuir.
7. J'*étais* installé dans cette propriété.
8. Vous *portiez* un rafraîchissement.
9. Vous *parliez* avec le pilote.
10. Vous *sembliez* rêveur.
11. Vous *étiez* de vieux habitués.
12. Vous *étiez* des passagers internationaux.
13. Vous *étiez* fidèles au poste.
14. Vous *étiez* conscients de ce devoir.

D. En donnant une phrase complète, dites ce que vous feriez ou ce que vous penseriez:

1. si vous étiez millionnaire.
2. si vous vouliez acheter des chaussures.
3. si vous étiez dans un beau magasin.
4. si vous aviez à vos pieds un monde d'esclaves.
5. si vous étiez responsable d'un avion.
6. si vous feuilletiez une brochure sur la Provence.
7. si vous voyiez des illustrations d'Aix par Cézanne.
8. si vous n'aimiez pas voyager.

ETUDE DE GRAMMAIRE VII

39. The Conditional (*Le Conditionnel*)

The conditional stem (le radical) in all French verbs is identical to the *future stem* (see sections **29** and **29A**). To it are added the *imperfect endings*.

infinitif	*radical*	*conditionnel*					
étudier	étudier-	étudier- étudier-	ais, ions,	étudier- étudier-	ais, iez,	étudier- étudier-	ait, aient
entendre	entendr-	entendr- entendr-	ais, ions,	entendr- entendr-	ais, iez,	entendr- entendr-	ait, aient
avoir	aur-	aur- aur-	ais, ions,	aur- aur-	ais, iez,	aur- aur-	ait, aient

A. USES OF CONDITIONAL (*Emplois du conditionnel*)

The conditional, though it is often called the *present conditional* (to distinguish it from the *past conditional* or *conditional anterior*), is frequently equivalent to a past tense; in fact some call it "the future in the past." The conditional has two basic uses:

1. *To indicate an action performed* (or that *would be* performed) *under certain conditions.* This use is most common in what are called *conditional sentences* (*hypothèses,* in French), where the subordinate clause, introduced by *si,* is in the imperfect.

> Si tu étais millionnaire, que *ferais*-tu?
>
> Que *deviendriez*-vous, si votre pilote ne veillait pas sur vous?

When the conditions have been indicated in advance or are understood, a series of hypothetical actions are in the conditional.

> Je *préférerais* être hôtesse de l'air. Je *parlerais* cinq ou six langues. Je m'*occuperais* des passagers.

Note that, in conditional sentences, the conditional *may not be used* in the *si* clause.

2. *As a future in the past.* This means that when the verb of a principal clause is in the past, future time in the subordinate clause is expressed by the conditional.

Compare:

Je dis que je porterai la jupe bleu ciel d'une hôtesse de l'air.
Je *disais* que je *porterais* la jupe bleu ciel d'une hôtesse de l'air.

Compare:

Il croit qu'elle ne choisira jamais une profession.
Il *croyait* qu'elle ne *choisirait* jamais une profession.

3. *Other uses.* The conditional may be used to express a wish or a desire (especially with *vouloir, désirer* and *aimer*), and in this use it is more polite and less imperative than the present.

Quelle profession *aimerais*-tu choisir?
Je *voudrais* bien vous voir!

Exercices

I. Voici un passage qui donne au *futur* des projets de vacances.

A. Mettez les verbes au *conditionnel,* en commençant:

Si c'était maintenant les vacances de Noël . . . nous partirons immédiatement prendre l'autocar qui, huit heures plus tard, nous déposera à New York. Que ferons-nous d'abord? Nous nous promènerons et nous regarderons les vitrines, car il ne nous restera que quelques jours pour choisir les cadeaux à envoyer à nos parents. Nous pourrons aussi prendre des billets pour une pièce de théâtre. Il faudra chercher un peu, car nous ne serons pas les seuls clients, bien entendu. Aurons-nous la chance de trouver deux places pour une représentation de la Comédie Française en tournée?

B. Albert raconte ce qu'il ferait si c'était maintenant les vacances de Noël. Mettez les verbes à la troisième personne du singulier du conditionnel. Commencez par: Albert a dit qu'il partirait immédiatement . . . (continuez).

II. Remplacez le verbe ou la construction verbale en italiques par un verbe au conditionnel. (Substitute a conditional verb for the italicized verb or verbal construction.)

EXEMPLE

— Je croyais qu'il *allait parler*.
— Je croyais qu'il *parlerait*.

1. Elle a dit qu'elle *allait partir*.
2. Je croyais que Mary *allait avoir* peur.
3. Il ne savait pas que j'*allais faire* cela.
4. Jim pensait que la plupart *allaient être* de vieux habitués.
5. Il s'imaginait que Joseph *allait* se *mettre* en colère.
6. A-t-il dit quel cours il *allait choisir*?
7. Suzanne ne pensait pas que le professeur *allait venir* la voir.
8. Saviez-vous que nous *allions partir* en Provence?
9. Elle a dit qu'elle *allait pouvoir* s'acheter beaucoup de chapeaux.
10. Je disais qu'il *allait partir* tout de suite.
11. Albert a dit que vous n'*alliez* pas *faire* cela.
12. Suzanne a dit à Mary qu'elle *allait* la *suivre* partout.
13. Je pensais que nous n'*allions* rien *dire*.
14. Il m'a dit que vous *alliez prendre* votre petit déjeuner tout de suite.

III. Exercice sur le conditionnel

EXEMPLES

— Mary songerait à ses devoirs. Et nous?
— Nous songerions à nos devoirs.

— Je songerais à mes devoirs. Et elle?
— Elle songerait à ses devoirs.

1. Il préférerait aller en Provence. Et nous?
2. Il partirait avec une seule valise. Et nous?
3. Mary n'hésiterait pas une seconde. Et nous?
4. Elle irait dans les plus beaux magasins. Et nous?
5. Elle s'installerait comme une reine. Et moi?
6. Elle aurait peur de les regarder en face. Et moi?
7. Jim aurait une brochure sur la Provence. Et moi?
8. Il verrait bien Suzanne en hôtesse de l'air. Et moi?
9. Vous soupireriez à la pensée du bel avion. Et Mary?

10. Vous porteriez de temps en temps un rafraîchissement. Et Jim?
11. Nous parlerions six langues. Et Jim?
12. Nous fixerions d'un œil impassible la mer de nuages. Et eux?
13. Je semblerais rêveur. Et eux?
14. Je risquerais cet atterrissage. Et eux?
15. Vous vous occuperiez de vos passagers. Et Mary?
16. Jim se retirerait dans sa chambre. Et vous?

IV. Exercice sur le conditionnel avec hypothèse et complément.

EXEMPLE

— Corrigez votre devoir (votre leçon)!
— Je le (la) corrigerais, si je pouvais.

1. Demandez votre argent!
2. Terminez votre devoir!
3. Posez votre question!
4. Choisissez votre cadeau!
5. Finissez votre phrase!
6. Attendez votre voisin!
7. Perdez votre mauvaise habitude!
8. Faites votre devoir!
9. Faites votre valise!
10. Dites votre rêve!
11. Dites votre phrase!
12. Dites votre histoire!

40. The Relative Pronouns *à qui, lequel, dont* (Les Pronoms relatifs à qui, lequel, dont)

You have learned (section 27) that the relative pronoun *qui* is used as subject of the verb in the relative clause and that the relative pronoun *que* is used as object of the verb in the clause.

— C'est Albert Clark *qui* a dit cela.
— C'est Albert Clark *que* nous avons vu hier.

A. USE OF CERTAIN FORMS (*L'Emploi de certaines formes*)

As indirect object of the verb or object of a preposition the following forms are used.

1. For antecedents that are persons:

à, avec, etc. + *qui*
or
à, avec, etc. + *lequel*

NOTE ON LEQUEL

Lequel is a variable relative pronoun; it has different forms for maculine and feminine, singular and plural antecedents:

sing.		*pl.*	
masc.	*fem.*	*masc.*	*fem.*
lequel	laquelle	lesquels	lesquelles

It contracts with *à* and *de* just as the definite article does:

à + lequel = auquel	à + laquelle does not contract
de + lequel = duquel	de + laquelle does not contract
à + lesquels = auxquels	à + lesquelles = auxquelles
de + lesquels = desquels	de + lesquelles = desquelles

Although in literary style *lequel* is sometimes used to replace *qui* as subject or *que* as object, its principal use is as object of a preposition.

Examples of *à qui* and *auquel, avec qui, avec lequel,* etc.

Je serais le pilote *à qui* vous porteriez un rafraîchissement.

Je serais le pilote *auquel* vous porteriez un rafraîchissement.

Mary est la jeune fille *avec qui* Albert est sorti.

Mary est la jeune fille *avec laquelle* Albert est sorti.

On account of *lequel*'s variable forms, *auquel, à laquelle,* etc., are used in preference to *à qui* when there is a possibility of ambiguity.

Les amis de Mary, *auxquels* je parlais, sont partis.

2. For antecedents that are not persons:

à + lequel, (avec, sous, etc. + lequel)

Je vois le carton à chapeaux *sous lequel* Mary a disparu.
Et ce devoir *auquel* nous allons travailler?

3. The prepositions *parmi,* among, and *entre,* between, take *lequel* for both persons and things.

Il a beaucoup d'amis *parmi lesquels* il préfère Jim.

B. USE OF "DONT" (*L'Emploi de dont*)

Dont is used instead of *de qui* or *duquel* (*de laquelle,* etc.) as a relative pronoun.

1. Vous avez besoin de tous ces livres?—Oui, j'emporte les livres	dont	j'ai besoin.
2. Voyez ce bel avion	dont	je suis responsable.
3. Je serais le pilote de l'avion	dont	vous seriez les hôtesses.
4. Elle est déjà une richissime touriste	dont	le carnet de chèques peut défaire un empire.

Note: In sentences 3 and 4, *dont* has a possessive value and is translated by the English *whose*. In French the thing possessed is preceded by an article; in English the article is omitted.

Exercices

V. Rattachez ensemble chaque paire de phrases au moyen du pronom relatif indiqué.

EXEMPLE

— J'ai vu le pilote de l'avion. Vous lui parliez.
— J'ai vu le pilote de l'avion à qui vous parliez.

A. Emploi de *qui* après une préposition.

1. J'ai vu le pilote de l'avion. Vous allez voyager avec lui.
2. Mes amis sont partis. Je leur parlais.
3. Nous sommes des passagers. Vous veillez sur nous.
4. Voici mes esclaves. Je leur jette des ordres.
5. C'est le pilote. Vous lui porterez des rafraîchissements.

B. Emploi de *lequel*, etc., après une préposition.

1. Il a beaucoup d'amis. Parmi ses amis il préfère Jim.
2. J'ai vu ce bel avion. Sous cet avion dansent des vagues énormes.
3. Ce sont des paysages de Van Gogh. J'y pensais.
4. C'est un bon petit restaurant. Nous avons mangé dans ce restaurant.

C. Emploi de *lequel* après une préposition, pour une personne, pour éviter l'ambiguïté.

1. J'ai vu Mary et Joseph. Vous parliez à Joseph.
2. C'est l'ami de la jeune fille. Jim sortait avec elle.
3. Les amis de Mary sont partis. Je leur parlais.

D. Emploi de *dont*.

1. Je suis un richissime touriste. Mon carnet de chèques peut faire des empires.
2. J'ai feuilleté une brochure sur la Provence. Les illustrations étaient des paysages d'Aix.
3. Vous seriez les hôtesses de l'avion. J'en serais le pilote.
4. C'est un bel avion. J'en suis responsable.
5. Ce sera un atterrissage rude. Vous parlerez de cet atterrissage.
6. J'aime ces passagers. La plupart sont de vieux habitués.

VI. Exercice de synthèse. Même exercice que les précédents, mais il faut choisir le pronom relatif à employer: *qui, que, lequel* (etc.) ou *dont*.

1. C'est un bel avion. Nous sommes les hôtesses *de cet avion*.
2. J'ai vu beaucoup d'esclaves agenouillés. *Ils* m'obéissent.
3. Voici un rafraîchissement. Vous *en* avez besoin.
4. Vous voyez ces jeunes filles? Je ne *leur* parle jamais.
5. Louis Jouvet joue le rôle d'un évêque. *Il* a peur de sa femme.
6. Cet avion est dominé par son hôtesse. *Son* œil est hautain.
7. Je veux acheter des paysages de Van Gogh. Je *les* aime.
8. C'est la même jeune fille. Jim sortait avec *elle*.
9. Michel Simon joue un botaniste. *Sa* joie secrète est d'écrire.
10. Je connais beaucoup d'étudiants. Parmi *eux* Jim est le plus intéressant.
11. Nous avons vu Joseph et Suzanne. J'ai parlé longtemps à *Suzanne*.
12. Barrault joue un assassin. La tête *de l'assassin* est mise à prix.
13. Nous faisons une promenade dans New York. Nous *l*'aimons tant.
14. C'est un film très intéressant. J'ai pensé à *ce film*.
15. C'est un beau musée. J'*en* ai parlé à Albert.

41. Other Negative Forms (*Autres formes négatives*)

In addition to *pas*, there are several other negative forms, all of which require *ne* before the verb.

ne . . . point, not, not at all (more emphatic than *pas*)
ne . . . plus, no more, not any more, no longer
ne . . . jamais, never, not ever
ne . . . guère, scarcely
ne . . . personne, no one, nobody, not anybody
ne . . . rien, nothing, not anything

ne . . . aucun, (*fem. aucune*), none, no, not any
ne . . . ni . . . ni, neither . . . nor
ne . . . que, only

A. USE OF THESE NEGATIVE FORMS (*L'Emploi de ces formes négatives*)

1. *Point, plus, jamais, guère.* These forms offer no problems. Like *pas,* they are adverbs and are placed immediately after the verb, or the auxiliary in a compound tense.

Je *n'*ai *plus* d'argent. Je suis à sec.
Elle *ne* poura *jamais* regarder en face ces chefs de personnel.
Les achats *ne* me tentent *guère,* Mary.

Note, however, that, for emphasis, *jamais* may be placed at the beginning.

Jamais elle *ne* pourra les regarder en face.

2. *Personne, rien, aucun. Personne* and *rien* are pronouns, and *aucun* is a pronoun or an adjective. (*Aucun* uses the feminine form *aucune* with or referring to feminine nouns.) Therefore, *personne, rien* and *aucun* may be subject, direct or indirect object, etc., of a verb and must be placed accordingly. Note also that, *rien,* after the verb, has the same position as *pas, point, plus, jamais,* and *guère,* while *personne* and *aucun,* in compound tenses, are placed after the past participle.

Je *ne* vois *rien* sur cette table.
*Personne n'*échapperait aux vagues.
Je *n'*ai *rien* vu.
Je *n'*ai vu *personne.*
Je *n'*ai vu *aucun* de mes amis.
Mary a dit qu'elle *n'*aurait *aucune* hésitation.
Aucun de ses amis *ne* l'a vu.
Mary *n'*a pensé à *rien.*

3. *Ne . . . ni . . . ni.* The *ni*'s are placed immediately before the expression they negate.

Je *n'*ai vu *ni* Jim *ni* Albert.
Je *n'*ai *ni* donné *ni* reçu d'aide.

4. *Ne . . . que* is restrictive rather than negative. Compare:

J'ai *des* livres de français.
Je n'ai pas *de* livres de français.
Je n'ai que *des* livres de français.

(Hence the rule with regard to the use of *de* rather than *du* or *des* after a negative [see section **32A**] does not apply to *ne . . . que*.) Be especially careful to place *que* as closely as possible before the element of the sentence to which it applies.

Il *ne* leur restait *que* cinq minutes.
Je *ne* voulais *que* vous parler.

Note that the restriction in the last example applies to *parler*, but that *que* cannot be placed immediately before *parler* since *vous*, the pronoun object, is inseparable from its verb.

Exercices

VII. Exercices sur les expressions négatives. Répondez négativement aux questions, en employant l'expression donnée entre parenthèses.

EXEMPLE

— Allez-vous à New York? (plus)
— Je ne vais plus à New York.

A. Négation avec un temps simple du verbe.

1. Suzanne a-t-elle peur des chefs du personnel? (plus)
2. Voit-elle Jim? (personne)
3. Les achats nous tentent-ils? (guère)
4. Pourriez-vous les regarder en face? (jamais)
5. Craignez-vous quelque chose? (rien)
6. Est-ce que vous voyez un de vos amis? (aucun)
7. Voyez-vous souvent Suzanne et Mary? (ni . . . ni)

B. Négation avec un temps composé.

1. Avez-vous pu les regarder en face? (jamais)
2. Les achats nous ont-ils tentés (guère)
3. Etes-vous allé en avion? (plus)
4. Avez-vous vu quelque chose dans la mer? (rien)
5. A-t-elle trouvé Jim? (personne)
6. Est-ce que vous avez vu un de vos amis? (aucun)
7. Avez-vous vu Suzanne et Mary hier? (ni . . . ni)

C. Négation avec déplacement du mot négatif.

1. Qui vous a vu? (personne)
2. Une des hôtesses de l'air est-elle partie? (aucune)
3. Pourriez-vous les regarder en face? (jamais—*emphasized*)
4. Suzanne et Mary sont-elles parties? (ni . . . ni)

D. Emploi de *ne . . . que*. En répondant à ces questions, appliquez la restriction (*ne . . . que*) au mot en italiques.

EXEMPLE

— Est-ce qu'il vous reste *trois minutes?*
— Il ne reste que trois minutes.

1. Avez-vous vu *Jim?*
2. Voulez-vous parler *à Jim?*
3. Vous seriez *le pilote?*
4. Epouseriez-vous *le plus riche?*
5. C'est *à ce restaurant* que vous voulez aller?

VIII. Exercice de synthèse. Répondez négativement aux questions suivantes, en employant l'expression entre parenthèses.

EXEMPLE

— Aimez-vous ce film? (guère)
— Non, je ne l'aime guère.

1. Avez-vous vu des paysages de Van Gogh? (jamais)
2. De qui Mary a-t-elle peur? (personne)
3. Le chef du personnel vous fait-il peur? (personne)
4. Ces chaussures de lézard vous intéressent-elles? (rien)
5. Voulez-vous attendre encore quelques minutes? (plus)
6. Voyez-vous les vagues sous l'avion? (rien)
7. La partie des achats vous tente-t-elle? (point)
8. Aimez-vous le rosbif et les haricots (ni . . . ni)
9. Avez-vous eu peur en avion? (guère)
10. Voudriez-vous le regarder en face? (jamais)
11. Avez-vous des divans profonds comme des tombeaux? (plus)
12. Fixeriez-vous la mer de nuages d'un air impassible? (guère)
13. Combien d'amis avez-vous? (aucun)
14. Un de leurs amis est-il venu? (aucun)
15. Songez-vous aux devoirs que le professeur vous a donnés? (plus)

42. *Craindre* et *dire*

Study, in the irregular verb table in Appendix I, the present indicative of

craindre, to fear
dire, to say, tell

Review the forms of these verbs in the other parts or tenses we have studied (imperative, past participle, *passé composé,* imperfect, future, conditional).

Exercices

IX. Exercices sur *craindre* et *dire.*

A. Modifiez les verbes dans ces phrases d'après les sujets indiqués.

1. Albert ne craint rien. Je . . . , tu . . . , nous . . . , vous . . . , les hôtesses de l'air. . . .
2. Vous dites toujours la vérité. Je . . . , tu . . . , M. Delavigne . . . , nous . . . , nos étudiants. . . .

B. Mettez les verbes dans les phrases que vous avez faites:

1. au passé composé.
2. à l'imparfait.
3. au futur.
4. au conditionnel.

Joseph est
assis tristement. . . .

«15»

Les Inquiétudes de Joseph Ford

[*Joseph est assis tristement au café de l'université.*]

Joseph Ford: Je suis sûr que mes camarades en ont assez de ma mauvaise humeur. Je regrette qu'ils soient en colère contre moi. . . .
Mais voici Jim! Ohé Jim! Il faut que tu me dises la vérité, mon vieux. J'ai peur que nos camarades n'en aient assez de moi! Qu'en penses-tu?

Jim Gerald: Je te l'ai dit très souvent. Si tu veux que tes amis soient tes amis longtemps, évite de pousser leur patience à bout. J'ai peur que tu ne finisses par les irriter. Je crains qu'ils ne veuillent plus accepter patiemment tes crises de colère.

Joseph Ford: Que faut-il que je fasse?

Jim Gerald: Apprends à accepter avec le sourire les plaisanteries des autres. Puisque tu aimes taquiner les gens, tu devrais apprendre à supporter leurs taquineries. Il faut que tu apprennes à te contrôler.

Joseph Ford: Que puis-je faire avec un caractère comme le mien?

Jim Gerald: J'ai peur qu'il ne te soit très difficile de corriger ta tendance à t'énerver si facilement.

Joseph Ford: Je suis terriblement soupe-au-lait, je le reconnais. Tu veux que je me refasse, mais est-ce possible?

Jim Gerald: Je voudrais que tu prennes la décision de ne pas te prendre trop au sérieux.

Joseph Ford: Je souhaite que vous m'aidiez tous, que vous suiviez mes efforts avec sympathie. Si vous voulez que je réussisse, j'y arriverai peut-être. . . .

Jim Gerald: Mais si tu veux que nous t'aidions, aide-toi d'abord! Tu peux compter sur nous.

Joseph Ford: Je suis heureux que vous acceptiez de m'encourager.

VOCABULAIRE

Noms

le bout end, extremity
le caractère character
la crise crisis, fit
la décision decision
–**prendre la decision** make one's mind up, decide
les gens *m. pl.* people
l'inquiétude *f.* anxiety
la patience patience
la plaisanterie joke
le sourire smile
la sympathie sympathy
la taquinerie teasing
la tendance tendency
la vérité truth

Verbes

accepter to accept, to be willing
apprendre to learn
arriver to arrive, succeed
être assis to be seated
contrôler to control
devoir to owe, have to, be obliged to
encourager to encourage
s'énerver to become excited, irritated
éviter to avoid
falloir to be necessary
–**il faut que je** I must, etc.
finir to end, finish
irriter to irritate
pousser to push
–**pousser à bout** to exhaust the patience of
reconnaître to recognize
refaire to make over
regretter to regret
réussir to succeed
souhaiter to wish, hope
supporter to stand, bear
taquiner to tease

Adverbes

franchement frankly (*adj.* **franc, franche**)
longtemps long, for a long time
patiemment patiently
souvent often
tristement sadly

Expressions diverses

en avoir assez de to have enough of, to be fed up with
contre against
être soupe-au-lait to be inclined to fly off the handle (*literally*, to be milk soup—milk boils over very easily)
finir par to end up by . . .
–**J'ai peur que tu ne finisses par les irriter** I'm afraid that you'll end up by irritating them (that you'll finally irritate them).

Expressions diverses (suite)

ne *with a verb of fearing this is an expletive (it has no meaning), without negative force*
Ohé hey, there
peut-être perhaps
se prendre au sérieux to take oneself seriously
se prendre trop au sérieux (*note word order*) to take oneself too seriously
soucieux worried

Etude de la construction "il m'est difficile de . . ."

Il *m*'est difficile de corriger cette tendance, etc. It is difficult for *me* to correct, etc.

Nouveau temps: le présent du subjonctif

Je souhaite que vous m'*aidiez* tous.
I wish you would all help me.

Si tu veux que nous t'*aidions*. . . .
If you want us to help you. . . .

Je suis heureux que vous *acceptiez* de m'encourager.
I am happy that you are willing to encourage me.

J'ai peur que tu ne *finisses* par les irriter.
I'm afraid that you'll end up by irritating them.

Si vous voulez que je *réussisse*. . . .
If you want me to succeed. . . .

J'ai peur que mes amis n'en *aient* assez de moi. (avoir)
I'm afraid that my friends are fed up with me.

Je regrette qu'ils *soient* en colère contre moi. (être)
I regret that they are angry at me.

Si tu veux que tes amis *soient* tes amis longtemps . . . (être)
If you want your friends to be your friends a long time. . . .

J'ai peur qu'il ne te *soit* très difficile de corriger ta tendance.
I'm afraid that it will be difficult to correct your tendency.

Il faut que tu me *dises* la vérité, mon vieux.
You must tell me the truth, old boy.

Je crains qu'ils ne *veuillent* plus accepter patiemment tes crises de colère.
I'm afraid they'll no longer be willing to accept patiently your fits of anger.

Il faut que tu *apprennes* à te contrôler.
You must learn to control yourself.

Tu veux que je me *refasse*.
You want me to make myself over.

Je voudrais que tu *prennes* la décision de ne pas te prendre trop au sérieux. (prendre)
I would like you to make up your mind not to take yourself too seriously.

Je souhaite que vous *suiviez* mes efforts avec sympathie.
I wish you would follow my efforts sympathetically.

EXERCICES

A. Répondez en français d'après le texte.

1. De quoi Joseph est-il sûr?
2. Que regrette-t-il?
3. Que faut-il que Jim lui dise?
4. De quoi Joseph a-t-il peur?
5. Qu'est-ce que Jim lui dit d'éviter?
6. De quoi Jim a-t-il peur?
7. Que craint-il?
8. Que faut-il que Joseph fasse?
9. Que faut-il qu'il apprenne à faire?
10. Quelle tendance faut-il qu'il corrige?
11. Que reconnaît-il?
12. Que veut Jim, d'après Joseph?
13. Quelle décision voudrait-il que Joseph prenne?
14. Que souhaite Joseph?
15. Que souhaite-t-il que ses amis fassent pour l'aider?
16. Si Joseph veut qu'on l'aide que faut-il qu'il fasse d'abord?
17. Sur qui peut-il compter?
18. De quoi est-il heureux?

B. Exercice sur le présent du subjonctif. (Ici on emploie dans la réponse la même forme du verbe en italiques.)

EXEMPLE

– Il *parle* français. (He speaks French.)
– Il faut qu'il *parle* français. (It is necessary that he *speak* French.) (He must speak French.)

1. Il *regarde* le tableau noir.
2. Il *arrive* à l'heure.
3. Il *entre* dans la salle de classe.
4. Il *donne* son opinion.
5. Elle *accepte* ses plaisanteries.
6. Elle *aide* ses amis.

EXEMPLE (Ici on ajoute un *i*.)

– Nous *parlons* français. (We speak French.)
– Il faut que nous *parlions* français. (It is necessary that we *speak* French.) (We must speak French.)

1. Nous parlons en classe.
2. Nous acceptons ses crises de colère.
3. Nous aidons Joseph.
4. Nous arrivons à l'heure.
5. Nous poussons sa patience à bout.
6. Nous comptons sur Jim.

C. Exercice sur le subjonctif

EXEMPLE (Ici la terminaison *it* devient *isse.*)

— Il *finit* cette leçon. (He is finishing this lesson.)
— Je veux qu'il *finisse* cette leçon. (I want him to finish this lesson.)

1. Il *choisit* un cours d'anglais.
2. Il *réussit* à se contrôler.
3. Il *finit* par les irriter.
4. Elle *rougit* souvent.
5. Elle *choisit* des chaussures de lézard.
6. Elle *finit* par acheter un chemisier.

EXEMPLE (Ici on ajoute un *i.*)

— Nous *finissons* cette leçon.
— Il veut que nous *finissions* cette leçon.

1. Nous choisissons de faire un voyage.
2. Nous rougissons à ses paroles.
3. Nous finissons notre café tout de suite.
4. Nous réussissons souvent.
5. Nous choisissons nos cours.
6. Nous finissons par l'encourager.

D. Exercice sur le subjonctif (Ici on ajoute un *i.*)

EXEMPLE

— Je sais que vous *finissez* cette leçon.
— Je crains que vous ne *finissiez* cette leçon.

1. Je sais que vous rougissez trop souvent.
2. Je sais que vous choisissez toujours trop vite.
3. Je sais que vous finissez par les irriter.
4. Je sais que vous acceptez ses cadeaux.
5. Je sais que vous l'aidez trop souvent.
6. Je sais que vous hésitez à lui en parler.

**"Plus on est de fous,
plus on rit. . . ."**

«16»

Une bonne surprise

Suzanne Bernard: Quel dommage que vous ne soyez pas libre ce soir!

Mary Morse: Nous sommes désolées que vous ne puissiez pas venir. Avec qui danserons-nous si vous n'êtes pas là?

Joseph Ford: Que voulez-vous dire? Qui vous a dit que je n'étais pas libre? Et de quoi s'agit-il?

Suzanne Bernard: Il s'agit d'une sortie que nous comptons faire dans une petite boîte de nuit où joue un orchestre excellent. Il faut que nous célébrions les examens que nous venons de passer.

Mary Morse: Que pensez-vous de la façon dont nos cheveux sont arrangés?

Joseph Ford: Votre coiffure vous va très bien, mais à qui avez-vous parlé de cette sortie?

Suzanne Bernard: C'est vraiment dommage que vous ayez tant de travail à faire!

Mary Morse: Faut-il que je vous décrive la robe que j'ai choisie pour ce soir? Nous comptons être en grand tralala!

Joseph Ford: Quelle bonne nouvelle. . . . Mais avec qui avez-vous parlé à mon sujet? Je serais ravi que vous me l'appreniez.

Mary Morse: L'orchestre de ce cabaret est célèbre pour son rythme et la variété de ses sélections. Il a fallu que nous retenions notre table bien à l'avance.

Suzanne Bernard: Il faut que nous nous excusions. Il est absolument nécessaire que nous donnions un coup de fer à nos robes avant ce soir.

Joseph Ford: Je voudrais pourtant que vous me disiez qui vous a appris que je n'étais pas libre ce soir.

Mary Morse: Qui? Mais à qui avons-nous parlé de vous?

Suzanne Bernard: A quoi cela vous servirait-il? De quoi vous inquiétez-vous?

Joseph Ford: Oh, je ne m'inquiète de rien! Absolument, de rien. Mais je suis ravi de vous apprendre que contrairement à ce qu'on vous a dit, je suis aussi libre que l'oiseau sur la branche et que je pourrai venir ce soir.

Suzanne Bernard: Nous sommes ravies que vous puissiez vous joindre à nous.

Mary Morse: Plus on est de fous, plus on rit.*

Joseph Ford: Avec qui serez-vous ce soir?

Mary Morse: Avec Albert. Comme il sera surpris! Il était sûr que vous aviez beaucoup à faire.

Joseph Ford: J'aimerais que vous ne lui disiez rien de mon projet. Il ne faut pas que nous lui gâchions cette bonne surprise.

VOCABULAIRE

Noms

la boîte box
  –boîte de nuit night club

la branche the branch
  –l'oiseau sur la branche the bird in the tree

* Expression proverbiale française; équivalent anglais: "The more, the merrier."

le cabaret cabaret, night club
les cheveux *m. pl.* hair
la coiffure coiffure, hair style
l'examen *m.* examination
–**passer un examen** to *take* an examination
le fer iron
–**donner un coup de fer** to iron
la nouvelle bit of news; *pl.* news
l'orchestre *m.* orchestra
la robe the dress
le rythme rhythm
la sélection selection
le soir evening
la sortie outing, act of going out
la table the table

Verbes

s'agir (de) *impersonal verb* to be about, be up, be a question of
arranger to arrange
célébrer to celebrate
décrire to describe
gâcher to spoil
joindre to join
–**se joindre à** to join (of persons)
retenir to reserve, to retain

Adjectifs et adverbes

célèbre famous
contrairement (à) contrary (to)
désolé very sorry
libre free
nécessaire necessary
ravi delighted
vraiment really

Pronom indéfini

on one (we, you, they)

Expressions diverses

à l'avance beforehand
aller à to suit
être en grand tralala (*fam.*) to be all dolled up
faire une sortie to go out
à mon sujet about me
à quoi cela vous servirait? what use would it be to you?

Etude de la construction "il s'agit de . . ."

De quoi s'agit-il? what is it (all) about?
–**Il s'agit d'une boîte de nuit** it's about a night club
–**Dans ce film il s'agit d'un redoutable assassin** this film is about a dangerous assassin

Etude de la construction

à mon sujet about me
à ton sujet about you
à son sujet about her, etc.

Nouveau temps: le présent du subjonctif

Quel dommage que vous ne *puissiez* pas venir.
What a pity you can't come.

C'est vraiment dommage que vous *ayez* tant de travail.
It's really a pity you have so much work.

Faut-il que je vous *décrive* la robe que j'ai choisie?
Must I describe to you the dress I've chosen?

Je serais ravie que vous me l'*appreniez*.
I'd be delighted if you told me.

Je voudrais que vous me *disiez*.
I'd like you to tell me.

EXERCICES

A. Répondez en français d'après le texte.

1. Qu'est-ce que Suzanne regrette?
2. De quoi Mary et Suzanne sont-elles désolées?
3. Quelle question posent-elles à Joseph?
4. De quel projet s'agit-il?
5. Quelle sorte d'orchestre joue dans la petite boîte de nuit?
6. Que faut-il qu'elles célèbrent?
7. Quelle remarque Suzanne fait-elle à propos du travail de Joseph?
8. Comment Suzanne et Mary comptent-elles s'habiller?
9. Qu'est-ce que Joseph serait ravi d'apprendre?
10. Pour quelle raison l'orchestre est-il célèbre?
11. Qu'a-t-il fallu que Suzanne et Mary fassent?
12. Pourquoi faut-il qu'elles s'excusent?
13. Qu'est-ce que Joseph voudrait qu'elles lui disent?
14. Qu'apprend-il aux deux jeunes filles?
15. Quelle est la réaction des deux jeunes filles?
16. Quel est le proverbe que Mary cite?
17. Qui va être surpris et pourquoi?
18. Qu'est-ce que Joseph leur demande avec insistance?
19. Pour quelle raison?

B. Exercices sur le subjonctif.

EXEMPLE

— Ils *sont* en colère. (They are angry.)
— J'ai peur qu'ils ne *soient* en colère. (I am afraid they are angry.)

1. Ils sont terriblement soupe-au-lait.
2. Ils sont très hautains.
3. Ils sont assez indifférents.
4. Elles sont dans les nuages.
5. Elles sont trop rêveuses.
6. Elles sont un peu autoritaires.

EXEMPLE

— Nous *sommes* en colère.
— Il a peur que nous ne *soyons* en colère.

1. Nous sommes irrités.
2. Nous sommes indifférents.
3. Nous sommes de vieux habitués.

4. Nous sommes inflexibles.
5. Nous sommes trop autoritaires.
6. Nous sommes un peu coléri-ques.

c. Exercices sur le subjonctif.

EXEMPLE

— Ils *ont* beaucoup de travail à faire.
— Je voudrais qu'ils *aient* beaucoup de travail à faire.

1. Ils ont une variété de cours.
2. Ils ont des rêves exotiques.
3. Ils ont des vacances excep-tionnelles.
4. Elles ont des souvenirs mer-veilleux.
5. Elles ont des cadeaux de tous les coins du monde.
6. Elles ont des impressions cu-rieuses.

EXEMPLE

— Nous *avons* beaucoup à faire.
— Il souhaite que nous *ayons* beaucoup à faire.

1. Nous avons un emploi du temps assez souple.
2. Nous avons quinze jours de liberté.
3. Nous avons un programme lé-ger.
4. Nous avons l'air docte et sé-rieux.
5. Nous avons beaucoup de pa-tience.
6. Nous avons beaucoup de sym-pathie pour lui.

D. Exercices sur la construction "il s'agit de . . ."

EXEMPLE

— (d'un orchestre excellent). De quoi s'agit-il?
— Il s'agit d'un orchestre excellent.

1. (d'une nouvelle conversation) De quoi s'agit-il?
2. (d'une dispute entre Albert et Joseph) De quoi s'agit-il?
3. (d'une coiffure qui ne lui va pas) De quoi s'agit-il?
4. (d'une robe qu'elle a choisie) De quoi s'agit-il?

EXEMPLE

— (d'aller le voir) De quoi s'agit-il?
— Il s'agit d'aller le voir.

1. (de danser avec Joseph) De quoi s'agit-il?

2. (de dire qui leur a appris cette nouvelle) De quoi s'agit-il?
3. (de leur apprendre qu'il est libre ce soir) De quoi s'agit-il?
4. (de lui gâcher cette bonne surprise) De quoi s'agit-il?

EXEMPLE

— (dans cette conversation . . . de deux amis colériques) De quoi s'agit-il?
— Dans cette conversation il s'agit de deux amis colériques.

1. (dans cette leçon . . . du subjonctif) De quoi s'agit-il?
2. (dans cette conversation . . . d'une bonne surprise) De quoi s'agit-il?
3. (dans cette phrase . . . d'un mot que je ne connais pas) De quoi s'agit-il?
4. (dans cette situation . . . des inquiétudes de Joseph Ford) De quoi s'agit-il?

ETUDE DE GRAMMAIRE VIII

43. The Present Subjunctive (*Le Présent du subjonctif*)

In English, the subjunctive is more or less moribund. In French, even in modern spoken French, it is very common.

A. FORMATION OF THE PRESENT SUBJUNCTIVE (*La Formation du présent du subjonctif*)

1. Regular verbs. In regular verbs the present subjunctive uses the same stem as the imperfect, that is, the stem of the first person plural of the present indicative, to which are added the following endings (which are used, not only in regular verbs, but also in all irregular verbs except *avoir* and *être*): -e, -es, -e, -ions, -iez, -ent.

infinitive	*1st pers. pl. pres. indic.*	*stem*	
étudier	étudions	étudi-	étudi-e, étudi-es, étudi-e, étudi-ions, étudi-iez, étudi-ent
finir	finissons	finiss-	finiss-e, finiss-es, finiss-e, finiss-ions, finiss-iez, finiss-ent
entendre	entendons	entend-	entend-e, entend-es, entend-e, entend-ions, entend-iez, entend-ent

2. Irregular verbs. The present subjunctive in many irregular verbs is complicated and difficult to learn. For convenience we divide them into four categories:

(*a*) Those irregular verbs whose present subjunctive is formed regularly. Among the verbs already introduced the following are in this category:

connaître, craindre (also *joindre*), *dire, écrire* (also *décrire*), *mettre* (also *permettre* and *promettre*), *partir, rire, servir, sortir, suivre*

EXAMPLE:

connaître, connaissons, connaiss-, que je connaisse, connaisses, connaisse, connaissions, connaissiez, connaissent

(*b*) Those irregular verbs which have a special stem for the present subjunctive which is retained throughout. Among verbs already introduced the following are in this category:

faire (also *défaire* and *refaire*)	fass- fasse, fasses, fasse, fassions, fassiez, fassent
falloir (*il faut*)	faill- (only in form *il faille*)
pleuvoir (*il pleut*)	pleuv- (only in form *il pleuve*)
pouvoir	puiss- puisse, puisses, puisse, puissions, puissiez, puissent
savoir	sach- sache, saches, sache, sachions, sachiez, sachent

(*c*) Those irregular verbs which have *two subjunctive stems*. For the first, second, and third person singular and the third person plural, there is a special present subjunctive stem. For the first and second persons plural the stem is the same as that of the regular present subjunctive. The following are in this category:

verb	*1st, 2nd, 3rd pers. sing.; 3rd pers. pl.*	*1st and 2nd pers. pl.*
aller	aill-e, -es, -e, -ent	allions, alliez
devoir	doiv-e, -es, -e, -ent	devions, deviez
prendre (also apprendre)	prenn-e, -es, -e, -ent	prenions, preniez
recevoir	reçoiv-e, -es, -e, -ent	recevions, receviez
tenir (also retenir)	tienn-e, -es, -e, -ent	tenions, teniez
venir (also devenir, revenir)	vienn-e, -es, -e, -ent	venions, veniez
vouloir	veuill-e, -es, -e, -ent	voulions, vouliez
croire	croi-e, -es, -e, -ent	croyions, croyiez
voir	voi-e, -es, -e, -ent	voyions, voyiez

Note that, in the last two, the stem change is merely in spelling; there is no difference in the sound.

(*d*) *Avoir* and *être*, which must be learned individually:

avoir, aie, aies, ait, ayons, ayez, aient
être, sois, sois, soit, soyons, soyez, soient

Note the absence of the *i* in the first and second persons plural of these two verbs.

44. The Subjunctive in Noun Clauses (*Le Subjonctif dans les propositions substantives*)

The subjunctive is used in noun clauses [1] after verbs and verbal expressions of:

1. Emotion:

   Je *suis heureux* que vous *acceptiez* de m'encourager.
   C'*est* vraiment *dommage* que vous *ayez* tant de travail à faire.
   J'*ai peur* que tu ne [2] *finisses* par les irriter.

2. Necessity:

   Il *faut* que tu *apprennes* à te contrôler.
   Il *est* absolument *nécessaire* que nous *donnions* un coup de fer à nos robes.

3. Expressions of will, wishes, commands:

   Tu *veux* que je me *refasse*.
   Je *souhaite* que vous m'*aidiez* tous.

Exercices

I. Exercices sur le subjonctif.

A. Le subjonctif après des expressions d'émotion. Réunissez les deux phrases d'après les exemples, en mettant le verbe subordonné au subjonctif.

EXEMPLES

— Je suis heureux! Vous êtes libre ce soir.
— Je suis heureux que vous soyez libre ce soir.

— C'est dommage! Vous n'êtes pas libre ce soir.
— C'est dommage que vous ne soyez pas libre ce soir.

— Il a peur. Tu finis par l'irriter.
— Il a peur que tu ne finisses par l'irriter.

1. Il est heureux. Vous m'apprenez cette bonne nouvelle.
2. Il est heureux. Nous vous l'apprenons.

[1] Noun or substantive clauses are subordinate clauses introduced by the conjunction *que* (which, unlike its English counterpart *that,* may not be omitted) and which serve as direct object or subject of the verb of the principal clause.

[2] Verbs and verbal expressions of *fear* require (in the affirmative) *ne*—without *pas*—before the dependent verb. This does not make the dependent verb negative.

3. Elle est ravie. Vous donnez un coup de fer à sa robe.
4. Nous sommes ravis. Vous donnez un coup de fer à sa robe.
5. C'est dommage! Joseph ne finit pas ses cours.
6. C'est dommage! Vous ne finissez pas vos cours.
7. C'est dommage! Joseph ne veut pas finir ses cours.
8. C'est dommage! Vous ne voulez pas finir vos cours.
9. Il a peur. Mary ne vient pas ce soir.
10. J'ai peur. Nous ne venons pas ce soir.
11. Il a peur. Joseph ne peut pas venir ce soir.
12. J'ai peur. Nos amis ne peuvent pas venir ce soir.

B. Le subjonctif après des expressions de nécessité (il faut). Commencez chacune des phrases qui suivent par *Il faut que*, et changez le verbe au subjonctif.

EXEMPLE

— Vous parlez français.
— Il faut que vous parliez français.

1. Vous regardez ce paysage.
2. Vous remarquez cet air autoritaire.
3. Vous dominez vos crises de colère.
4. Vous dansez avec Suzanne.
5. Vous échappez à ces énormes vagues.
6. Vous acceptez les plaisanteries des autres.

C. Le subjonctif après des expressions de nécessité (*il faut*). Modifiez chaque phrase, en changeant la personne du verbe subordonné au subjonctif, selon la personne indiquée entre parenthèses.

EXEMPLES

— Il faut que je montre cela à Suzanne. (lui)
— Il faut qu'il montre cela à Suzanne.

— Il faut que vous fassiez cela. (eux)
— Il faut qu'ils fassent cela.

1. Il faut qu'il célèbre cette fête. (nous)
2. Il faut que Joseph gâche cette bonne surprise. (toi)
3. Il faut que Mary finisse sa leçon. (vous)
4. Il faut qu'il soit libre ce soir. (moi)
5. Il faut que les étudiants viennent ce soir. (lui)
6. Il faut que je retienne cela. (Mary et Suzanne)

7. Il faut que Joseph dise cela. (vous)
8. Il faut que vous alliez en France cet été. (moi)

D. Le subjonctif après des expressions de volonté. Remplacez le verbe principal, *je sais* par *je veux,* et changez le verbe subordonné au subjonctif.

EXEMPLE

— Je sais qu'il est en colère contre moi.
— Je veux qu'il soit en colère contre moi.

1. Je sais que vous oubliez vos devoirs.
2. Je sais que Suzanne rougit.
3. Je sais que les étudiants m'attendent patiemment.
4. Je sais que tu vas à Paris.
5. Je sais que Joseph apprend ses leçons.
6. Je sais que nous en avons assez de ses explosions de colère.
7. Je sais qu'il t'est facile de corriger cette tendance.
8. Je sais qu'elles ont très peu d'amis.
9. Je sais qu'ils font bien leur travail.
10. Je sais que vous venez avec nous.
11. Je sais que M. Delavigne prend du café.
12. Je sais que tu connais Suzanne.
13. Je sais qu'il pleut.
14. Je sais que Mary et Suzanne savent cela.

E. Premier exercice de synthèse. Faites précéder chacune de ces phrases par *il faut que, c'est dommage que* ou *je veux que,* selon le cas, et changez le verbe au subjonctif.

EXEMPLE

— Je pars ce soir.
— Il faut que je parte ce soir.

1. Mon ami est toujours mon ami.
2. Albert taquine Joseph.
3. Vous prenez la décision de vous prendre au sérieux.
4. Nous disons la vérité.
5. Tu réussiras finalement.
6. Elle ne peut pas venir.
7. Il défait des empires.
8. Elle me décrit sa robe.
9. Tu ne veux pas te refaire.
10. Vous riez si souvent.
11. Il choisit ses cours.
12. Ils vont à Paris.
13. Tu viens avec moi.
14. Il a trois examens à passer.
15. Vous n'avez rien entendu.

F. Deuxième exercice de synthèse. Mettez devant ces phrases l'expression donnée entre parenthèses, en mettant le verbe en italiques à l'indicatif ou au subjonctif, selon le cas.

EXEMPLE

– Vous décrivez la robe (il faut que)
– Il faut que vous décriviez la robe.

1. Je *suis* terriblement soupe-au-lait. (je sais que)
2. Nous *acceptons* son offre. (Jim est heureux que)
3. Nous *suivons* ses efforts avec sympathie. (il souhaite que)
4. Nous ne *voulons* plus accepter ses crises de colère. (elle croit que)
5. Il *apprendra* à se contrôler. (il dit que)
6. Elle nous *décrira* leurs nouvelles robes. (il est certain que)
7. Ses camarades *sont* en colère contre lui. (Joseph a peur que)
8. Tu *viendras* mardi avec nous. (il faut que)
9. Vous *pouvez* m'aider. (je suis content que)
10. Ils ne *veulent* pas m'aider. (c'est dommage que)
11. Nous nous *referons* immédiatement. (il veut que)
12. Je ne *réussirai* pas. (il a peur que)
13. Tout le monde *rit*. (ces fous veulent que)
14. Tu *entendras* le reste. (il faut que)
15. Vous ne *sortez* pas avec nous ce soir. (quel dommage que)

45. The Interrogative Pronouns *qui? que? quoi?* (*Les Pronoms interrogatifs* qui? que? quoi?)

Compare:

Qui vous a dit que je n'étais pas libre? Albert me l'a dit.
Qui avez-vous vu? J'ai vu le professeur.
Avec *qui* avez-vous parlé à mon sujet? J'ai parlé de vous avec Albert.

and

Que pensez-vous de ma coiffure? Je la trouve très bien.
De *quoi* s'agit-il? Il s'agit d'une petite plaisanterie.

A. THE PRONOUN "QUI" (*Le Pronom* qui)

Qui? (who? whom?) is an interrogative pronoun used for *persons*. It may be subject, direct object, predicate of the verb *être* or object of a preposition. When *qui* is anything but subject, inverted word order is used, according to the rules already learned (section **6B**).

Qui vous a parlé? *Qui* avez-vous vu?
Qui Jim a-t-il vu? A *qui* avez-vous parlé?

B. THE PRONOUN "QUE" (*Le Pronom* que)

Que? (what?) is an interrogative pronoun used for *things*, as direct object of a verb.[3] It requires inverted word order and it elides with a following vowel.

Que pensez-vous de ma coiffure?
Que voulez-vous dire? *Qu*'avez-vous?

C. THE PRONOUN "QUOI" (*Le Pronom* quoi)

Quoi? (what?) is an interrogative pronoun used for *things* as object of a preposition:

De *quoi* s'agit-il? Il s'agit d'une petite anecdote.
A *quoi* cela vous servirait-il?
Sur *quoi* comptez-vous?

Exercices

II. Exercices sur les pronoms interrogatifs *qui? que? quoi?*

A. En utilisant le pronom interrogatif indiqué, formulez les questions auxquelles les phrases suivantes sont des réponses.

EXEMPLE

– C'est Albert qui me l'a dit. (qui?)
– Qui vous l'a dit?

1. C'est moi qui ai vu Albert. (qui?)
2. C'est mon ami que j'ai vu. (qui?)
3. J'ai donné de l'argent à Jim. (à qui?)
4. Ils viendront avec vous. (avec qui?)
5. Nous avons parlé du professeur. (de qui?)
6. Il ne veut rien. (que?)
7. Je regarde le bel avion. (que?)
8. Nous avons parlé des cours. (de quoi?)

[3] It is also used as predicate of *être* as a component in the long forms of interrogative pronouns, such as *qu'est-ce que?* See section 53.
For the interrogative pronoun used as *subject* for *things* see section 53.

9. Je pense à mes bonnes notes. (à quoi?)
10. Je défais des empires avec mon argent. (avec quoi?)

B. Formulez les questions auxquelles les phrases suivantes sont des réponses. Utilisez un pronom interrogatif.

1. C'est Jim qui m'a dit que vous n'étiez pas libre.
2. Il s'agit d'une bonne soirée que nous comptons avoir.
3. Je pense que vos cheveux sont bien arrangés.
4. C'est le professeur qui nous a reçus.
5. Je m'inquiète de ma nervosité.
6. Nous sortons avec Mary et Suzanne.
7. Nous n'avons besoin de rien.
8. C'est Albert qui vient avec nous.
9. Nous avons donné notre argent à l'hôtesse de l'air.
10. Je ne veux rien dire.
11. Je ne devais parler à personne.
12. Je demanderais à être servi par le chef du personnel.
13. Je lui demanderais des chaussures de lézard.
14. Il y avait de belles illustrations.

46. The Neuter Pronoun *le* (*Le Pronom neutre* le)

In addition to its use to replace a direct object which is a masculine noun, *le* serves as a neuter object. As such it refers to a fact or a concept just stated, replacing an adjective, a phrase, a clause or, as predicate of the verb *être*, a noun, even a *feminine* noun.

Croyez-vous *qu'ils se mettront en colère?* *Le* croyez-vous?
Avec qui avez-vous parlé? Je serais ravi que vous me *l'*appreniez.
Je suis terriblement soupe-au-lait. Je *le* reconnais.
Etes-vous *sa mère*? Oui, je *le* suis.[4]

Exercice

III. Répondez aux questions en remplaçant le mot ou les mots en italiques par des pronoms.

1. Etes-vous *libre* ce soir?
2. Est-ce que vous reconnaissez *que vous êtes colérique*?

[4] In *literary* French, a rule usually (but not always) observed, is that when the noun is preceded by a definite article or a possessive adjective, the pronoun object must be personal. Etes-vous sa mère? Oui, je *la* suis.

3. Faut-il refaire *Suzanne?*
4. Avez-vous dit *que j'avais tort?*
5. Voudriez-vous que je vous apprenne *qui m'a parlé?*
6. Etes-vous *l'hôtesse* de l'air de cet avion?
7. Croyez-vous *qu'il faut retenir notre table à l'avance?*
8. Aimez-vous *ces robes* que je mets?
9. Faut-il célébrer *les examens* que nous venons de passer?
10. Faut-il célébrer *ce que nous avons fait?*
11. Avez-vous dit *que j'étais en retard?*
12. Voyez-vous *l'hôtesse* de cet avion?
13. Devriez-vous entendre *cet orchestre?*
14. Aviez-vous peur que je ne reçoive pas *ce que vous m'aviez envoyé?*
15. A-t-il fallu *retenir une table?*

47. *Devoir* et *recevoir*

Study, in the irregular verb table in Appendix I, the present indicative and the present of the subjunctive of:

devoir, to owe, have to, be obliged to [5]
recevoir, to receive

Review the forms of these verbs in the other parts or tenses we have studied (imperative, past participle, *passé composé,* imperfect, future, conditional).

Exercices

IV. Exercices sur *devoir* et *recevoir.*

A. Faites précéder chacune de ces phrases par *je regrette que* et changez le verbe au subjonctif.

EXEMPLE

— Il doit partir.
— Je regrette qu'il doive partir.

1. Tu dois me dire la vérité.
2. Joseph doit nous dire la vérité.
3. Nous devons vous dire la vérité.
4. Vous devez leur dire la vérité.
5. Ils doivent lui dire la vérité.

[5] For meanings of this verb, see section 63.

B. Même exercice.

1. Tu ne reçois pas de bonnes notes.
2. Joseph reçoit de mauvaises notes.
3. Nous recevons des notes terribles.
4. Vous recevez de si bonnes notes.
5. Les étudiants ne reçoivent jamais leurs notes.

C. Modifiez les phrases de A et de B en mettant les formes de *devoir* et de *recevoir:*

1. au passé composé.
2. à l'imparfait.
3. au futur.
4. au conditionnel.

«17»

Un homme de notre temps

[*C'est le professeur Delavigne qui parle.*]

Je suis heureux que vous ayez fini votre travail avec une bonne demi-heure d'avance. Tout s'est arrangé pour que nous fassions la connaissance d'un homme pour lequel j'ai la plus grande admiration.

Il est né en Algérie à la veille de la Première Guerre Mondiale. Dans l'Ecole Communale du quartier ouvrier où il demeure avec sa mère, il a la chance d'avoir pour instituteur un homme qui s'intéresse à lui. Afin que le jeune garçon dont les ressources financières sont très limitées puisse faire ses études secondaires au Lycée d'Alger, son instituteur lui donne une préparation spéciale. Bien que le concours auquel l'adolescent se présente soit très difficile, une bourse qu'il obtient va lui permettre d'entreprendre ses études secondaires. Quoiqu'il travaille dur et lise énormément, il trouve le temps d'aller nager dans la Méditerranée qu'il aime passionnément. De plus, il fait partie de l'équipe de football du club universitaire d'Alger, dont il devient le gardien de but.

Est-ce un résultat des conditions matérielles difficiles dans lesquelles il a grandi ou est-ce la conséquence de la fatigue due à ces activités diverses qu'il mène de front? Il découvre qu'il est menacé par la tuberculose. . . .

Pour que les médecins puissent combattre sa maladie, il doit quitter son modeste foyer. Une fois rétabli, ses études au lycée terminées, il s'inscrit à l'Université d'Alger où il se consacre à la philosophie. Pendant ses années universitaires, quoique les médecins lui aient recommandé la prudence, il décide de travailler pour gagner de l'argent, et de plus, fonde un groupe théâtral où il est metteur en scène, acteur et dramaturge. Son amour pour le théâtre va l'amener à parcourir, en jouant Molière, les villes et les villages autour d'Alger quinze jours par mois.

Avant que la guerre ne vienne interrompre cette extraordinaire activité, il se lance dans une nouvelle entreprise, le journalisme, et publie sur la misère qui règne dans une région montagneuse de l'Algérie, un reportage où il exprime avec force son indignation, et qui déplaît aux autorités.

A moins que je ne me trompe, vous avez reconnu ce jeune écrivain. Il s'appelle Albert Camus.

VOCABULAIRE

Noms

l'activité *f.* activity
l'admiration *f.* admiration
l'adolescent *m.* youth
Alger *m.* Algiers
l'Algérie *f.* Algeria
l'amour *m.* love
l'autorité *f.* authority
la bourse scholarship
le but goal
le club club
le concours competition
la condition condition
la conséquence consequence
le dramaturge dramatist, playwright
l'école *f.* school
  –**Ecole Communale** primary school
l'écrivain *m.* writer
l'entreprise *f.* undertaking
l'équipe *f.* team
la fatigue fatigue
le football soccer
la force force
le foyer home, hearth
le gardien guard
  –**gardien de but** goalkeeper
la guerre war
  –**Guerre Mondiale** World War
l'indignation *f.* indignation
l'instituteur *m.* (*f.* **institutrice**) teacher
le journalisme journalism
le lycée lycée (French secondary school)
la maladie disease
le médecin doctor, physician
la Méditerranée Mediterranean
la mère mother
le metteur en scène director
la misère extreme poverty
la philosophie philosophy
la préparation preparation
la prudence caution
le quartier quarter, neighborhood
la région region
le reportage news story
les ressources *f. pl.* funds, money, resources
le résultat result
la tuberculose tuberculosis
l'université *f.* university
la veille eve
le village village
la ville city, town

Albert Camus.
(French Cultural Services; Photo Agence de Presse Bernard).

Verbes

amener to lead, to bring
combattre to combat, to fight
consacrer to consecrate, devote
découvrir to discover
demeurer to live, dwell, remain
entreprendre to undertake
exprimer to express
fonder to found
gagner to earn
grandir to grow up, grow big
s'inscrire to matriculate
interrompre to interrupt
lancer to throw
se lancer go into
lire to read
menacer to threaten
mener to lead
 –**mener de front** to carry on at the same time
nager to swim
naître (*past part.* **né**) to be born
obtenir to obtain
paraître (*past part.* **paru**) to appear
parcourir to traverse
présenter to present

Verbes (suite)

publier to publish
régner to reign
rétablir to reestablish, cure
terminer to terminate
se tromper to be mistaken

Adjectifs, adverbes

communal communal, local
–**Ecole Communale** primary school
divers diverse
dû (*f.* **due**) due (to)
dur hard
énormément tremendously
extraordinaire extraordinary
financier (*f.* **financière**) financial
limité limited
matériel (*f.* **matérielle**) material
modeste simple, unpretentious
mondial world-wide
montagneux (*f.* **montagneuse**) mountainous
ouvrier of the working class
passionnément passionately
réuni united
secondaire secondary
spécial special
théâtral theatrical, pertaining to the theater
universitaire pertaining to a university

Conjonctions

afin que so that
avant que (ne) before
bien que although
à moins que (ne) unless
pour que so that
quoique although

} + subjonctif

Expressions diversis

avec une bonne demi-heure d'avance a goodly half-hour early
de plus what is more, moreover
faire partie de to belong to
tout s'est arrangé pour que . . . it all worked out so that . . .

Nouveau temps: le passé du subjonctif

Je suis heureux que nous *ayons fini* notre *travail.*
I am glad we have finished our work.

Quoique les médecins lui *aient recommandé* la prudence, il décide de travailler.
Although the doctors have recommended caution, he decides to work.

Avant que la guerre ne *soit venue* interrompre son activité, il se lance dans le journalisme.
Before the war came and interrupted his activity, he goes into journalism.

EXERCICES

A. Répondez en français d'après le texte.
1. De quoi le professeur est-il heureux?
2. Quand est né cet homme que M. Delavigne admire?
3. Où demeure-t-il avec sa mère?
4. Qui s'intéresse à lui à l'Ecole Communale?

5. Dans quel but son instituteur lui donne-t-il une préparation spéciale?
6. Que va lui permettre sa bourse?
7. Qu'est-ce qu'il trouve le temps d'aller faire?
8. Que devient-il dans le club universitaire d'Alger?
9. Qu'est-ce qu'il découvre au milieu de toutes ses activités?
10. Que doit-il faire pour que les médecins puissent combattre sa maladie?
11. A quel sujet se consacre-t-il à l'Université d'Alger?
12. Quel groupe fonde-t-il?
13. Quelles sont ses activités dans le groupe?
14. Qu'est-ce que son amour pour le théâtre l'amène à faire?
15. Que fait-il juste avant la guerre?
16. Qu'est-ce qu'il publie alors?
17. Quelle est la réaction des autorités à ce reportage?

B. Imaginez que vous êtes Albert Camus et répondez aux questions suivantes. Employez les temps du passé dans vos réponses.

1. Où êtes-vous né?
2. Quand?
3. Qui s'est intéressé à vous à l'Ecole Communale?
4. Que vous a permis votre bourse?
5. Qu'êtes-vous devenu dans l'équipe du club universitaire d'Alger?
6. Qu'avez-vous découvert pendant que vous meniez de front toutes vos activités universitaires?
7. Quel groupe avez-vous fondé?
8. Quelles étaient vos activités dans ce groupe?
9. Qu'est-ce que votre amour pour le théâtre vous a amené à faire?
10. Qu'avez-vous fait juste avant la guerre?
11. Qu'est-ce que vous avez publié alors?
12. Quelle a été la réaction des autorités à votre reportage?

C. Exercices sur la construction *pour que* et le subjonctif

EXEMPLES

— Pouvons-nous *faire* sa connaissance?
— Tout s'est arrangé *pour que nous fassions* sa connaissance.

— Est-ce que je peux (il peut) *faire* sa connaissance?
— Tout s'est arrangé *pour que vous fassiez* (il fasse) sa connaissance.

1. Pouvons-nous *faire* nos études à l'université?
2. Est-ce que je peux *faire* un reportage sur cette situation?

3. Pouvons-nous *lire* ce livre cette semaine?
4. Est-ce que je peux *lire* tous ces articles?
5. Pouvons-nous *avoir* la chance de finir à l'heure?
6. Est-ce que je peux *avoir* la chance de finir à l'heure?
7. Peut-il *être* acteur et metteur en scène?
8. Peut-elle *être* hôtesse de l'air?

D. Exercice sur la construction *bien que* et le subjonctif

EXEMPLE

– Je répète ma leçon. *Pourtant* je suis sûr de la savoir.
– Je répète ma leçon *bien que* je sois sûr de la savoir.

1. Je recommence cet exercice. Pourtant j'en suis satisfait.
2. Tu quittes ta chambre. Pourtant tu n'as besoin de rien.
3. Elle continue son travail. Pourtant elle est fatiguée.
4. Nous finissons ce devoir. Pourtant nous n'en sommes pas contents.
5. Vous voyagez beaucoup. Pourtant vous avez peu d'argent.
6. Ils terminent leur lecture. Pourtant ils en ont assez.

"Albert Clark a absolument tenu à me lire une page. . . ."

«18»

A la bibliothèque

Joseph Ford: Qu'est-ce que tu fais ici?
Albert Clark: Quelle question! Que veux-tu que je fasse dans les rayons d'une bibliothèque? Je suis à la recherche d'un livre.
Joseph Ford: De quel livre s'agit-il?
Albert Clark: Duquel? Après la petite conférence que Monsieur Delavigne nous a faite sur Albert Camus j'ai voulu jeter un coup d'œil sur une de ses œuvres. Avant que le professeur ne quitte la classe je lui ai demandé s'il avait un titre à me recommander. Il a mentionné *La Peste,* un roman paru immédiatement après la Deuxième Guerre Mondiale et qui raconte les efforts

Etudiants français au travail dans une bibliothèque.
(*French Cultural Services; Photo Musée Pédagogique Jean Suquet*)

d'un groupe d'hommes en lutte contre une mystérieuse épidémie.

Joseph Ford: J'avais moi-même l'intention de feuilleter un des livres de Camus. Mais lequel? Je me demande s'il existe un recueil de ses articles.

Albert Clark: Qu'est-ce qui t'intéresse particulièrement?

Joseph Ford: Le reportage qu'il a écrit sur la situation dans une région d'Afrique du Nord. Le catalogue de la Bibliothèque mentionne trois volumes intitulés *Actuelles,* et composés surtout d'articles. Ils sont à l'étage supérieur. A tout à l'heure!
[*Une demi-heure plus tard.*]

Joseph Ford: Albert! Albert! Il n'est plus là. Je regrette qu'il soit parti, car j'ai là les deux meilleures pages que je connaisse sur la responsabilité d'un écrivain. Mais voilà Mary dans la salle des périodiques. Il faut absolument que vous écoutiez ceci:

"Les artistes du temps passé pouvaient au moins se taire devant la tyrannie. Les tyrannies d'aujourd-hui se sont perfectionnées; elles n'admettent plus le silence, ni la neutralité. Il faut se prononcer, être pour ou contre. . . ."

L'artiste se tient "au milieu de tous, au niveau exact, ni plus haut, ni plus bas, de tous ceux qui travaillent et qui luttent. Sa vocation même, devant l'oppression ,est d'ouvrir les prisons et de faire parler le bonheur et le malheur de tous. . . ."

Mary Morse: De qui est-ce?

Joseph Ford: De Camus, l'écrivain dont le professeur nous a parlé ce matin. Mais pourquoi riez-vous?

Mary Morse: Je viens de voir Albert Clark qui a absolument tenu à me lire une page d'un roman du même Camus, et remarquez que je suis en train de lire moi-même un article de la *Nouvelle Revue Française* * dans lequel on étudie Camus et le théâtre. Il faut vraiment que la conférence de Monsieur Delavigne nous ait influencés.

Joseph Ford: Je souhaite qu'il nous en fasse d'autres comme celle-là!

VOCABULAIRE

Noms

l'Afrique du Nord *f.* North Africa
l'article *m.* article
l'artiste *m.* or *f.* artist
la bibliothèque library
le bonheur happiness
le catalogue catalogue
la conférence lecture
le coup d'œil glance
l'épidémie *f.* epidemic
l'étage *m.* floor, story
la lutte struggle
le malheur unhappiness, misfortune
la neutralité neutrality
le niveau level
l'œuvre *f.* work (of art, literature)
l'oppression *f.* oppression
la page the page (of a book)
le périodique periodical
la peste plague
la prison prison
les rayons *m.* stacks, shelves (of a library)
la recherche search, research
–**à la recherche de** in search of
le recueil collection
la responsabilité responsibility

* Revue littéraire mensuelle excellente, qui existe depuis 1909.

Noms (suite)

le théâtre theater
le titre title
la tyrannie tyranny
la vocation vocation
le volume volume

Adjectif et pronoms

ceux the ones, those
celle-là that one
lequel? *pron.* (*f.* **laquelle,** *m. pl.* **lesquels,** *f. pl.* **lesquelles**) which?
quel? *adj.* (*f.* **quelle,** *m. pl.* **quels,** *f. pl.* **quelles**) which? what?

Verbes

admettre to admit, allow, accept
feuilleter to turn the pages of, leaf through (a book or article)
influencer to influence
lutter to struggle
paraître (*past part.* **paru**) to appear
se perfectionner to perfect oneself
prononcer to pronounce
–**se prononcer** to speak out
regretter to regret

Adjectifs, adverbes

actuel present, present-day
–**actuelles** contemporary events
bas low
composé composed
exact exact
haut high
intitulé entitled
supérieur upper
surtout especially
vraiment truly, really

Expressions diverses

au moins at least
ceci this
devant before, in front of
jeter un coup d'œil sur . . . take a quick look at . . .
à tout à l'heure see you soon
que veux-tu que je fasse what do you expect me to be doing?
Il faut vraiment que la conférence de M. Delavigne nous ait inflencés M. Delavigne's lecture must really have influenced us
tous ceux qui travaillent all who work

EXERCICES

A. Répondez en français d'après le texte.

1. Que fait Albert dans les rayons de la bibliothèque?
2. Sur quoi veut-il jeter un coup d'œil?
3. Quand a-t-il demandé au professeur s'il avait un titre à lui recommander?
4. Quand *La Peste* a-t-elle paru?
5. Qu'est-ce que Joseph se demande?
6. Quel reportage l'intéresse?
7. Quels volumes de Camus le catalogue de la Bibliothèque mentionne-t-il?
8. De quoi ces volumes sont-ils composés?
9. Que dit Joseph en quittant Albert?
10. Où est Albert quand Joseph revient?
11. Pourquoi Joseph regrette-t-il qu'Albert soit parti?

12. Où voit-il Mary?
13. Qu'est-ce que les artistes du temps passé pouvaient faire?
14. Qu'est-ce que les tyrannies d'aujourd'hui n'admettent plus?
15. A quel niveau se tient l'artiste?
16. Quelle est sa vocation?
17. Qu'est-ce qu'Albert a tenu à lire à Mary?
18. Et Mary qu'est-elle en train de lire?
19. Que souhaite Joseph à propos des conférences de M. Delavigne?

B. Exercices sur le pronom interrogatif *lequel, laquelle, lesquels, lesquelles*

EXEMPLE

— Voici deux livres. Lequel préférez-vous?
— Voici quatre livres. Lesquels préférez-vous?

1. Voici deux articles.
2. Voici deux reportages.
3. Voici deux études.
4. Voici deux équipes.
5. Voici quatre cravates.
6. Voici quatre illustrations.

EXEMPLE

— J'ai besoin de {cette étude-là. / ce livre-là.}
— De laquelle avez-vous besoin?
— Duquel avez-vous besoin?

7. J'ai besoin de cette brochure-là.
8. J'ai besoin de ce blouson-là.
9. J'ai besoin de cette bicyclette-là.
10. J'ai besoin de cette opinion-là.

EXEMPLE

— Je pense à {cette étude-là. / ce livre-là.}
— A laquelle pensez-vous?
— Auquel pensez-vous?

11. Je pense à cette décision-là.
12. Je pense à ce devoir-là.
13. Je pense à ces reportages-là.
14. Je pense à ces volumes-là.
15. Je pense à ces régions-là.
16. Je pense à ces périodiques-là.

C. Formulez les questions auxquelles répondent les phrases suivantes. Commencez vos questions avec *quel, quelle, quels, quelles, de quel,* etc.

1. Il préfère la salle des périodiques.

2. Elle a lu le premier volume.
3. Ils ont mentionné un article de la *Nouvelle Revue Française*.
4. Elles ont recommandé les reportages sur l'Algérie.
5. J'ai feuilleté des brochures sur la Provence.
6. J'ai aimé sa conférence sur *La Peste*.
7. Il s'agit d'un livre sur Camus.
8. Il s'agit d'une mystérieuse épidémie qui a commencé après la guerre.
9. J'ai parlé des trois volumes intitulés *Actuelles*.
10. J'ai besoin de ses conférences sur Cézanne.

D. Formulez les questions auxquelles répondent les phrases suivantes. Commencez vos questions avec *lequel, laquelle, lesquels, duquel, desquels,* etc.

EXEMPLE

— Il aime son cours d'anglais.
— Lequel de ses cours aime-t-il?

1. Il recommande son article sur *La Chute*.
2. Elle préfère sa conférence sur Degas.
3. Je préfère mon reportage sur l'Algérie.
4. Je recommanderais mon dernier roman.
5. Je recommanderais ma première pièce.
6. Nous retrouvons nos amis de l'université.
7. Nous préparons ensemble nos devoirs d'anglais.
8. Nous avons besoin de nos livres d'histoire.
9. Il a parlé de sa lutte contre la tuberculose.
10. Il a rêvé de ses amis de l'université.

ETUDE DE GRAMMAIRE IX

48. The Past Subjunctive (*Le Passé du subjonctif*)

A. FORMS OF THE PAST SUBJUNCTIVE (*Formes du passé du subjonctif*)

The past subjunctive is a compound tense formed with the present subjunctive of the auxiliaries *avoir* and *être.*

EXEMPLES:

Le professeur regrette	que je n'	*aie*	pas étudié.
Je suis heureux	que tu	*aies*	fini ta leçon.
Cet étudiant est le seul	qui n'	*ait*	pas répondu.
C'est dommage	qu'elle n'	*ait*	pas préparé ce devoir.
Il n'a pas voulu nous parler, bien	que nous	*ayons*	fait sa connaissance.
Il n'est pas encore prêt	quoique vous	*ayez*	préparé sa valise.
Je regrette	qu'ils	*aient*	quitté Paris.
Le professeur regrette	que je ne	*sois*	pas arrivé à l'heure.
Il est content	que tu	*sois*	parti avant lui.
C'est dommage	qu'elle ne	*soit*	pas devenue hôtesse.
Il est ravi	que nous	*soyons*	partis.
Il est à craindre	que vous	*soyez*	devenus trop colériques.
Es-tu content	qu'ils	*soient*	déjà partis.

B. USE OF THE PAST SUBJUNCTIVE (*L'Emploi du passé du subjonctif*)

Compare:

Je veux que vous *finissiez* la leçon.

and

Je suis heureux que vous *ayez fini* la leçon hier.

also

Je regrette qu'il *parte* de Paris demain.

and

Je regrette qu'il *soit parti* de Paris hier.

The past subjunctive is used in subordinate clauses for an action that took place *before* the action or state indicated by the main verb.

Exercice

I. Exercice sur le passé du subjonctif. Changez le verbe en italiques (qui est au présent du subjonctif) au passé du subjonctif.

EXEMPLE

— Je suis heureux que vous *finissiez* votre travail.
— Je suis heureux que vous *ayez fini* votre travail.

1. Je suis heureux que les médecins lui *recommandent* la prudence.
2. Jim est ravi que Joseph *quitte* la classe.
3. Quel dommage que le professeur ne *donne* pas d'autres conférences sur Camus!
4. Je suis heureux que vous *choisissiez* patiemment vos cours.
5. Je regrette que Joseph n'*attende* pas.
6. Nous regrettons que vous *étudiiez* si mal.
7. Il n'aime pas que nous *riions* de lui.
8. Je veux qu'il *ouvre* les prisons avant demain.
9. C'est dommage que M. Delavigne ne *fasse* pas la connaissance de cet homme.
10. Il faut que je *parte* demain.
11. Je suis ravi que le professeur se *prononce*.

49. The Subjunctive in Adverbial Clauses (*Le Subjonctif dans les propositions subordonnées conjonctives*)

In many adverbial clauses (clauses with an adverbial function, clauses introduced by a conjunction other than *que*) the subjunctive is required. These may be classified as follows:

A. PURPOSE CLAUSES (*Propositions qui expriment le but*)

The conjunctions *pour que* and *afin que,* in order that, take the subjunctive.

Pour que les médecins puissent combattre sa maladie, il doit quitter son foyer.

*Afin qu'*il fasse des études secondaires, son professeur lui donne une préparation spéciale.

B. TIME CLAUSES (*Propositions temporelles*)

The conjunction *avant que,* before, takes the subjunctive. When it is used, a pleonastic *ne* is often placed before the verb.

Avant que la guerre *ne vienne* interrompre son activité, il se lance dans le journalisme.
J'ai parlé au professeur *avant qu'*il *ne parte.*

C. CONCESSIVE CLAUSES (*Propositions concessives*)

The conjunctions *bien que* and *quoique,* although, (note that the first is always written as two words and the second always as one) take the subjunctive.

Bien que le concours *soit* difficile, il obtient une bourse.
*Quoiqu'*il *lise* énormément, il a le temps de nager.
Bien que les médecins lui *aient recommandé* la prudence, il fonde un groupe théâtral.

D. CONDITIONAL CLAUSES (*Propositions conditionnelles*)

The conjunction *à moins que,* unless, takes the subjunctive. A pleonastic *ne* before the verb is customary after *à moins que.*

A moins que nous *ne* nous *trompions,* vous avez reconnu cet écrivain.

II. Exercices sur le subjonctif dans les propositions subordonnées conjonctives.

A. Le subjonctif dans les propositions de but. Rattachez les deux phrases par la conjonction *pour que.*

EXEMPLE

– Il doit quitter son foyer. Les médecins *peuvent* combattre sa maladie.
– Il doit quitter son foyer *pour que* les médecins *puissent* combattre sa maladie.

1. Le professeur fait une conférence. Joseph connaît Camus.
2. M. Delavigne vous amène à la bibliothèque. Vous cherchez un livre sur Camus.
3. Camus écrit sur la tyrannie. Nous nous prononçons contre.
4. Il travaille beaucoup. Sa mère a de l'argent.

5. Son professeur s'intéresse à lui. Il peut continuer ses études.
6. J'arrange tout. Albert finit ses études de bonne heure.
7. Albert fonde un groupe théâtral. Ses amis peuvent jouer des pièces de théâtre.
8. Je vous permets de sortir. Vous avez le temps de nager dans la Méditerrannée.

Répétez les phrases 5 à 8, en employant *afin que*.

B. Le subjonctif dans les propositions temporelles. Rattachez les deux phrases en mettant au début la conjonction *avant que*.

EXEMPLE

— La guerre *vient*. Il publie un reportage célèbre.
— *Avant que* la guerre *ne vienne*, il publie un reportage célèbre.

1. Son ami vient. Albert prépare ses leçons.
2. Mary vient. Joseph est prêt à partir.
3. Camus se présente au concours. Son instituteur l'aide.
4. Suzanne lit cet article. Joseph l'interrompt.
5. Elle peut faire ses études secondaires. Son instituteur l'aide.
6. Il est metteur en scène. Ses amis fondent un groupe théâtral.
7. Le jeune garçon fait ses études secondaires. Son professeur lui donne une bourse.
8. La guerre interrompt cette activité. Il se lance dans le journalisme.
9. Les autorités peuvent le menacer. Il publie son reportage.
10. Albert Clark a le temps de lire une page de Camus à Mary. Mary quitte la bibliothèque.

EXEMPLE

— Joseph *est* arrivé. Mary a quitté la bibliothèque.
— Avant que Joseph ne *soit* arrivé, Mary a quitté la bibliothèque.

1. Joseph est allé à l'étage supérieur. Albert lui a parlé.
2. Mary est descendue dans le métro. Suzanne lui a donné son billet.
3. Camus a fini ses études. La tuberculose l'a menacé.
4. M. Delavigne a fait sa conférence. Nous ne connaissions pas Camus.
5. Elles ont parlé de leur week-end, vous étiez content du vôtre.
6. Joseph et moi avons quitté la classe. Le professeur a fini de parler.
7. Nous avons fini notre travail. La cloche a sonné.
8. Vous avez fait sa connaissance. Il a fait ses études secondaires.

C. Le subjonctif dans les propositions concessives. Modifiez ces phrases en mettant *bien que* au début.

EXEMPLES

— Il *est* minuit, mais nous ne sommes pas fatigués.
— Bien qu'il *soit* minuit, nous ne sommes pas fatigués.

— Nous *avons* fini notre travail à l'avance, elle ne veut pas sortir.
— Bien que nous *ayons* fini notre travail à l'avance, elle n'a pas voulu sortir.

1. Les médecins lui recommandent la prudence, mais Camus fonde un groupe théâtral.
2. La guerre vient, mais Camus publie un reportage célèbre.
3. Suzanne lit beaucoup, mais Joseph trouve qu'elle ne travaille pas assez.
4. Il est metteur en scène, mais ses amis ne lui permettent pas de fonder un groupe théâtral.
5. Vous avez fait sa connaissance, il n'a pas voulu vous parler.
6. Nous avons lu cet article, mais Joseph n'a pas voulu en parler.
7. Vous avez tout arrangé, mais Albert n'a pas fini ses études de bonne heure.
8. Vous avez quitté la classe, mais le professeur a continué à vous chercher.
9. Les autorités l'ont menacé, mais il publie son reportage.
10. Mary s'est présentée au concours, mais son professeur n'a pas été content de ses progrès.
11. Suzanne s'est levée de bonne heure, mais Mary n'a pas pu l'attendre.
12. Nous nous sommes intéressés à lui, mais il n'a pas voulu faire notre connaissance.

Modifiez les phrases 1, 3, 5, 7, 9, et 11 en mettant *quoique* au début.

D. Le subjonctif dans les propositions conditionnelles. Rattachez les deux phrases par la conjonction *à moins que*.

EXEMPLE

— Vous avez reconnu cet écrivain. Je me *trompe*.
— Vous avez reconnu cet écrivain, à moins que je *ne me trompe*.

1. Il fera ses études secondaires. Ses ressources sont trop limitées.
2. Camus sera menacé par la tuberculose. Les médecins peuvent combattre sa maladie.

3. Il n'ira pas au lycée. Son professeur veut l'aider.
4. Je fonderai un groupe théâtral. Joseph l'a déjà fait.
5. Albert feuillètera un des livres de Camus. Jim l'a déjà pris.
6. Vous me lirez ces phrases de Camus. Vous ne les aimez pas.
7. Je demanderai cela au professeur. Il a déjà quitté la classe.
8. Je vous lirai cet article. Vous l'avez déjà lu.
9. Jim parlera à Suzanne de *La Peste.* Elle est déjà partie.
10. M. Delavigne parlera. Il s'est déjà prononcé.

E. Exercice de synthèse. L'indicatif ou le subjonctif dans les propositions subordonnées conjonctives.

EXEMPLE

— Nous sommes ravis, quand vous nous *parlez* comme cela. (quoique)
— Nous sommes ravis, quoique vous nous *parliez* comme cela. (car)
— Nous sommes ravis, car vous nous *parlez* comme cela.

1. parce que
2. bien que
3. dès que
4. si
5. puisque
6. quoique
7. à moins que
8. depuis que

Même exercice avec la phrase suivante: Le professeur a quitté la salle, *quand* les étudiants *sont* partis.

1. parce que
2. avant que
3. depuis que
4. bien que
5. puisque
6. dès que

50. The Subjunctive in Adjective Clauses (*Le Subjonctif dans les propositions relatives*)

The verb in an adjective (relative) clause is put in the subjunctive (1) if it expresses a purpose as yet unaccomplished, or (2) if it is introduced by words of superlative force (*seul, premier, dernier, unique*).

Je cherche un roman de Camus qui *soit* aussi intéressant que *La Peste.*
J'ai là les deux *meilleures* pages que je *connaisse* sur la responsabilité de l'écrivain.
Cet étudiant est *le seul* qui ne m'*ait* pas *répondu.*

Note that if the verb in the adjective clause states something as a *fact,* the indicative is used:

J'ai trouvé un roman de Camus qui *est* aussi intéressant que *La Peste.*

Exercice

III. Exercice sur le subjonctif dans les propositions relatives.

A. Répondez négativement à la question, en indiquant que vous cherchez une certaine qualité.

EXEMPLE

— Ce roman n'*est* pas vraiment intéressant.
— Non, je cherche un roman qui *soit* vraiment intéressant.

1. Ce conférencier *est*-il intéressant?
2. Cet écrivain *veut*-il se prononcer?
3. Ce groupe d'hommes *est*-il vraiment en lutte contre cette maladie mystérieuse?
4. Cet étudiant *peut*-il lire ce passage?
5. *Est*-il né en Algérie, cet homme?

B. Répondez à la question, en substituant à l'expression en italiques l'expression entre parenthèses et en mettant au subjonctif le verbe de la proposition relative.

EXEMPLE

— Ce sont des pages *intéressantes* que vous avez lues? (les plus intéressantes)
— Ce sont les pages les plus intéressantes que j'aie lues.

1. C'est *ce mauvais* étudiant qui n'a pas répondu. (le seul)
2. C'est *la troisième* fois que vous l'avez fait. (la dernière)
3. C'est *un bon* reportage qu'il a écrit sur la guerre. (le meilleur)
4. C'est *un des jeunes* groupes théâtraux que vous avez observés en France? (le plus jeune des)
5. C'est *un des bons* gardiens de but qu'il y a à Alger? (le plus mauvais)

51. The Interrogative Adjective *quel?* (*L'Adjectif interrogatif*)

Quel? (*f.* quelle? *m. pl.* quels? *f. pl.* quelles?) which? what? agrees in gender and number with the noun it modifies or to which it refers. It is used:

1. As an adjective modifying a noun.

De *quel* livre s'agit-il?
Dans *quelle* ville Camus est-il né?

Camus a subi *quels* concours pour entrer à l'Université?
Quelles études a-t-il faites à l'Université?

2. As a predicate adjective.

Quelle était la profession de Camus?

In this case *quel?* selects from a category; it is not used to request a definition (see *qu'est-ce que?* and *qu'est-ce que c'est que?* in section **53**).

3. In literary usage it sometimes serves the same function as *qui est?*

Quel est cet homme? Who is that man?

4. It is used in exclamations, with a noun, to indicate surprise, shock, indignation, etc. Here it means "what a."

Quelle question! Vous dites des bêtises!

Note that an indefinite article is *not* used between *quel* and the noun.

Exercice

IV. Exercice sur l'adjective interrogatif. Formulez les questions auxquelles les phrases suivantes sont les réponses, en vous servant de la forme correcte de *quel?*

EXEMPLE

— J'ai lu *La Peste* de Camus. Quel roman de Camus avez-vous lu?
— Il s'agit de *La Peste*. De quel roman de Camus s'agit-il?

1. Il fonde le groupe théâtral.
2. Le recueil que je veux lire est le recueil de ses articles.
3. C'est le reportage sur cette épidémie qui intéresse Joseph.
4. Il est six heures et demie.
5. Camus est né dans ce village.
6. Camus était écrivain.
7. Il s'agit de ce roman de Camus.

52. The Interrogative Pronoun *lequel* (Le Pronom interrogatif lequel)

Lequel? (*f.* laquelle? *m. pl.* lesquels? *f. pl.* lesquelles?) which? is similar in meaning to *quel?* and is used when the noun is omitted or when the noun follows *de*.

Vous cherchez une œuvre de Camus? *Laquelle?*
Lequel des articles d'*Actuelles* voulez-vous lire?

Lequel? contracts with *à* and *de* in the same way that the relative pronoun *lequel* does.

Duquel des articles s'agit-il?
Auxquelles des œuvres de Camus vous intéressez-vous?

Exercice

V. Exercice sur le pronom interrogatif *lequel.* L'étudiant offre quelque chose au professeur et lui demande ses préférences. Faites cette demande en employant la forme correcte de *lequel.*

EXEMPLE

– Voici *L'Etranger* et *La Peste,* deux romans de Camus. Lequel préférez-vous?
– Voici deux stylos. Lequel voulez-vous?

1. Voici deux cravates.
2. Voici des bananes et des pommes.
3. Vous avez là deux tyrannies, la tyrannie de Franco, la tyrannie de Salazar.
4. Vous avez lu trois articles de Camus.
5. Il faut choisir une vocation, la politique ou la médecine.

53. Interrogative Pronouns: Compound Forms (*Les Pronoms interrogatifs: formes composées*)

		Short forms
qui est-ce qui?	who? (*subj.*)	(*qui*)
qui est-ce que?	whom? (*dir. obj.* or *obj. of prep.*)	(*qui*)
qu'est-ce qui?	what? (*subj.*)	none
qu'est-ce que?	what? (*dir. obj.* or *pred. nom.*)	(*que*)
quoi est-ce que?	what? (*obj. of prep.*)	(*quoi*)

These compound forms, with the exception of *qu'est-ce qui?* are equivalent in meaning to the short forms, and may be used optionally, for variety or emphasis. *Qu'est-ce qui?* is the only form that may be used for things as *subject* of the verb.

The compound forms contain an inversion within themselves and thus do not cause inversion of the verb in the sentence.

EXAMPLES OF THE COMPOUND FORMS:

Qu'est-ce que tu fais ici?
Qu'est-ce qui t'intéresse particulièrement?
De quoi est-ce que vous riez?
Qui est-ce qui a aidé Camus à obtenir une bourse?
Avec *qui est-ce que* Mary est allée à la bibliothèque?
*Qui est-ce qu'*Albert a vu dans les rayons?

A. THE COMPOUND FORM "QU'EST-CE QUE C'EST QUE?" (*La Forme composé* qu'est-ce que c'est que?)

The conversational form, *qu'est-ce que c'est que?*, what is? is followed by a noun or pronoun stating the thing about which information (a definition or an explanation) is being requested.

Qu'est-ce que c'est que ça?
Qu'est-ce que c'est que ce livre qui paraît vous intéresser?

Exercices

VI. Exercice sur les formes d'insistance des pronoms interrogatifs. Formulez les questions auxquelles les phrases suivantes sont les réponses. Employez les formes d'insistance (qu'est-ce que? etc.).

EXEMPLE

— Je ne fais *rien* ici.
— Qu'est-ce que vous faites ici?

1. J'ai vu *Mary* à la bibliothèque.
2. *Mary* m'a vu à la bibliothèque.
3. Albert cherche *un livre de Camus* dans les rayons de la bibliothèque.
4. *Le reportage que Camus a fait sur l'épidémie* m'intéresse beaucoup.
5. Il s'agit *de la tyrannie.*
6. *Sa bourse* va lui permettre d'aller à l'Université.
7. M. Delavigne s'intéresse beaucoup *à Camus.*
8. *La nécessité de gagner de l'argent* m'a fait publier ce livre.
9. Ces volumes sont composés *de beaucoup d'articles.*
10. *C'est une forme de gouvernement où les hommes n'ont pas de liberté.*
11. *Ça, c'est la bibliothèque.*

VII. Exercice de synthèse. Adjectifs et pronoms interrogatifs. Formulez les questions auxquelles les phrases suivantes sont les réponses. Rendez votre question précise en utilisant l'adjectif ou le pronom interrogatif le mieux justifié.

EXEMPLE

– *L'Etranger* m'intéresse beaucoup.
– Question: *Quel* livre de Camus vous intéresse le plus?

1. C'est par la tuberculose que Camus a été menacé.
2. Des romans de Camus celui qui me plaît le plus c'est *L'Etranger*.
3. J'ai vu Jim Gerald à la bibliothèque.
4. Il ne faisait rien.
5. Il y est allé avec Albert Clark.
6. Je n'ai rien vu dans les rayons.
7. *Actuelles* se trouve au troisième étage de la bibliothèque.
8. Il est professeur.
9. C'est l'examen qui suit les études au lycée.
10. C'est la conférence de M. Delavigne qui m'a fait tellement plaisir.
11. Je parle de la première de ses conférences.
12. C'est de M. Delavigne que je parle.
13. C'est mon professeur de français!
14. J'ai dit: "C'est mon professeur de français!"
15. Il n'y a rien!

54. *Ecrire* et *lire*

Study, in the irregular verb table in Appendix I, the present indicative, present subjunctive, imperative, past participle, *passé composé,* imperfect, future, conditional, past subjunctive of

écrire, to write
lire, to read

Exercices

VIII. Exercices sur *écrire* et *lire*.

A. Modifiez les phrases suivantes en employant les sujets donnés entre parenthèses.

1. Joseph écrit beaucoup. (je . . . , tu . . . , nous . . . , vous . . . , les deux étudiants. . . .)

B. Mettez *il faut* que devant chacune des phrases d'**A** et mettez le verbe au présent du subjonctif.

EXEMPLE

— Joseph écrit beaucoup.
— Il faut que Joseph écrive beaucoup.

C. Mettez *il regrette que* devant chacune des phrases d'**A** et mettez le verbe au passé du subjonctif.

EXEMPLE

— Joseph écrit beaucoup.
— Je regrette que Joseph ait beaucoup écrit.

D. Modifiez la phrase suivant en employant les sujets donnés entre parenthèses. Si Joseph lit des romans, il écrira des romans. (je . . . , je . . . , tu . . . , tu . . . , nous . . . , nous . . . , vous . . . , vous . . . , les professeurs . . . , ils. . . .)

E. Mettez les verbes dans les phrases de **D** à l'imparfait (premier verbe) et au conditionnel (deuxième verbe).

EXEMPLE

— Si Joseph lisait des romans, il écrirait des romans.

**Nous retrouvons M. Delavigne
et ses étudiants installés au café. . . .**

« 19 »

Discussion littéraire au café

[*Nous retrouvons M. Delavigne et ses étudiants installés au café de l'Université.*]

Mary Morse: Ce qui m'a frappé dans *L'Etranger* c'est la solitude du personnage principal. Le narrateur circule dans la ville comme une ombre et ses rapports avec les autres restent très extérieurs.

Jim Gerald: Cette solitude s'exprime très fortement dans *La Chute*, le dernier roman de Camus, également conté à la première personne.

Monsieur Delavigne: Il est remarquable que Camus ait tant insisté sur ce thème, car dans sa vie il a profondément goûté l'activité à l'intérieur d'un groupe, groupe de sport, groupe de travail (l'équipe qui imprimait le journal de la Résistance qu'il dirigeait) ou groupe de création, comme la troupe de théâtre dont il s'occupait.

Mary Morse: C'est dommage qu'il ne dise rien de cela dans *L'Etranger*.

Jim Gerald: Il est regrettable, en effet, qu'il n'ait pas touché à cet autre thème.

Monsieur Delavigne: Attention! Je ne crois pas que vous puissiez dire cela. Dans *La Peste* on trouve côte à côte la solitude et la tentative des hommes pour s'unir afin de lutter ensemble. Camus consacre de très belles pages à l'amitié qui existe entre deux de ces hommes.

Fatigués par une longue journée de soins donnés aux victimes de l'épidémie, le docteur Rieux, et Tarrou, chef des équipes de secours, oublient les soucis de leur tâche en parlant à cœur ouvert et en nageant côte à côte dans la Méditerranée.

Suzanne Bernard: Il est étonnant que personne n'ait fait de remarque sur cet autre antidote à la solitude: l'amour.

Joseph Ford: Ah! l'amour! De tous les thèmes c'est celui que vous préférez, romanesque Suzanne.

Mary Morse: Voilà Joseph qui se réveille. Il est préférable que nous changions de sujet.

Monsieur Delavigne: Je ne pense pas que ce sujet déplaise vraiment à notre ami Joseph. Mais continuons.

Albert Clark: Dans *La Peste,* le thème de l'amour joue un rôle, mais comme les femmes aimées sont à l'extérieur de la ville isolée, ce thème reste un peu abstrait.

Monsieur Delavigne: Il est à craindre que vous ne vous imaginiez un Camus ascétique. Il a aimé et créé des êtres qui s'aimaient. Cependant lorsqu'il place un couple au centre d'une pièce comme *Les Justes,* celui-ci a une mission à accomplir, celle d'assassiner un grand-duc tyrannique. Mais si dans l'œuvre de Camus l'amour semble être sacrifié, on peut y trouver une autre forme de rapports humains, chère à l'auteur, celle de la tendresse discrète et silencieuse qui unit un fils et sa mère.

Il a rêvé de mettre au centre de ses écrits "l'admirable silence d'une mère et l'effort d'un homme pour retrouver une justice et un amour qui équilibrent ce silence." (*Préface* à *L'Envers et l'endroit* * de Camus.)

* Le premier livre de Camus, publié en 1936, et qui a eu récemment une nouvelle édition.

VOCABULAIRE

Noms

l'amitié *f.* friendship
l'antidote *m.* antidote
la chute fall
le couple couple
la création creation, creative work
l'écrit *m.* writing, piece of writing
l'être *m.* being
la forme form
le grand-duc grand duke
le journal newspaper
la journée day
la justice justice
la mission mission
le narrateur narrator
l'ombre *f.* shadow
le personnage character (in a story)
la personne person
–**à la première personne** in the first person
le rapport relation
la remarque remark
la Résistance French patriotic movement of resistance to the occupation of France by Germany (1940–1944)
le secours aid
–**équipe de secours** first-aid team
les soins *m. pl.* aid
la solitude solitude
le souci care
le sport sport
la tâche task
la tendresse tenderness
la tentative attempt
le thème theme
la troupe troup
la victime victim

Verbes

accomplir to accomplish
assassiner to assassinate
changer to change
circuler to circulate
conter to tell, relate
diriger to direct, edit (of a paper)
équilibrer to balance
goûter to taste, enjoy
imprimer to print
insister to insist, stress
placer to place
se réveiller to wake up
sacrifier to sacrifice
toucher to touch
–**toucher à** to treat, touch upon
unir to unite

Adjectifs, adverbes

abstrait abstract
admirable admirable
ascétique ascetic
cher (*f.* **chère**) dear
discret (*f.* **discrète**) discreet
également equally, also
étonnant astonishing
extérieur exterior, external
fatigué tired
fortement strongly
humain human
intérieur interior
isolé isolated
littéraire literary
préférable preferable
principal principal
profondément profoundly
regrettable regrettable
romanesque romantic
silencieux (*f.* **silencieuse**) silent
tyrannique tyrannic

Expressions diverses

attention! wait a minute!
celui (*f.* **celle**, *m. pl.* **ceux**, *f. pl.* **celles**) this, this one, that
cependant however

Expressions diverses (suite)

à cœur ouvert freely
comme like
côte à côte side by side
L'Envers et l'endroit the wrong side and the right side, "both sides of the medal"
lorsque when
tant so much

Nouvelle forme: le pronom démonstratif

Le couple qu'il place au centre d'une pièce commes *Les Justes*, a une mission à accomplir, *celle* d'assassiner un grand-duc tyrannique.
The couple that he places in the center of a play like ***Les Justes***, has a mission to accomplish, *that* of assassinating a tyrannical grand duke.

celui this one, that one, the one, this, that
f. sing. **celle**
m. pl. **ceux**
f. pl. **celles**
celui-ci (**celle-ci**, etc.) this one
celui-là that one

EXERCICES

A. Répondez en français d'après le texte.

1. Où retrouvons-nous M. Delavigne et ses étudiants?
2. Qu'est-ce qui a frappé Mary dans *L'Etranger?*
3. Que fait le narrateur dans ce roman?
4. Quels sont ses rapports avec les autres?
5. Dans quel autre roman cette solitude s'exprime-t-elle fortement?
6. Comment le dernier roman de Camus est-il conté?
7. Pourquoi est-il remarquable que Camus ait tant insisté sur ce thème?
8. Quelle est la réaction de Mary aux observations de M. Delavigne?
9. Que dit Jim à ce propos?
10. Comment M. Delavigne répond-il aux remarques de Jim et Mary?
11. Que trouve-t-on côte à côte dans *La Peste?*
12. A quoi Camus consacre-t-il de très belles pages?
13. A qui le docteur Rieux, et Tarrou donnent-ils leurs soins?
14. Que dirige Tarrou?
15. Comment Rieux et Tarrou oublient-ils les soucis de leur tâche?
16. D'après Suzanne, qu'est-ce qui est étonnant?
17. De tous les thèmes quel est celui que Suzanne préfère?
18. Quelle suggestion Mary fait-elle après cette observation de Joseph?

19. Et que dit M. Delavigne à propos de la réaction de Joseph?
20. Pourquoi le thème de l'amour reste-t-il un peu abstrait dans *La Peste?*
21. Quelle est l'interprétation à craindre après cette discussion?
22. Qu'est-ce qui indique que Camus n'est pas ascétique?
23. Quelle mission le couple des *Justes* a-t-il à accomplir?
24. Quelle autre forme de rapports humains peut-on trouver chez Camus?

B. Exercices sur le subjonctif.

EXEMPLE

— Les étudiants ont retrouvé M. Delavigne; c'est remarquable.
— Il est remarquable que les étudiants aient retrouvé M. Delavigne.

1. Camus a souligné ce thème; c'est remarquable.
2. Il a goûté la vie à l'intérieur d'un groupe; c'est remarquable.
3. Son équipe a imprimé le journal de la Résistance; c'est remarquable.
4. Malgré votre maladie vous avez joué au football; c'est remarquable.
5. Vous ne dites rien de cela dans votre lettre; c'est regrettable.
6. Elle n'en dit rien dans sa lettre; c'est regrettable.
7. Vous ne pouvez pas goûter la vie à l'intérieur d'un groupe; c'est regrettable.
8. Il n'a pas touché à ce thème; c'est regrettable.
9. Vous n'avez pas touché à ce problème; c'est étonnant.
10. Cette tentative d'union n'a pas réussi; c'est étonnant.
11. Personne n'a fait de remarque sur l'amour; c'est étonnant.
12. Nous ne goûtons pas cet antidote à la solitude; c'est préférable.
13. Vous changez de sujet; c'est préférable.
14. Vous n'imaginez pas un Camus ascétique; c'est préférable.
15. Elle peut s'imaginer un Camus ascétique; c'est à craindre.
16. Ce couple veut assassiner le grand-duc; c'est à craindre.

EXEMPLE

— Je pense qu'il a raison.
— Je ne pense pas qu'il ait raison.

1. Je pense que ce sujet déplaît à notre ami.
2. Je pense que le thème de l'amour y a joué un rôle important.
3. Je pense que vous vous occupez d'un bon groupe.
4. Je pense qu'elle est allée à la recherche d'un livre.

C. Exercice sur la construction *ce qui . . . c'est.*

EXEMPLE

– Sa solitude	me frappe.	
– *Ce qui*	me frappe	*c'est* sa solitude.

1. Cette tâche me déplaît.
2. Son sujet me plaît.
3. Ce roman m'a profondément touché.
4. Cette activité m'a déplu.

D. Exercice sur la construction *ce que (ce qu') . . . c'est.*

EXEMPLE

–	Il a bien exprimé		sa solitude.
– Ce qu'	il a bien exprimé	c'	est sa solitude.

1. Il a goûté la vie à l'intérieur d'un groupe.
2. Camus a sacrifié l'amour traditionnel.
3. On peut y trouver une autre forme de rapports humains.
4. Il a créé un couple qui s'aimait.

E. Exercice de synthèse.

1. Cette parodie m'amuse.
2. J'ai surtout aimé le botaniste.
3. Louis Jouvet a créé le rôle d'un pique-assiette.
4. Ce roman policier me fait frissonner.
5. Il a conté à la première personne son dernier roman.
6. Il a admiré le silence des autorités.
7. Vous cherchez une justice qui équilibre ce silence.
8. Ce thème m'a profondément touché.

F. Exercice sur *plaire* et *déplaire.*

EXEMPLES

– J'aime ce roman. Ce roman me plaît. Je n'aime pas cette pièce. Cette pièce me déplaît.

– Je n'ai pas aimé sa conférence. Sa conférence m'a déplu.
– Vous aimez ce reportage. Ce reportage vous plaît.

1. J'aime le théâtre de Camus.
2. J'aime mes études secondaires.
3. J'ai aimé la philosophie.
4. J'ai aimé mes études au lycée.
5. Vous n'aimez pas son reportage sur l'Algérie.
6. Vous n'avez pas aimé sa description de cette épidémie.
7. Vous n'aimez pas ses pages sur la responsabilité de l'écrivain.
8. Vous n'avez pas aimé leurs tentatives pour lutter ensemble.

«20»

A la librairie

Albert Clark: Venez donc jeter un coup d'œil sur cet étalage. Enfin les livres français à bon marché sont arrivés!

Suzanne Bernard: Avez-vous remarqué les couvertures de ces livres de poche?

Joseph Ford: Celle-ci me rappelle un peu trop les blondes incendiaires qu'on rencontre trop souvent sur les nôtres.

Suzanne Bernard: Regardez dans ce coin-là. Vous y verrez toute une série de couvertures très sobres et dont le dessin n'évoque pas du tout la photographie en couleurs.

Joseph Ford: Il est agréable de voir ces dessins originaux! Il y a même quelques renseignements sur l'auteur et le livre, au verso.

Albert Clark: Est-il possible que ce soit le même titre? . . . Je viens de tomber sur le roman d'où a été tiré un film qui m'a profondément touché: *Le Journal d'un curé de campagne.*

J'aimerais bien faire plus ample connaissance avec l'auteur.

D'ailleurs, c'est facile à faire grâce aux renseignements au verso!

[*Il regarde les notes et les commentaires.*]

"Georges Bernanos . . . romancier catholique extrêmement indépendant . . . d'abord très conservateur . . . a changé de direction au moment de la guerre civile d'Espagne."

M. Delavigne [*qui depuis un moment observe le groupe*]: Il est curieux qu'envers cette guerre les attitudes d'un Bernanos et d'un Camus soient si semblables!

Joseph Ford: Je me demande si en France l'écrivain intervient fréquemment dans un domaine qui semble assez loin de celui de la création artistique.

M. Delavigne: Prenons l'exemple de Jean-Paul Sartre, philosophe, romancier, dramaturge et directeur de la revue mensuelle de gauche, *Les Temps modernes,* où la politique domine. Tenez! Voici sa pièce, *Les Mains sales,* où s'opposent Hugo, un jeune intellectuel idéaliste et peu sûr de lui, et le réaliste Hoederer, chef d'un parti révolutionnaire.

Vous y voyez comment l'action peut tenter les intellectuels. Rappelez-vous que Camus a été rédacteur d'un journal clandestin! Sartre, pendant l'occupation allemande, a fait jouer les *Mouches,* où sous le voile de la vengeance d'Oreste et d'Electre * il dénonçait les mensonges des collaborateurs et appelait à la révolte.

Joseph Ford: Je doute que la censure ait laissé passer la pièce!

M. Delavigne: La censure en a laissé passer d'autres! Le public de ces années noires guettait avec avidité toute allusion à la situation du moment, aux espoirs d'un débarquement allié ou à la lutte de la Résistance et applaudissait à tout rompre l'Antigone de Jean Anouilh quand elle répondait à Créon: † "Moi je suis là pour autre chose que pour comprendre. Je suis là pour vous dire non et pour mourir."

Albert Clark: Nierez-vous que ce phénomène d'interaction entre la littérature et la politique soit exceptionnel et lié aux années trente et quarante?

M. Delavigne: Si nous faisions un saut jusqu'au dix-huitième siècle et prenions l'exemple de Voltaire. . . .

Joseph Ford: Je doute que nous puissions le faire. La librairie va fermer!

* D'après la légende grecque, Oreste et sa sœur Electre vengent leur père, Agamemnon, tué par sa femme Clytemnestre, aidée par Egisthe, son amant (lover).

† D'après la légende grecque, Créon, devenu roi de Thèbes après la mort de ses neveux (nephews), Etéocle et Polynice, décide de condamner à mourir celui ou celle qui donnerait une sépulture (burial) à Polynice. Antigone, sœur de Polynice, enterre (buries) son frère et est condamnée à mort.

Quoi de nouveau chez le libraire?

(*France-Soir*)

Scène du film *Journal d'un curé de campagne.*
(*French Embassy Press and Information Division*)

VOCABULAIRE

Noms

l'action *f.* action
l'allusion *f.* allusion
l'attitude *f.* attitude
l'auteur *m.* author
l'avidité *f.* eagerness
la campagne country
la censure censor, censorship
le collaborateur collaborator
le commentaire commentary
la couleur color
la couverture cover
le curé priest
le débarquement landing
le dessin drawing
le directeur director, editor
la direction direction
le domaine domain
l'Espagne *f.* Spain
l'espoir *m.* hope
l'étalage *m.* display
l'exemple *m.* example
l'interaction *f.* interaction
le journal diary
la librairie bookstore
le mensonge lie
la mouche fly
le parti party
le phénomène phenomenon
le philosophe philosopher
la photographie photography
la poche pocket
–**livre de poche** small, paper-back book (there is a series of French paper backs called le Livre de Poche)
la politique politics
le réaliste realist
le rédacteur editor
la révolte revolt
la revue review
le romancier novelist
le saut jump
la série series
le siècle century
la vengeance vengeance
le voile veil

Verbes

applaudir to applaud
 –**applaudir à tout rompre** applaud violently
dénoncer to denounce
douter to doubt
guetter to watch for
intervenir to intervene
mourir to die
nier to deny
observer to observe
opposer to oppose
rencontrer to meet
tirer to pull, draw, derive
tomber to fall

Adjectifs, adverbes

allemand German
allié allied
ample ample
artistique artistic
blond blond
catholique catholic
civil civil
clandestin clandestine, secret
conservateur conservative
dix-huitième eighteenth
extrêmement extremely
fréquemment frequently
gauche left
idéaliste idealistic
incendiaire incendiary
 –**blonde incendiaire** red hot blond
indépendant independent
intellectuel intellectual
lié attached to, connected with
mensuel (*f.* **mensuelle**) monthly
moderne modern
original (*pl.* **-aux**) original
révolutionnaire revolutionary
sale dirty
semblable similar
sobre sober

Prépositions

envers towards, with regard to
sur on, upon

Expressions diverses

les années trente et quarante the thirties and forties
autre chose something else
à bon marché low priced
tenez! here!

***Il* est agréable *de* voir ces dessins.**
It is pleasant to see these drawings.
C'est facile *à* faire.
That (It) is easy to do.

EXERCICES

A. Répondez en français d'après le texte.

1. Sur quoi Albert propose-t-il de jeter un coup d'œil?
2. Quels livres sont arrivés à la librairie?
3. Sur quoi Suzanne attire-t-elle l'attention de ses camarades?
4. Que rencontre-t-on trop souvent sur les couvertures de ces livres?
5. Qu'est-ce que Joseph verra dans un autre coin de la librairie?
6. Qu'y a-t-il au verso de ces couvertures très sobres?
7. Sur quel roman Albert est-il tombé?
8. Quelle a été la réaction d'Albert quand il a vu le film, *Le Journal d'un curé de campagne?*
9. Qu'est-ce qu'il aimerait bien faire?

10. Que regarde-t-il?
11. Quelle sorte de romancier Georges Bernanos a-t-il été d'abord?
12. A quel moment a-t-il changé de direction?
13. Que dit M. Delavigne sur les attitudes de Bernanos et de Camus envers la guerre d'Espagne?
14. Que se demande Joseph à propos de l'écrivain en France?
15. Quel auteur M. Delavigne mentionne-t-il à ce propos?
16. Nommez les diverses activités de Jean-Paul Sartre.
17. Qu'est-ce qui domine dans les *Temps modernes*?
18. Quels personnages s'opposent dans les *Mains sales*?
19. Qu'est-ce qu'on peut voir dans cette pièce?
20. Quelle pièce Sartre a-t-il fait jouer pendant l'occupation allemande?
21. Que dénonçait-il sous le voile de la vengeance d'Oreste et d'Electre?
22. De quoi Joseph doute-t-il?
23. Que guettait le public de ces années noires avec avidité?
24. Qui est-ce qu'il applaudissait à tout rompre?
25. Quelle a été la réponse d'Antigone à Créon?

B. Exercices sur le subjonctif. Remplacez l'expression en italiques par: *Est-il possible* et mettez le verbe au subjonctif.

1. *Il est vrai* que vous venez jeter un coup d'œil sur cet étalage.
2. *Il est vrai* que vous avez remarqué les couvertures de ces livres.
3. *Il est vrai* que nous y voyons toute une série de couvertures sobres.
4. *Il est vrai* que nous venons de tomber sur un roman de Bernanos.

C. Remplacez l'expression en italiques par: *Il est curieux* et mettez le verbe au subjonctif. (Attention! il n'y a pas de subjonctif futur!)

1. *J'espère* que les livres français vous feront plaisir.
2. *J'espère* qu'elle pourra remarquer leurs couvertures.
3. *J'espère* qu'il y aura des renseignements au verso.
4. *J'espère* que ce sera le même titre.

D. Remplacez l'expression en italiques par: *Il est préférable* et mettez le verbe au subjonctif.

1. *Je vois* que vous regardez dans ce coin-là.
2. *J'espère* que nous ferons plus ample connaissance avec l'auteur.
3. *Je crois* que nos attitudes sont semblables.
4. *Je sais* que l'écrivain français intervient dans le domaine de la politique.

E. Un étudiant commence une phrase avec: Je pense que . . . Un autre étudiant dit: Moi, je doute que. . . .

EXEMPLE

– Je pense qu'il a raison.
– Moi, je doute qu'il ait raison.

1. Je pense que l'action peut toujours tenter les intellectuels.
2. Je pense que la censure a laissé passer la pièce.
3. Je pense qu'il finira par se mettre en colère.
4. Je pense qu'ils ont applaudi cette pièce d'Anouilh.

F. Un étudiant commence une phrase avec: Je suis sûr qu'il l'a dit, le nierez-vous? L'autre étudiant dit: Moi, je nierai qu'il l'ait dit.

1. Ce phénomène est exceptionnel. Le nierez-vous?
2. Nous pouvons le faire. Le nierez-vous?
3. Il a dénoncé les mensonges des collaborateurs. Le nierez-vous?
4. Il est venu jeter un coup d'œil sur ce livre. Le nierez-vous?

G. Exercice inverse. Un étudiant dit: Je souhaite qu'il intervienne. Un autre dit: Je me demande s'il interviendra.

1. Je souhaite qu'il fasse d'autres conférences sur Bernanos.
2. Je souhaite qu'il y ait d'autres renseignements au verso.
3. Je souhaite que nous puissions lui dire non.
4. Je souhaite que nous changions bientôt de direction.

ETUDE DE GRAMMAIRE X

55. The Subjunctive in Noun Clauses (*Le Subjonctif dans les propositions substantives*)

A. EXPRESSIONS OF NEGATION, DENIAL, AND UNCERTAINTY

The subjunctive is used in noun clauses after verbs and verbal expressions of negation, denial and uncertainty, including doubt and possibility.

EXAMPLES:

Nierez-vous que ce phénomène *soit* exceptionnel?
Je *doute* que la censure *ait laissé* passer la pièce.
Est-il possible que ce *soit* le même titre?
Non, il *est impossible* que ce *soit* le même titre.

Note that expressions of certainty and probability take the indicative.

Compare:

Je *suis sûr* que Camus *a* raison.
Il *est probable* que le professeur *a* un meilleur accent que ses étudiants.

but

Il *est possible* que quelques-uns des étudiants *aient* un meilleur accent que ce professeur-là.

With some expressions which are in between certainty and uncertainty fine distinctions can be made.

Compare also:

Il me semble que Camus *a* raison. (Vous n'avez aucun doute.)
Il semble que Camus *ait voulu* dire ceci. (Vous n'êtes pas sûr.)

It is customary to use the indicative after *il me semble,* and the subjunctive after *il semble.*

Exercice

I. Exercice sur le subjonctif de doute, possibilité, etc. Remplacez l'expression en italiques par l'expression entre parenthèses et mettez au subjonctif le verbe de la proposition subordonnée.

EXEMPLE

— *Je suis certain* que Camus *a* raison. (Il est possible)
— Il est possible que Camus *ait* raison.

1. *Je trouve* que dans l'œuvre de Camus l'amour est sacrifié. (Je nie que)
2. *Il est probable* que ce sujet déplaît à Joseph. (Il est possible)
3. *Je pense* que vous oubliez le rôle de Tarrou dans le roman. (Je doute que)
4. *Il est certain* que Camus n'a pas touché à ce thème. (Il est impossible)
5. *Il me semble* que Camus n'a pas goûté l'activité à l'intérieur d'un groupe. (Il est peu probable)

B. VERBS OF MENTAL ACTION OR STATE IN THE NEGATIVE OR THE INTERROGATIVE

Verbs of mental state or action, such as *croire* and *penser,* take the indicative when they are used in affirmative statements.

Je *pense* que ce sujet vous *plaira.*
Je *crois* que les attitudes de Bernanos et de Camus *sont* différentes.

But when such verbs are used negatively or interrogatively they generally take the subjunctive.

Je *ne pense pas* que ce sujet *déplaise* à Joseph.
Croyez-vous que les attitudes de Bernanos et de Camus *soient* semblables?

Exercices

II. Exercice sur le subjonctif après le négatif, une question, etc. Changez le verbe principal de ces phrases (1) à l'interrogatif, (2) au négatif, et mettez au subjonctif le verbe subordonné.

EXEMPLE

— Tu crois que Camus *a* raison.

— Crois-tu que Camus *ait* raison?
— Tu ne crois pas que Camus *ait* raison.

1. M. Delavigne croit que les étudiants peuvent le faire.
2. Nous pensons que Camus a été le rédacteur d'un journal clandestin.
3. Vous dites que Camus veut sacrifier l'amour.
4. Le professeur estime que la censure fera passer cette pièce.
5. Vous pensez que Camus insistera beaucoup sur ce thème.
6. Tu crois que M. Delavigne dira quelque chose de *La Peste* dans sa conférence.
7. Les étudiants pensent que Bernanos et Mauriac ont changé de direction.
8. Il croit que nous disons la vérité.

III. Exercice de synthèse. Mettez devant ces phrases l'expression proposée entre parenthèses, avec le verbe au subjonctif ou à l'indicatif selon le cas.

EXEMPLE

— La censure *a* laissé passer la pièce. (Je doute que)
— Je doute que la censure *ait* laissé passer la pièce.

1. Le thème de l'amour plaît à Joseph. (Je pense que)
2. La censure a compris les *Mouches* (Je crois peu probable)
3. Ce phénomène est exceptionnel. (Je suis certain que)
4. Camus a voulu faire dans *L'Etranger* une satire des Arabes. (Croyez-vous que?)
5. Vous ferez plus ample connaissance avec cet auteur. (J'aimerais bien que)
6. Camus est mort si jeune. (C'est dommage que)
7. Bernanos a la même attitude que Sartre sur la religion. (Je nie que)
8. Vous parlez mieux que M. Delavigne. (Il n'est pas possible que)
9. Vous n'aimerez pas ce film. (Il est probable que)
10. Vous n'aimerez pas ce film. (Il est possible que)
11. Nous étudierons ce livre plutôt que l'autre. (Il est préférable que)
12. Vous vous plaisez à nager dans cette Méditerrannée si salée (salty). (Il est étonnant que)
13. Notre professeur n'a pas touché hier à ce thème. (Il est regrettable que)
14. Vous vous trompez. (Je dis que)
15. Vous partez si tôt. (Il est remarquable que)

56. Demonstrative Adjectives (*Les Adjectifs démonstratifs*)

The demonstrative adjective is *ce* (*masc. sing.* ce, *fem. sing,* cette, *masc. sing.* before a vowel cet, *pl. masc.* et *fem.* ces), this, that, these, those. It agrees in gender and number with the noun it modifies.

EXAMPLES:

Il est remarquable que Camus ait tant souligné *ce* thème.
Cette solitude s'exprime très fortement dans la Chute.
Personne n'a fait de remarque sur *cet* autre antidote à la solitude.
Remarquez les couvertures de *ces* livres de poche.
Est-ce une conséquence de la fatigue due à *ces* activités?

Whereas Spanish has three demonstrative adjectives and English two, French has, strictly speaking, only one. The distinction between *this,* a near object, and *that,* a farther one, that is always observed in English, is usually not made in French. But such a distinction can be made in French:

Quelle cravate voulez-vous, *cette* cravate-*ci* ou *cette* cravate-*là?*

The particles *ci* (here) and *là* (there) are added after the noun, and attached to it by a hyphen. A demonstrative adjective with *là* following the noun is to emphasize, rather than to distinguish:

Regardez dans *ce* coin-*là*.

Exercice

IV. Exercice sur les adjectifs démonstratifs. Répondez à la question en mettant un adjectif démonstratif devant le nom, et en supprimant les mots qui qualifient le nom.

EXEMPLE

– Voyez-vous *le livre vert?*
– Oui, je vois *ce livre-là*.

1. Aimez-vous *l'attitude de Camus?*
2. Avez-vous vu le *film de Truffaut?*
3. Connaissez-vous *les deux romanciers dont je parle?*
4. A-t-on censuré *la pièce de Sartre?*
5. Avez-vous entendu parler *de l'équipe qui imprimait Combat?*

6. A-t-il touché au *thème de l'amour?*
7. Avez-vous découvert *un amour pour le théâtre?*
8. Voyagerez-vous par *les avions d'Air France?*
9. Préférez-vous *la solitude dont parle Camus?*
10. Allez-vous lire *les romans de Henry Bordeaux?*
11. Est-ce que vous avez vu *la robe que Mary a achetée?*
12. Vous avez entendu parler de *l'affreux massacre à Oran?*
13. Avez-vous vu le coin où nous mettons *les blondes incendiaires?*
14. Trouvez-vous regrettable que Camus n'ait pas abordé *le thème de la solitude?*
15. Avez-vous fait partie de *la troupe de théâtre de Camus?*

57. Demonstrative Pronouns (*Les Pronoms démonstratifs*)

A. THE DEFINITE DEMONSTRATIVE PRONOUN (*Le Pronom démonstratif défini*)

Celui (*masc. sing.* celui, *fem. sing.* celle, *masc. pl.* ceux, *fem. pl.* celles), this one, that one, this, that, these, those, the one (and even: he, she, they), is a demonstrative pronoun referring to a noun denoting a definite being or thing. It agrees in gender and number with the noun to which it refers. It is used:

1. Followed by a relative clause or by a prepositional phrase introduced by *de.*

L'écrivain intervient dans un domaine différent de *celui* de la création artistique.
On trouve une autre forme de la tendresse humaine, *celle* de la tendresse discrète qui unit un fils à sa mère.
Les héros de Bernanos et *ceux* de Camus ne se ressemblent guère.
De tous les thèmes l'amour est *celui* que vous préférez.
De tous ces étudiants montrez-moi *celui* avec qui vous voulez travailler.

2. Followed by *-ci* or *-là* (*celui-ci,* this one, *celui-là,* that one), when not followed by a relative clause or a prepositional phrase introduced by *de.*

Regardons les couvertures de ces livres. *Celle-ci* me rappelle un peu trop les couvertures de nos livres de poche.
Peut-être bien. Mais *celles-là* sont bien plus sobres.

B. THE INDEFINITE DEMONSTRATIVE PRONOUNS (*Les Pronoms démonstratifs indéfinis*)

1. *Ceci,* this, and *cela,* that (in spoken French the second is frequently abbreviated to *ça*) are used to refer to a situation in general or to a concept rather than to a specific noun.

> Je ne crois pas que vous puissiez dire *cela.*
> Camus voulait trop faire. *Cela* explique ses maladies.
> *Ceci* n'est pas ce qui je voulais.

2. Use of *ce* as subject of the verb *être.*

The neuter demonstrative pronoun *ce,* it (sometimes, he, she, or they), is used primarily as subject of the verb *être,* usually in the singular (*c'est*), but in the plural (*ce sont*) when the predicate is a plural noun or a *third-person* plural pronoun.

	C'est Joseph.		C'est lui.
		but	
	Ce sont nos amis.		*Ce* sont eux.
Contrast:			
	C'est Joseph.		C'est lui.
		and	

> Comment trouvez-vous ce bifteck? *Il* est bon.
> Comment trouvez-vous tout cela? *C*'est terrible.

Ce is used as subject of the verb *être* when the predicate is a *noun* or a *pronoun.* When the predicate is an *adjective, il* (or *elle*) is used if the adjective refers to a specific noun. *Ce* is used if the adjective refers to a situation in general. In this case the adjective is masculine singular.

Note these examples:

> Qu'est-ce qu'Albert fait? *Il* est étudiant.
> Travaille-t-il bien? Oui, *c*'est un bon étudiant.

When a noun denoting profession, nationality, or religion, follows the verb *être,* the indefinite article is omitted, and *il* or *elle* (or *ils* or *elles*) is used as subject. (The noun has an adjectival function.) When the noun is modified, the indefinite article is retained, and the subject is *ce.*

3. *Ce* as antecedent of a relative clause.

Contrast:

> *Un thème qui* m'a frappé dans *L'Etranger* c'est la solitude.
> *Ce qui* m'a frappé dans *L'Etranger* c'est la solitude.

In the first sentence, *un thème* is the antecedent of *qui*, in the second, there is no definite antecedent (in fact there is no antecedent at all), so the indefinite demonstrative pronoun *ce* must be inserted as antecedent. This corresponds to the English "that which," but in English "what" alone can suffice (it contains, one might say, its own antecedent).

Ce must also be used before the relative pronoun when the pronoun *tout*, all, is the antecedent.

La solitude de Meursault est *tout ce qui* vous a frappé dans *L'Etranger*?
Non, ce n'est pas *tout ce que* j'y ai trouvé.

Exercice

V. Exercice sur les pronoms démonstratifs. Remplacez l'expression en italiques par un pronom démonstratif.

EXEMPLE

– Joseph veut *ce chapeau.*
– Joseph veut *celui-ci.*

1. J'ai choisi *le livre* qui a la belle couverture.
2. Bernanos, c'est *ce romancier catholique* dont vous m'avez parlé?
3. Aimez-vous mieux *ce titre-ci* ou *ce titre-là?*
4. *La solitude* de Pascal est différente de *la solitude* de Meursault.
5. J'aime *ces photographies en couleurs* mais je n'aime pas *ces autres photographies.*
6. *Ce que vous avez dit* ne m'intéresse pas.
7. Il faut accepter *les plaisanteries* des autres.
8. Je n'aime pas cette robe; j'aime mieux *la robe* que Mary a achetée.
9. J'ai beaucoup d'admiration pour les romans de Bernanos et pour *les romans* de Camus.
10. La solitude dont vous parlez n'est pas *la solitude* dont parle Camus.
11. De ces deux cravates voulez-vous *la cravate qui est près de moi* ou *la cravate qui est plus loin?*
12. Il avait un devoir à faire; *le devoir* d'assassiner un grand-duc.
13. Cette attitude-ci me semble étrange, mais non *l'autre attitude.*
14. Dites tout ce que vous voulez, mais ne dites pas *cette chose-là.*
15. Les cours de Joseph sont difficiles, mais *les cours* de Mary ne le sont pas.

VI. Répondez par *c'est* ou *il* (*elle*) *est* selon le cas.

EXEMPLE

— Quelle est la nationalité de Sartre?
— Il est français.

1. Est-ce que Joseph est un bon étudiant?
2. Est-ce que ce repas est bon?
3. Trouvez-vous magnifique ce que vous voyez?
4. Qui vient? Joseph?
5. Qui frappe à la porte? Vous?
6. Qui a écrit *L'Etranger*?
7. Quelle est la profession de M. Delavigne?
8. M. Delavigne est un bon professeur, n'est-ce pas?

58. *Battre* et *mettre*

Study, in the irregular verb table in Appendix I, *battre,* to beat (*se battre,* to fight), and *mettre,* to put (*se mettre à,* to begin).

Exercices

VII. A.

Jim se bat avec Albert.	Jim is fighting with Albert.
Joseph se met à étudier.	Joseph is beginning to study.

Mettez ces deux phrases: (1) au passé composé, (2) à l'imparfait, (3) au futur, (4) au conditionnel.

B. Même exercice avec les phrases suivantes:

Ils se battent tout le temps.	They are fighting all the time.
Elles se mettent à parler.	They are starting to speak.

C. Mettez *il faut que* devant les phrases d'A et changez les verbes au subjonctif.

«21»

Voltaire et l'affaire Calas

[*C'est Monsieur Delavigne qui parle aux étudiants.*]

Il y a deux siècles, le 9 mars 1762, le Parlement de Toulouse fit exécuter un Protestant, Jean Calas, accusé d'avoir tué son propre fils qui voulait se convertir au catholicisme.

Aussitôt que Voltaire apprit cette nouvelle, il commença à se renseigner sur Calas. Quand il fut convaincu de l'innocence du malheureux, il entra en lutte. Voici ce qu'il écrivit dans son *Traité sur la tolérance* au sujet de cet exemple de l'injustice des hommes.

Jean Calas:

. . . était protestant, ainsi que sa femme et tous ses enfants excepté un qui avait abjuré l'hérésie, et à qui le père faisait une petite pension. Il paraissait si éloigné de cet absurde fanatisme qui rompt tous les liens de la société qu'il approuva la conversion de son fils Louis Calas, et qu'il avait depuis trente ans chez lui une servante zélée catholique, laquelle avait élevé tous ses enfants.

Un des fils de Jean Calas, nommé Marc-Antoine, était un homme de lettres; il passait pour un esprit inquiet, sombre et violent. Ce jeune homme ne pouvant réussir ni à entrer dans le négoce, auquel il n'était pas propre, ni à être reçu avocat, parce qu'il fallait des certificats de catholicité qu'il ne put obtenir, résolut de finir sa vie et fit pressentir ce dessein à ses amis; il se confirma dans sa résolution par la lecture de tout ce qu'on a jamais écrit sur le suicide.

Enfin, un jour, ayant perdu son argent au jeu, il choisit ce jour-là même pour exécuter son dessein. Un ami de sa famille et le sien, nommé Lavaïsse, jeune homme de dix-neuf ans, connu par la candeur et la douceur de ses mœurs, fils d'un avocat célèbre de Toulouse, était arrivé de Bordeaux la veille; il soupa par hasard chez les Calas. Le père, la mère, Marc-Antoine leur fils aîné, Pierre leur second fils mangèrent ensemble. Après le souper on se retira dans un petit salon;

Statue de Voltaire par Jean-Antoine Houdon.
(*Bettmann Archive*)

Marc-Antoine disparut. Enfin, lorsque le jeune Lavaïsse voulut partir, Pierre Calas et lui étant descendus trouvèrent en bas, auprès du magasin, Marc-Antoine en chemise, pendu à une porte et son habit plié sur le comptoir; sa chemise n'était pas seulement dérangée; ses cheveux étaient bien peignés; il n'avait sur son corps aucune plaie, aucune meurtrissure.

Bientôt parmi le peuple de Toulouse circula une rumeur selon laquelle le père aurait pendu son fils pour empêcher sa conversion. Voici comment Voltaire décrivit ce nouvel exemple d'intolérance:

Quelque fanatique de la populace s'écria que Jean Calas avait pendu son propre fils Marc-Antoine. Ce cri répété fut unanime en un moment; d'autres ajoutèrent que le mort devait le lendemain faire abjuration, que sa famille et le jeune Lavaïsse l'avaient étranglé, par haine contre la religion catholique: le moment d'après on n'en douta plus; toute la ville fut persuadée que c'est un point de religion chez les Protestants qu'un père et une mère doivent assassiner leur fils dès qu'il veut se convertir.

Le fanatisme de la foule se refléta dans l'attitude de la majorité des juges. Calas fut condamné à mort et exécuté. Comme pour rendre cette injustice plus grande encore, ses filles furent mises dans un couvent, un fils fut banni, et la mère resta seule, dans la misère.

VOCABULAIRE*

Noms

l'avocat lawyer
la candeur frankness, simplicity
le catholicisme catholicism
la catholicité state of being a Catholic
la chemise shirt
le comptoir counter
le corps body
le couvent convent
le cri cry
le dessein scheme
la douceur gentleness
la famille family
le fanatisme fanaticism
la fille daughter
la foule mob
l'habit *m.* clothes, coat
la haine hatred
le hasard chance
le jeu gambling
le juge judge
la lecture reading
le lendemain the next day
la lettre letter
le lien bond
la meurtrissure bruise
les mœurs *f. pl.* behavior, ways
la mort death
le mort the dead man
le négoce business
le Parlement Parliament (in the Old Regime in France, a regional Supreme Court)
le peuple people
la plaie wound
le salon living room
le souper dinner (today: **le dîner**)
le traité treatise
la veille the day before
la vie life

Verbes

abjurer to abjure
ajouter to add
bannir to banish
condamner to condemn
convaincre to convince
élever to raise
empêcher to prevent
étrangler to strangle
peigner to comb
pendre to hang
 –**pendu à** hanging from
plier to fold
refléter to reflect

* Henceforth recognizable cognates will not be given in the conversation vocabularies. But to aid in learning gender, all nouns introduced, cognates or not, will be given in the vocabulary at the end of the book.

Verbes (suite)

rendre to render, make
  –comme pour rendre as if to make
renseigner to inform
résoudre to resolve
rompre to break
souper to dine
tuer to kill
apprit: ***passé simple d'*****apprendre**
écrivit: ***passé simple d'*****écrire**
fit: ***passé simple de*** **faire**
fut: ***passé simple d'*****être**
résolut: ***passé simple de*** **résoudre**

Adjectifs

aîné oldest
dix-neuf nineteen
éloigné distant
inquiet restless
malheureux unfortunate
nommé named
propre own, suited
trente thirty
zélé zealous, devoted

Adverbes et prépositions

ainsi thus
  –ainsi que as well as
aussitôt immediately
  –aussitôt que as soon as
chez at the house or home of, among
dès que as soon as
excepté except
parmi among
selon according to

Expressions diverses

dérangée
  –sa chemise n'était pas seulement dérangée his shirt was not even mussed
entrer en lutte to join battle
fit pressentir gave a hint of
passer pour to have the reputation of being

Nouveau temps: le passé simple

Voltaire *commença* à se renseigner sur Calas.
  Voltaire began to get information about Calas.
Le père et la mère *mangèrent* ensemble.
  The father and mother ate together.
Il *choisit* ce jour-là pour exécuter son dessein.
  He chose that day to carry out his plan.
Ce cri répété *fut* unanime.
  This repeated cry was unanimous.
Ses filles *furent* mises au couvent.
  His daughters were put in a convent.
Le Parlement de Toulouse *fit* exécuter un Protestant.
  The Parliament of Toulouse had a Protestant executed.

EXERCICES

A. Lisez à haute voix les phrases suivantes en remplaçant les verbes en italiques par le passé composé.

1. Le Parlement de Toulouse *fit* exécuter Jean Calas.

2. Aussitôt que Voltaire *apprit* cette nouvelle, il *commença* à se renseigner sur Calas.
3. Quand il *fut* convaincu de son innocence, il *entra* en lutte.
4. Voici ce qu'il *écrivit* dans son *Traité sur la Tolérance.*
5. Marc-Antoine ne *put* pas obtenir des certificats de catholicité.
6. Il *résolut* de finir sa vie.
7. Il *fit* pressentir ce dessein à ses amis.
8. Il se *confirma* dans sa résolution par ses lectures.
9. Il *choisit* ce jour-là pour exécuter son dessein.
10. Lavaïsse *soupa* chez les Calas.
11. Le père, la mère, et les enfants *mangèrent* ensemble.
12. Après le souper on *se retira* dans un petit salon.
13. Marc-Antoine *disparut.*
14. Le jeune Lavaïsse *voulut* partir.
15. Pierre Calas et lui *trouvèrent* Marc-Antoine en chemise pendu à une porte.
16. Une rumeur *circula* parmi le peuple.
17. Voici comment Voltaire *décrivit* ce nouvel exemple d'intolérance.
18. Quelque fanatique *s'écria* que Calas avait pendu son fils.
19. D'autres *ajoutèrent* que le mort devait faire abjuration.
20. Le moment d'après on n'en *douta* plus.
21. Le fanatisme de la foule *se refléta* dans l'attitude des juges.
22. Calas *fut* condamné et ses filles *furent* mises dans un couvent.

B. Répondez en français d'après le texte.

1. Quelle était la religion de Jean Calas?
2. De quoi a-t-il été accusé?
3. Qu'a fait Voltaire aussitôt qu'il a appris cette nouvelle?
4. Quand est-il entré en lutte?
5. Dans quelle œuvre discute-t-il cet exemple de l'injustice des hommes?
6. Quelle était la profession de Marc-Antoine?
7. Quel était son tempérament?
8. Qu'est-ce qu'il a résolu de faire?
9. A qui a-t-il indiqué ce dessein?
10. Comment s'est-il confirmé dans sa résolution?
11. Par quels traits de caractère Lavaïsse était-il connu?
12. De qui était-il le fils?
13. Où s'est-on retiré après le souper?
14. Qu'est-ce que Pierre Calas et Lavaïsse ont trouvé en bas?

15. Quelle rumeur a circulé parmi le peuple de Toulouse?
16. Que s'est écrié quelque fanatique de la ville?
17. Qu'avaient fait les Calas et le jeune Lavaïsse selon ces fanatiques?
18. Où le fanatisme de la foule s'est-il reflété?
19. Qu'est-ce qui est arrivé à un des fils?
20. Dans quelle situation la mère est-elle restée?

C. Exercice sur la construction *passait pour*.

EXEMPLES

— Il avait la réputation d'être riche.
— Il passait pour riche.

— Il avait la réputation d'avoir un esprit inquiet.
— Il passait pour un esprit inquiet.

1. Il avait la réputation d'être innocent.
2. Il avait la réputation d'être coupable.
3. Elle avait la réputation d'être fanatique.
4. Elle avait la réputation d'être violente.
5. Il avait la réputation d'avoir un esprit sombre.
6. Il avait la réputation d'être un homme violent.
7. Elle avait la réputation d'être une femme inquiète.
8. Elle avait la réputation d'être une femme éloignée de tout fanatisme.

D. Exercice sur le conditionnel passé.

EXEMPLE

— On dit qu'il a pendu son fils.
— Il aurait pendu son fils.

1. On dit qu'il a tué son fils.
2. On dit qu'il a été un fanatique.
3. On dit qu'il a rompu tous les liens avec la société.
4. On dit qu'ils ont étranglé Marc-Antoine.
5. On dit que nous avons fait abjuration.
6. On dit que nous lui avons fait une petite pension.
7. On dit que vous n'avez pas été reçu avocat.
8. On dit que vous n'avez pas pu entrer dans le négoce.

«22»

Voltaire et l'affaire Calas (suite et fin)

[*Monsieur Delavigne continue sa conférence*]

Voltaire et quelques amis encouragèrent la malheureuse veuve à aller plaider sa cause à Paris, où le fanatisme semblait moins grand qu'à Toulouse. Trois grands avocats parisiens s'intéressèrent à son cas.

"Ces trois généreux défenseurs des lois et de l'innocence," écrivit Voltaire, "abandonnèrent à la veuve le profit des éditions de leurs plaidoyers. Paris et l'Europe entière s'émurent de pitié et demandèrent justice avec cette femme infortunée."

Une atmosphère publique meilleure encouragea les autorités, qui rendirent les filles à leur mère. Le procès fut révisé malgré la mauvaise volonté du Parlement de Toulouse qui fit tout son possible pour faire traîner les choses. On progressa pas à pas. La famille reconstituée dut attendre la décision des juges dans la prison de la Conciergerie à Paris où elle fut obligée de résider.

Trois ans après la condamnation de Jean Calas, sa réhabilitation fut proclamée publiquement. Le dernier obstacle fut le Parlement de Toulouse qui ne voulut jamais pardonner et s'opposa à tout dédommagement. Voltaire et les partisans des Calas durent se résigner à cesser leurs tentatives de ce côté-là. Mais la malheureuse famille reçut du roi Louis XV une somme très importante.

Le château de Voltaire à Ferney.

(*Bettmann Archive*)

C'est à la suite de l'Affaire Calas que Voltaire devint un des plus ardents défenseurs des victimes de l'injustice, et se passionna pour de nombreux cas. C'est ainsi qu'il défendit les Sirven, une autre famille protestante dont le père était accusé d'avoir noyé sa fille. Encouragé par Voltaire, le chef de cette famille se décida à se constituer prisonnier, et après de longues procédures fut réhabilité.

"Songez," s'exclama Voltaire, "qu'il ne fallut que deux heures pour condamner cette famille au dernier supplice, et qu'il a fallu neuf ans pour rendre justice à l'innocence."

C'est ainsi que les dernières années de Voltaire, arrivé à la plus grande notoriété littéraire et philosophique, furent occupées par des luttes contre l'injustice sous toutes ses formes. Non content de lutter pour des cas isolés, il devint le défenseur des serfs de sa région, réduits à un véritable esclavage. Son domaine de Ferney, sur la frontière suisse, fut un lieu de refuge pour bien des hommes traqués. Aux portes de Ferney se créa un véritable village auquel Voltaire ne cessa jamais de s'intéresser.

Voici comment il décrit ses "colons":

Ce sont pour la plupart des Genevois, des Suisses, des Savoyards qui travaillaient autrefois à Genève. Ils se déclarèrent pour les lois que proposait M. l'Ambassadeur de France, et que les bourgeois (de Genève) rejetèrent en 1768. Les bourgeois prirent les armes contre eux, et en tuèrent quelques-uns. Plusieurs familles durent sortir de la ville. Réfugiées à Ferney, je leur procurai quelques secours. Elles s'y établirent; le roi daigna les protéger et leur permettre de travailler avec les mêmes encouragements qu'elles avaient à Genève avant les troubles. Peu à peu la colonie grossit, et elle composait il y a trois mois, une petite ville d'environ douze cents âmes.

Quatre jours avant sa mort, Voltaire apprit qu'on allait réviser le procès d'un autre se ses protégés. Voici le billet qu'il fit rédiger:

"Le mourant ressuscite en apprenant cette grande nouvelle; . . . il voit que le roi est défenseur de la justice: il mourra content."

Ce furent là les derniers mots que dicta Voltaire.

VOCABULAIRE

Noms

le billet note
le bourgeois well-to-do, middle-class citizen
le cas case
la cause cause, (legal) case
le colon colonist
la Conciergerie prison in the buildings of the Palais de Justice in Paris
le dédommagement compensation
le défenseur defender
l'esclavage *m.* slavery
la frontière frontier
le Genevois Genevan
le lieu place
la loi law
le mourant the dying man
la notoriété fame
le plaidoyer speech for the defense, plea
la porte gate
les procédures *f. pl.* legal proceedings
le procès trial
le supplice punishment, torture
–**le dernier supplice** execution
les troubles *m. pl.* disorders
la veuve widow
la volonté will

Verbes

daigner to deign
défendre to defend
dicter to dictate
s'émouvoir to be moved
établir to establish
grossir to grow larger
noyer to drown
se passioner to become impassioned, to become deeply involved in
plaider to plead
protéger to protect
rédiger to write, draw up
réduire to reduce
rejeter to reject
ressusciter to resuscitate
réviser to revise, review, (of a trial) re-try
traîner to drag
apprit: ***passé simple* d'apprendre**

Noms (suite)

devint: ***passé simple de* devenir**
dut: ***passé simple de* devoir**
s'émurent: ***passé simple de* s'émouvoir**
il fallut: ***passé simple* d'il faut**
furent: ***passé simple* d'être**
prirent: ***passé simple de* prendre**
reçut: ***passé simple de* recevoir**

Adjectifs, adverbes

autrefois formerly
cent one hundred
content satisfied, happy
douze twelve
entier (*f.* **entière**) entire
environ about
généreux (*f.* **généreuse**) generous
important sizable
infortuné unfortunate
nombreux (*f.* **nombreuse**) numerous
parisien (*f.* **parisienne**) Parisian
publiquement publicly
suisse Swiss
traqué hunted
véritable true, veritable

Expressions diverses

demander justice, to seek justice
faire tout son possible to do as much as one can
pas à pas step by step
peu à peu little by little
réfugiées à Ferney having taken refuge in Ferney

Nouvelles formes du passé simple

Ces trois généreux défenseurs des lois, *écrivit*-il (*écrire*). . . .
Paris et l'Europe entière *s'émurent* (*s'émouvoir*).
La famille reconstituée *dut* (*devoir*) attendre.
Le Parlement de Toulouse ne *voulut* (*vouloir*) jamais pardonner.
Voltaire et les partisans des Calas *durent* (*devoir*) se résigner.
Mais la famille *reçut* (*recevoir*) de Louis XV une somme importante.
Voltaire *devint* (*devenir*) un des plus ardents défenseurs des victimes de l'injustice.
Songez qu'il ne *fallut* (*falloir*) que deux heures pour condamner cette famille.
Quatre jours avant sa mort, Voltaire *apprit* (*apprendre*) qu'on allait réviser le procès.

EXERCICES

A. Lisez à haute voix les phrases suivantes en mettant les verbes en italiques au passé composé.

1. Voltaire *encouragea* la veuve à aller plaider sa cause à Paris.
2. Un grand avocat *s'intéressa* à son cas.
3. Voici la lettre que Voltaire *écrivit*.
4. Le Parlement *fit* tout son possible pour faire traîner les choses.
5. Voltaire et ses amis *durent* se résigner à cesser leurs tentatives de ce côté-là.

6. La famille *fut* obligée de rester à la Conciergerie.
7. Voltaire *se passionna* pour de nombreuses causes.
8. Après de longues procédures le chef de cette famille *fut* réhabilité.
9. Les dernières années de Voltaire *durent* être occupées par ses luttes contre l'injustice.
10. Les bourgeois de Genève *tuèrent* des Savoyards.
11. Plusieurs familles *furent* obligées de sortir de la ville.
12. Elles *s'établirent* à Ferney.
13. La colonie *grossit* peu à peu.
14. Voltaire et ses amis *apprirent* qu'on allait réviser un autre procès.
15. Il *fit* rédiger un billet où il *exprima* sa joie.

B. Répondez en français d'après le texte:

1. Pourquoi Voltaire et ses amis ont-ils encouragé Mme Calas à aller plaider sa cause à Paris?
2. Quels hommes se sont intéressés à son cas?
3. Quel profit ont-ils abandonné à la veuve?
4. Quelle a été la réaction de Paris et de l'Europe?
5. Qu'est-ce qui a encouragé les autorités à rendre les filles à leur mère?
6. Comment a-t-on progressé?
7. Où la famille a-t-elle dû attendre la décision des juges?
8. Quand la réhabilitation de Jean Calas a-t-elle été proclamée?
9. Quel a été le dernier obstacle à cette réhabilitation?
10. Qu'est-ce que le Parlement de Toulouse n'a pas voulu faire?
11. Qu'est-ce que la malheureuse famille a reçu du roi Louis XV?
12. Quelle autre famille Voltaire a-t-il défendue?
13. De quoi le père de cette famille était-il accusé?
14. Que s'est-il décidé à faire?
15. Combien de temps a-t-il fallu pour condamner cette famille?
16. Et combien de temps a-t-il fallu pour rendre justice à l'innocence?
17. Comment les dernières années de Voltaire ont-elles été occupées?
18. De qui est-il devenu le défenseur?
19. A quoi ces serfs ont-ils été réduits?
20. Pour qui le domaine de Ferney a-t-il été un lieu de refuge?
21. Où s'est créé un véritable village?
22. Où ces "colons" travaillaient-ils autrefois?
23. Quand les bourgeois de Genève ont-ils rejeté ces lois?
24. Qu'est-ce que Voltaire a procuré aux victimes?
25. Qu'est-ce que Voltaire a appris quatre jours avant sa mort?

c. Imaginez que vous êtes Voltaire et répondez aux questions suivantes.

1. Pourquoi avez-vous encouragé Mme Calas à aller plaider sa cause à Paris?
2. Pourquoi avez-vous cessé vos tentatives auprès du Parlement de Toulouse?
3. Quelle autre famille protestante avez-vous défendue?
4. Vous avez souvent parlé de vos "colons." Qui sont-ils?
5. Que leur avez-vous procuré?

ETUDE DE GRAMMAIRE XI

59. The Passé Simple [1] (*Le Passé simple*)

A. FORMS OF THE PASSÉ SIMPLE (*Formes du passé simple*)

1. Regular verbs. In regular verbs, the *passé simple* uses the infinitive stem. The endings are quite distinctive. In all *-er* verbs (regular or irregular), they are -ai, -as, -a, -âmes, -âtes, -èrent; in second and third conjugation verbs (*-ir*, and *-re* verbs), they are -is, -is, -it, -îmes, -îtes, -irent.

étudier	étudi-	j'étudi-*ai,* tu étudi-*as,* il étudi-*a,* nous étudi-*âmes,* vous étudi-*âtes,* ils étudi-*èrent.*
finir	fin-	je fin-*is,* tu fin-*is,* il fin-*it,* nous fin-*îmes,* vous fin-*îtes,* ils fin-*irent.*
entendre	entend-	j'entend-*is,* tu entend-*is,* il entend-*it,* nous entend-*îmes,* vous entend-*îtes,* ils entend-*irent*

2. Irregular verbs: the first form of the *passé simple* must be learned for each irregular verb. Its ending indicates which of the four types of endings must be used.

1.	2.	3.	4.
all *-er* verbs	most *-ir* verbs some *-re* verbs some *-oir* verbs	some *-re* verbs some *-oir* verbs	*venir, tenir* and their compounds
-ai	-is	-us	-ins
-as	-is	-us	-ins
-a	-it	-ut	-int
-âmes	-îmes	-ûmes	-înmes
-âtes	-îtes	-ûtes	-întes
-èrent	-irent	-urent	-inrent

The following is a list of the irregular verbs introduced so far in this book, with the *passé simple,* and with the past participle, already learned, given before the *passé simple.* Often, but not always, the past participle furnishes a clue to the form of the *passé simple.*

[1] This tense is also called the *past definite.*

a. Irregular verbs whose past participle is similar to the passé simple:

infinitive	*past participle*	*passé simple*	*infinitive*	*past participle*	*passé simple*
avoir	eu	eus	plaire	plu	plus
aller	allé	allai	prendre	pris	pris
envoyer	envoyé	envoyai	rire	ri	ris
partir	parti	partis	suivre	suivi	suivis
servir	servi	servis	asseoir	assis	assis
sortir	sorti	sortis	devoir	dû	dus
boire	bu	bus	émouvoir	ému	émus
connaître	connu	connus	*falloir*	*fallu*	*fallut*
croire	cru	crus	pouvoir	pu	pus
dire	dit	dis	recevoir	reçu	reçus
lire	lu	lus	savoir	su	sus
mettre	mis	mis	vouloir	voulu	voulus

b. Irregular verbs whose past participle gives no clue to the *passé simple:*

mourir	mort	mourus	écrire	écrit	écrivis
être	été	fus	craindre	craint	craignis
ouvrir	ouvert	ouvris	faire	fait	fis
tenir	tenu	tins	naître	né	naquis
venir	venu	vins	voir	vu	vis
battre	battu	battis	convaincre	convaincu	convainquis

B. USE OF THE PASSÉ SIMPLE (*Emploi du passé simple*)

The passé simple denotes a past event or a condition entirely completed in the past. It is essentially a narrative tense, in contrast with the imperfect, which is essentially a descriptive tense. It is used in formal writing in the same cases where the *passé composé* (see sections **24D** and **35**) would be used in informal writing and conversation. It is not used in conversation.

EXAMPLES: [2]

Le Parlement de Toulouse *fit* exécuter Jean Calas.
Quand il *fut* convaincu de l'innocence du malheureux, il *entra* en lutte.

[2] The student will note that all but one of the examples given are in the third person. This is because the use of the first and second persons in this tense is unusual in modern French, that is, since Voltaire's day.

Il *choisit* ce jour-là pour exécuter son dessein.
Lavaïsse et Pierre Calas *trouvèrent* Marc-Antoine pendu à une porte.
La famille reconstituée *dut* attendre la décision des juges.
Voltaire *devint* un des plus ardents défenseurs des victimes de l'injustice.
Il ne *fallut* que deux heures pour condamner cette famille.
Voltaire *écrivit:* "Je leur *procurai* quelques secours."
La famille *reçut* du Roi une somme importante.
On *progressa* pas à pas.

Exercice

I. Exercice sur le passé simple. Mettez les verbes en italiques au passé simple.

1. Il *mange* avec appétit.
2. *Approuve*-t-il la conversion de son fils?
3. Soudain on *sonne* à la porte de l'appartement.
4. Voltaire et ses amis *commencent* à se renseigner sur Calas.
5. Une petite colonie *s'établit* à Ferney.
6. Joseph et Albert *choisissent* leurs cours.
7. Quand Voltaire *est* certain de l'innocence de Calas, il *entre* en lutte.
8. Grâce à ses amis, Suzanne *a* l'impression de voir New York avec des yeux neufs.
9. Mary *va* voir un film très curieux.
10. Ils ne *peuvent* pas obtenir des certificats de catholicité.
11. Il *faut* retenir une table à l'avance.
12. Les Suisses *deviennent* les défenseurs des serfs.
13. Calas *meurt* avec courage.
14. Monsieur et Madame Bernard les *reçoivent* comme des princesses.
15. Ce bourgeois *prend* des armes contre moi.

60. **Comparison of Adjectives** (*Comparaison des adjectifs*)

A. THE COMPARATIVE (*Le Comparatif*)

In English, most common adjectives form the comparative of *superiority* by adding the suffix *-er* to the adjective. In French, the comparatives, not only of *superiority*, but also of *equality* and of *inferiority*, are formed by placing before the adjective

for superiority: *plus*, more
for equality: *aussi*, as
for inferiority: *moins*, less

EXAMPLES:

Le fanatisme religieux était *plus grand* au XVIIIe siècle que de nos jours.
Le fanatisme était-il *aussi grand* à Paris qu'à Toulouse?
Non, le fanatisme était *moins grand* à Paris.

With a negative, *si* is often used instead of *aussi*.

Le fanatisme n'était pas *si grand* à Paris.

B. THE SUPERLATIVE (*Le Superlatif*)

The superlative is formed by placing the definite article before the comparative:

Comparative: Les Calas avaient une servante *plus zélée* que la plupart.
Superlative: Les Calas avaient la servante *la plus zélée* de [3] Toulouse.

Since a comparative preceded by a definite article automatically becomes a superlative, a distinction such as that in English between "the taller" (of two) and "the tallest" (of more than two) is impossible:

Jean est *le plus grand* des deux.
Jean est *le plus grand* des quatre.

The superlative of a noun preceded by an indefinite article: Compare:

(1) la servante *la plus zélée* de France (the *most devoted* servant in France)

and

(2) une servante *des plus zélées, a most* devoted servant

To express the superlative of a noun preceded by the indefinite article, the construction given in (2) must be used.

C. IRREGULAR COMPARISON (*Comparaison irrégulière*)

Three common French adjectives have a special form for the com-

[3] Always use *de*, never *dans*, before the noun to which the superlative is related.

parative (of superiority). In these the superlative is formed regularly by adding the definite article.

bon, good	meilleur, better	le meilleur, the best
mauvais, bad	pire, worse	le pire, the worse
petit, small	moindre, lesser	le moindre, the least

Use of the irregular comparative and superlative forms. *Meilleur* and *le meilleur* are the only comparatives and superlatives of *bon. Plus mauvais* and *le plus mauvais* may be used instead of *pire* and *le pire,* whereas the regular and the irregular comparatives and superlatives of *petit* differ in meaning. *Plus petit* and *le plus petit* mean "smaller" and "smallest."

D. THE SUPERLATIVE AFTER POSSESSIVE ADJECTIVES (*Le Superlatif suivant les adjectifs possessifs*)

After a possessive adjective, when another adjective in the superlative *precedes* the noun, the definite article is omitted:

Mon meilleur ami, my best friend.
Votre pire ennemi, your worst enemy.
Sa plus jolie robe, her prettiest dress.

but

Mon ami *le plus distingué,* my most distinguished friend.

Exercices

II. Exercice sur les comparatifs et les superlatifs.

EXEMPLE

— La famille Sirven était	*malheureuse.*	La famille Calas. . . .
— La famille Calas était-elle	*plus malheureuse?*	
— Oui, la famille Calas était	*la plus malheureuse.*	

1. Le parlement de Toulouse était *fanatique.* Le parlement de Paris. . . .
2. Montesquieu a été *célèbre.* Voltaire. . . .
3. Mme Calas était *inquiète.* Sa fille. . . .
4. Les bourgeois de Genève sont *contents.* Les bourgeois de Paris. . . .
5. Les passagers de Mary sont *élégants.* Les passagers de Suzanne. . . .
6. Les taquineries de Joseph sont *mauvaises.* Les taquineries d'Albert. . . .

7. Ce plaidoyer était *bon*. Celui de Voltaire. . . .
8. Le sujet du premier roman est *mauvais*. Le sujet du deuxième roman. . . .

EXEMPLE

– Paris est une ville	*fanatique.*	Toulouse. . . .
– Est-ce que Toulouse est une ville	*plus fanatique?*	
– Oui, Toulouse est la ville	*la plus fanatique.*	

1. Marc Antoine passait pour un esprit *inquiet*. Louis Calas. . . .
2. Montesquieu avait une *grande* notoriété philosophique. Voltaire. . . .
3. Son avocat a été un défenseur *généreux*. Notre avocat. . . .
4. Suzanne fait des évocations *poétiques*. Mary. . . .
5. Les garçons ont eu des vacances *mouvementées*. Les jeunes filles. . . .
6. Elle a des passagers *élégants* dans son avion. Avons-nous. . . .
7. Il a eu des vacances *magnifiques*. Avons-nous eu. . . .
8. Cet avocat a protégé des femmes *infortunées*. Avons-nous protégé. . . .

EXEMPLE

– Voltaire a fait	un *bon*	plaidoyer.
– Son avocat a-t-il fait	un *meilleur*	plaidoyer?
– Oui, son avocat a fait	*le meilleur*	plaidoyer.

1. *La Peste* est un *bon* roman de Camus. *L'Etranger*. . . .
2. Mary fera des achats dans de *bons* magasins. Suzanne. . . .
3. Les jeunes Français ont eu de *mauvaises* vacances. Leurs amies. . . .

III. Exercice de synthèse avec comparatif et superlatif.

1. *La Chute* est un *bon* roman de Camus. *L'Etranger*. . . .
2. Le docteur Rieux est *isolé*. Mais Tarrou. . . .
3. Montesquieu a fait des articles *intéressants* sur ce sujet. Voltaire. . . .
4. Suzanne a passé un week-end *ennuyeux*. Joseph. . . .
5. Mme Morse a mis une *jolie* robe. Mary. . . .
6. C'est un homme *distingué*. M. Bernard. . . .
7. Notre professeur d'anglais nous donne des devoirs *légers*. Notre professeur d'histoire. . . .
8. Notre avocat a fait un *mauvais* plaidoyer. Mais son avocat. . .

61. Position of Adjectives (*La Place des adjectifs*)

The elementary rules for the position of adjectives were given in section **12C**. A fuller explanation follows. When a French adjective's function is primarily to *distinguish* (as between different objects in the same class), it follows the noun. Thus, adjectives of color and nationality almost always follow:

la frontière *suisse*
une maison *blanche*

Past participles used as adjectives follow the noun:

la famille *reconstituée*
ce cri *répété*

Sometimes an adjective is used to add an emotional effect to the noun rather than distinguish it from another noun in its class. In this case it precedes the noun. When referring to a widow you wish to distinguish from other widows, you say:

C'est une veuve *malheureuse.*

But, when Voltaire is speaking of Mme Calas, whose misfortunes he has already discussed, he will say, in a tone of pity:

la malheureuse veuve (see also text 23 for other examples)

A. MEANING AND POSITION OF ADJECTIVES (*Valeur et place des adjectifs*)

It is merely an extension of the principle given above when one says that the adjective following a noun is used in a *literal* sense and the one that precedes in a *figurative* sense.

un homme très *pauvre,* a very poor man (lacking money)
Pauvre garçon! Poor boy! (pitying)

In some cases, the difference in meaning between the adjective placed before the noun and the adjective placed after is quite definite. Here are two examples from adjectives introduced in this book:

Donnez-nous des renseignements *certains.* Give us reliable information.
On peut voir *certains* acteurs. You can see certain (some) actors.

Elle est venue l'année *dernière*. (She came last year.)
C'est la *dernière* lutte de Voltaire. (It is Voltaire's last struggle.)

Exercice

IV. Exercice à livre ouvert. Le professeur lira le numéro et l'adjectif. Vous lirez toute la phrase, en mettant l'adjectif à sa place, avant ou après le nom en italiques. (Open book exercise. The instructor will read the number and the adjective. You will read the whole sentence, placing the adjective in its proper place, before or after the italicized noun.)

EXEMPLE

– (grand) Mary a mis un *grand chapeau*.

1. (petit) Suzanne a mis un *chapeau*.
2. (rouge) Et elle a mis une *robe*.
3. (infortuné) Cette *famille* a reçu une somme importante.
4. (parisien) Un *avocat* a plaidé pour Calas.
5. (pauvre) J'ai beaucoup de pitié pour ce *millionnaire*.
6. (dernier) A-t-il fait froid l'*année*?
7. (jeune) L'*homme* l'avait étranglé.
8. (plié) Sa *chemise* était sur le comptoir.
9. (sec) Il faisait un *froid* qui vous piquait les joues.
10. (redoutable) Nous avons peur de cet *assassin*.
11. (charmant) Mary et Suzanne seraient des *hôtesses*.
12. (charmant) Connaissez-vous cette *hôtesse*?
13. (excellent) Ecoutons cet *orchestre*.
14. (bon) Il ne faut pas gâcher cette *surprise*.
15. (ardent) Voltaire a été un *défenseur* des persécutés.

62. The Verb *faire* with Dependent Infinitive (*Le Verbe* faire *avec infinitif dépendant*)

Entretiens 21 and 22 contain examples of a difficult construction: *faire* with a dependent infinitive and an object or objects. This is often called the *faire* "causative" construction, because *faire* means here "to have" or "cause" something to be done. Note for example:

Voltaire *fit rédiger* un billet, Voltaire had a note written.
Le Parlement de Toulouse *fit exécuter* Jean Calas, The Parliament of Toulouse had Jean Calas executed (or: caused Jean Calas to be executed.)

To use this construction correctly, the following rules must be observed: (1) The expression must be treated as a whole. It is useless to attempt to determine exactly what is the relation of the object or objects to the two verbs. (2) When there is one object, it is direct, irrespective of whether it is a person or a thing (see the two examples above). (3) When there are two objects, one a person, one a thing, the person is the indirect object, the thing the direct object:

Joseph fait acheter des cravates à Albert. Joseph has Albert buy ties.

(4) Position of the objects. Noun objects follow both verbs, the direct object preceding the indirect (see the example above). Pronoun objects precede *both* verbs. If there are two pronouns, the usual order before a verb is observed (see section **25**).

Joseph lui fait acheter les cravates. Joseph has him buy the ties.
Joseph les lui fait [4] acheter. Joseph has him buy them.

No objects may come between *faire* and the dependent infinitive, except when *faire* is in the imperative affirmative, in which case the pronoun object or objects follow *faire,* and are attached to it and to each other by hyphens.

Faites-lui acheter cette cravate. Have him buy that tie.
Faites-la-lui acheter. Have him buy it.

Exercice

V. Exercice sur les constructions avec *faire*. Mettez le verbe *faire* comme verbe principal, avec le verbe en italiques à l'infinitif, d'après ces exemples:

Le Parlement de Toulouse *a exécuté* Calas.
Le Parlement de Toulouse a fait exécuter Calas.
Le Parlement l'*a exécuté*. Le Parlement l'a fait exécuter.

1. Les autorités *ont révisé* le procès.
2. Voltaire *a cessé* ces tentatives.
3. Voltaire les *a cessées*.
4. *A*-t-il *défendu* les Sirven?
5. *Recommandez* ce livre.
6. *Recommandez*-le.
7. *Publiez* votre reportage.
8. *Publie*-le.

[4] **In the *faire* causative construction, the past participle *fait* is invariable.**

63. Meanings of the Verb *devoir* (*Les Sens du verbe* devoir)

The basic, original use of *devoir* is as a transitive verb meaning "to owe." (Example: je vous *dois* cent francs.) The context makes its use in this sense obvious. When *devoir* is followed by a dependent infinitive, it has several meanings, according to the tense. These can be grouped into two categories, one involving necessity or obligation, the other probability or presumption:

The most important meanings, classified by tenses, are as follows:

present

Il doit partir.	He must leave. (obligation) He is to leave. (probability)

imperfect

Il devait partir hier.	He was to leave yesterday. (probability)

passé composé [5]

Il a dû partir avant votre arrivée.	He must have left before your arrival. (probability)
A cause de ce qu'il a fait, il a dû partir.	Because of what he did, he had to leave. (obligation)

future

Il devra partir.	He will have to leave. (obligation)

conditional

Il devrait partir.	He should leave. He ought to leave. } (obligation)

past conditional [6]

Il aurait dû partir.	He should have left. He ought to have left. } (obligation)

Exercice

VI. Traduisez les expressions en italiques en vous servant du temps convenable de *devoir*.

The Parliament of Toulouse *must have* been most fanatical. Voltaire *was* to ask them many times to retry the case, and finally *he had to* cease

[5] The passé simple, *il dut partir,* has the same meanings.
[6] A tense explained in section 65.

his attempts. Madame Calas and her children *must have* been very frightened when they *had to* stay at the Conciergerie. The final success of Voltaire *ought to* please all lovers of justice. The authorities in France *should have* been more prudent after that. They *ought* never *to have* accused Sirven. We *must* admit that Sirven was courageous. He *was* finally *to be* rehabilitated.

64. **Numerals and Dates** (*Les Adjectifs numéraux et les dates*)

A. REVIEW THE NUMERALS FROM 1–100 (section **13**)

B. CARDINAL NUMERALS, 101–1,000,000,000

101	cent [7] un
200	deux cents
201	deux cent un
1,000	mille [8]
2,000	deux mille
1,000,000	un million
1,000,000,000	un milliard

1. Pronunciation. The final consonant of *six* and *dix* is silent before a noun beginning with a consonant which the number multiplies.

EXAMPLE: six femmes [sifam]

Before a multiplied noun beginning with a vowel, liaison occurs.

EXAMPLE: six hommes [sizɔm]

Before a pause the final consonant is pronounced [s]

EXAMPLE: j'en vois six [sis].

The rule (often violated) for the pronunciation of *cinq* is that before a multiplied noun beginning with a consonant, the final consonant is silent; before a vowel, before a pause and in dates, it is pronounced.

EXAMPLES:

cinq femmes [sɛ̃]
cinq hommes [sɛ̃k]
le cinq juin [sɛ̃k]

[7] There is no liaison after the *t* of *cent*.
[8] Often spelled *mil*, when dates are written out.

2. The *h* of *huit* is aspirate, and *onze* is treated as if it had an aspirate *h*.

le huit novembre
du onze novembre

3. *Quatre-vingts,* and *cent* in the plural (*deux cents, trois cents*) have *-s,* except when followed by another cardinal numeral to complete a number.

deux cents femmes
quatre-vingts jours
but
deux cent un
quatre-vingt-treize

4. The indefinite article is never used before *cent* or *mille.*

5. All cardinal numerals are adjectives, with the exception of *le million* and *le milliard,* which are nouns and which must take *de* before another noun. Compare:

mille femmes
un million d'hommes

6. The use of the period and the comma with French numerals is exactly the reverse of the English use:

4,50 F quatre francs, cinquante centimes
1.000.000 un million

C. ORDINAL NUMERALS (*Les Adjectifs ordinaux*)

first	premier (*f.* première)
second	deuxième [9]
third	troisième
twenty-fourth	vingt-quatrième

Ordinal numerals are formed by adding *-ième* to the cardinal numeral. The mute *-e* with which some cardinal numerals end is omitted, the *q* of *cinq* becomes *qu,* and the *f* of *neuf* becomes *v.*

cinquième
vingt-neuvième

[9] Another form, *second* (*f. seconde*) exists. A rule often given (but often violated, at least in current usage) is that *second* is the second of two, *deuxième* the second in a series.

D. DATES (*Les Dates*)

le 9 mars 1762
le 1er (premier) avril 1961
le samedi 11 novembre 1961

The day of the month is given in *cardinal* numerals, except for the first, which is *le premier,* and it precedes the name of the month. The day of the month is usually preceded by the definite article.[10] When the day of the week is given, the article precedes it. The same order is followed in abbreviated dates: 1/4/61, in France, is 1er avril 1961.

1. The names of the years:

1000	l'an mille
1066	mil (or mille) soixante-six
1348	treize cent quarante-huit
1492	quatorze cent quatre-vingt-douze
1815	dix-huit cent quinze or mil huit cent quinze
1962	dix-neuf cent soixante-deux or mil neuf cent soixante-deux

Dates between 1100 and 1700 inclusive are always given *onze cent, douze cent, treize cent,* etc. The two forms given in the examples above are both used for the 1800's and the 1900's, but *dix-huit cent* and *dix-neuf cent* are preferred.[11]

Exercice

VII.

A. Lisez en français les dates suivantes:

1. July 14, 1789
2. July 4, 1776
3. November 11, 1918
4. May 8, 1945
5. June 6, 1944
6. February 25, 1830
7. December 2, 1851
8. August 15, 1000
9. January 1, 1453
10. October 12, 1492
11. April 18, 1775
12. March 4, 1933
13. Wednesday, October 4, 1961
14. Monday, January 1, 1962.
15. February 29, 1960

[10] In dating letters, *le* is sometimes omitted, sometimes replaced by *ce.*
[11] According to the official *Le Français fondamental,* published by the Ministère de l'éducation nationale (Paris, 1959), p. 66.

B. Vous êtes au restaurant à Paris. Vous venez de finir votre repas, et le garçon vous a apporté l'addition. Les prix sont en francs (1 N = $0.21 approximately). Lisez cette addition à haute voix.

pain et couvert (cover charge)	0,[12]40
soupe du jour	1,50
omelette au jambon	3,50
bifteck, frites	5
salade	1
camembert	0,50
¼ de vin rouge	1,50
Total	13,40
Service 15%	2,00
Somme à payer	15,40

[12] zéro.

Brochure de l'Office du Tourisme Universitaire.

« 23 »

La Terre de France

[*Quelques minutes avant le début du cours.*]

Joseph Ford: Quand tu finiras cette brochure de l'Office du Tourisme Universitaire tu me la passeras, d'accord?

Albert Clark: Je te la prêterai aussitôt que je l'aurai terminée. Les programmes d'été qui y sont proposés me paraissent bien conçus, mieux conçus certainement que ceux de la plupart des agences commerciales. Je te recommande tout particulièrement la page sur les tarifs de transport spéciaux pour étudiants.

Mary Morse: On m'avait souvent dit que les brochures touristiques françaises étaient remarquables. Je connaissais quelques-unes des affiches où des peintres connus avaient dépeint leur région favorite. . . . Mais regardez ce que j'ai reçu hier: un petit index des Musées de France classés alphabétiquement, régionalement et par sujets. Il m'a été envoyé gratuitement par la Direction Générale du Tourisme!

M. Delavigne [*qui depuis un moment observe nos apprentis-voyageurs*]: Votre enthousiasme fait plaisir à voir, mais attention à ne pas vous perdre dans un labyrinthe de détails.

Si nous regardions plutôt la France à vol d'oiseau! Je voudrais d'abord vous faire remarquer sur cette carte l'harmonie, l'équilibre de sa silhouette géographique.

A l'intérieur de cette forme harmonieuse on trouve un résumé de la variété européenne. La France allie "les régions les plus disparates et les climats les plus opposés:" la Bretagne et ses brumes, la Provence ensoleillée, l'Ile de France et sa luminosité discrète.

Entre ces régions si variées la communication est aisée. Il y a près de 2.000 ans un géographe grec, Strabon, l'avait déjà signalé. Ce qui méritait d'être remarqué selon lui, c'était

Une famille de fermiers dans un tableau de Le Nain.

(*French Cultural Services*)

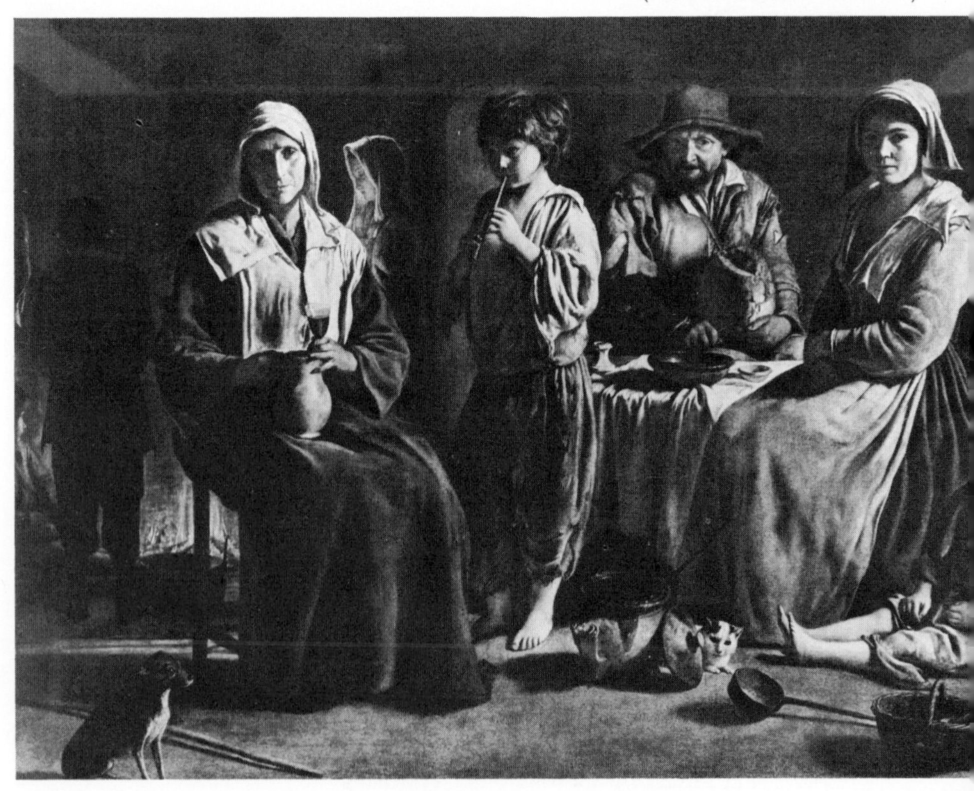

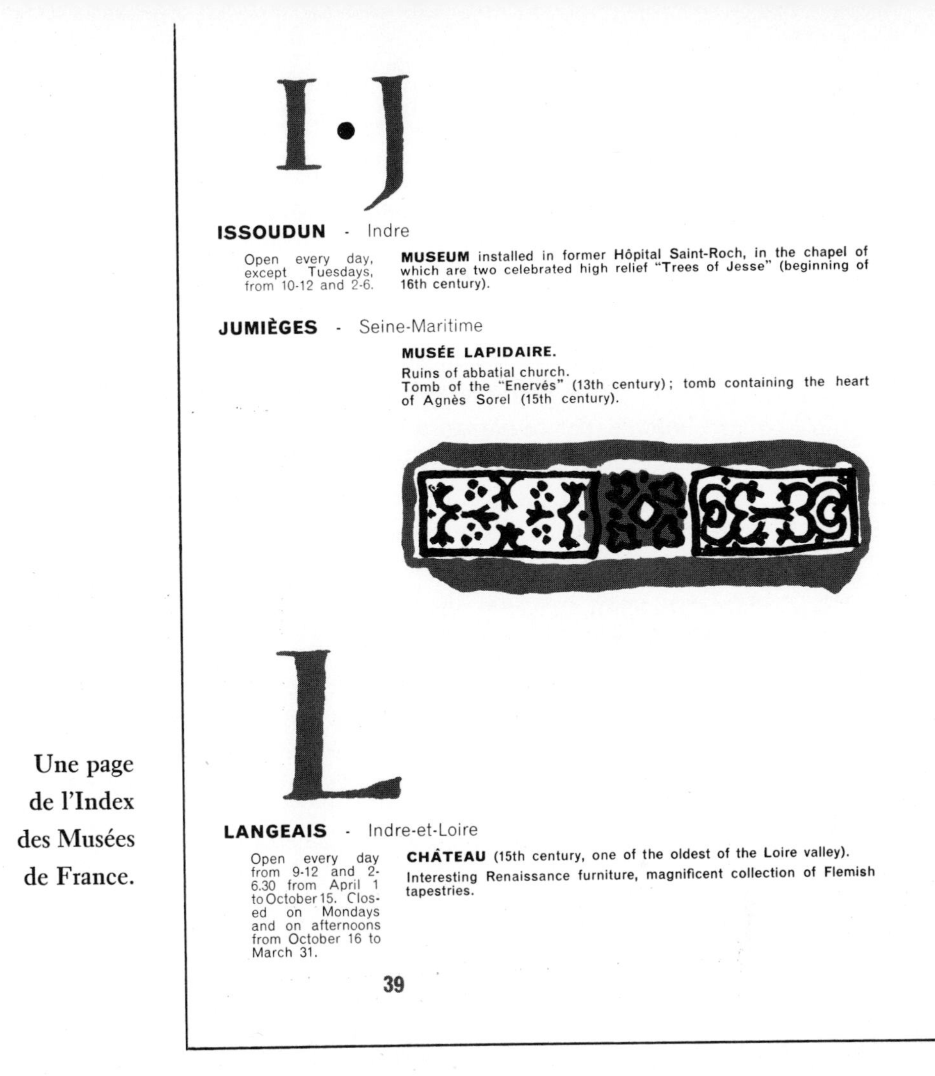
I · J

ISSOUDUN - Indre

Open every day, except Tuesdays, from 10-12 and 2-6.

MUSEUM installed in former Hôpital Saint-Roch, in the chapel of which are two celebrated high relief "Trees of Jesse" (beginning of 16th century).

JUMIÈGES - Seine-Maritime

MUSÉE LAPIDAIRE.

Ruins of abbatial church.
Tomb of the "Enervés" (13th century); tomb containing the heart of Agnès Sorel (15th century).

L

LANGEAIS - Indre-et-Loire

Open every day from 9-12 and 2-6.30 from April 1 to October 15. Closed on Mondays and on afternoons from October 16 to March 31.

CHÂTEAU (15th century, one of the oldest of the Loire valley).
Interesting Renaissance furniture, magnificent collection of Flemish tapestries.

39

Une page de l'Index des Musées de France.

la communication établie entre les divers cantons du pays par les fleuves qui les arrosent. Cette communication facilitait le contact et les échanges entre les habitants, leur permettant "de se procurer mutuellement tous les secours et toutes les choses nécessaires à la vie. . . ."

Le voyageur qui passe d'une région à l'autre voit le paysage se modifier d'une façon subtile. Voici comment Michelet, un historien romantique du dix-neuvième siècle, a décrit ce glissement de la Normandie vers la Bretagne:

On l'a dit, Rouen, le Havre sont une même ville dont la Seine est la grand'rue. Eloignez-vous au midi de cette rue magnifique, où les châteaux touchent aux châteaux, les villages aux villages; passez de la Seine Inférieure au Calvados, et du Calvados à la Manche, quelles que soient la richesse et la fertilité de la contrée, les villes diminuent de nombre, les cultures aussi; les pâturages augmentent. Le pays est sérieux; il va devenir triste et sauvage. Aux châteaux altiers de la Normandie vont succéder les bas manoirs bretons.

C'est en survolant ce territoire si divers que l'on comprend peu à peu que l'on a devant soi un pays modelé par l'homme, par ce paysan dont les travaux sont illustrés sur les chapiteaux des églises romanes et sur le portail des cathédrales gothiques, ce fermier d'un tableau de Le Nain * qui vous regarde les mains au repos sur les genoux, ce terrien qui se cache derrière le visage de chaque Français. Terminons avec cette réflexion de Charles Péguy, un poète dont le rythme évoque le pas du laboureur:

> Ce que je suis . . . il suffit de me regarder un instant pour le savoir. . . . En moi, autour de moi . . . , tout concourt à faire de moi un paysan . . . de la vallée de la Loire, un bûcheron de la forêt d'Orléans, un vigneron des côtes et des sables de Loire.

VOCABULAIRE

Noms

l'affiche *f.* poster
l'agence *f.* agency
l'apprenti *m.* apprentice, novice
la brume mist
le bûcheron wood cutter
le canton district
la carte map
le chapiteau capital (of a column)
la contrée region
la côte hillside
les cultures *f. pl.* cultivated lands
la direction management, administration
l'église *f.* church
l'équilibre *m.* equilibrium, balance
la facilité ease, facility
le fermier farmer
le fleuve river
la forêt forest
le géographe geographer
le glissement sliding, transition
la grand'rue high street, main street
l'habitant *m.* inhabitant
le laboureur plowman
la luminosité brightness, luminosity
la manoir manor house
le midi south
le nombre number
le pas step
le pâturage pasture
le pays country

* Les frères Le Nain étaient des peintres français du XVIIe siècle qui ont peint des scènes de la vie paysanne.

le paysan peasant
le peintre painter
le portail portal
le repos rest
–**au repos** at rest
la richesse riches, richness
le tableau painting, picture
le tarif price
la terre earth, land
le terrien lover of the land
le territoire territory
le tourisme travel
la vallée valley
le vigneron wine-grower

Verbes

allier to ally, bring together
arroser to water
augmenter to increase
cacher to hide
classer to classify
communiquer to communicate
concourir to concur
dépeindre to depict
diminuer to diminish
s'éloigner to withdraw, move away from
mériter to deserve
modifier to modify
signaler to point out
suffire to suffice
survoler to fly over

Adjectifs et adverbes

aisé easy
altier (*f.* **altière**) proud
breton Breton
chaque each
conçu conceived, planned
disparate dissimilar
ensoleillé sunny
européen (*f.* **européenne**) European
gras (*f.* **grasse**) fat, rich
gratuitement at no expense, as a gift, free
grec (*f.* **grecque**) Greek
harmonieux (*f.* **harmonieuse**) harmonious
illustré illustrated
mutuellement mutually
parfait perfect
roman Romanesque
sauvage wild
touristique pertaining to travel
triste sad
varié varied

Noms géographiques

la Bretagne Brittany
le Calvados a department of Normandy, capital Caen
l'Ile-de-France a former province consisting of the section around Paris; not an island, but so intersected by rivers that it is like an island
la Loire a river of central France, often nearly dry in summer
la Manche department of Normandy, capital Cherbourg
la Normandie Normandy
la Seine-Inférieure department of Normandy, at the mouth of the Seine, now called Seine Maritime.

Nouveaux temps: le plus-que-parfait et le futur antérieur

Le plus-que-parfait

Il y a près de 2.000 ans Strabon l'*avait* déjà *signalé*.
Nearly 2,000 years ago Strabo had already pointed it out.

Le futur antérieur

Je te le prêterai aussitôt que je l'*aurai terminé*.
I will lend it to you as soon as I have finished it.

EXERCICES

A. Répondez en français d'après le texte.

1. Quand Albert prêtera-t-il à Joseph la brochure de l'Office du Tourisme Universitaire?
2. Que pense-t-il des programmes d'été qui y sont proposés?
3. Quelle page recommande-t-il tout particulièrement?
4. Quelles affiches Mary connaissait-elle?
5. Qu'a-t-elle reçu hier?
6. Par quel bureau administratif ce livre lui a-t-il été envoyé?
7. Que dit M. Delavigne de l'enthousiasme de ses étudiants?
8. Comment leur propose-t-il de regarder la France?
9. Que voudrait-il d'abord leur faire remarquer sur la carte?
10. Que trouve-t-on à l'intérieur de la forme harmonieuse de la France?
11. Par quelles ressources naturelles, la communication entre ces régions est-elle rendue possible?
12. Quelles sont les conséquences de cela?
13. Que voit le voyageur qui passe d'une région à l'autre?
14. Qu'a-t-on dit de Rouen et du Havre?
15. Que remarque-t-on quand on passe de la Seine-Inférieure au Calvados, et du Calvados à la Manche?
16. A quels châteaux vont succéder les bas manoirs bretons?
17. Que comprend-on en survolant ce territoire?
18. Que voit-on dans le tableau de Le Nain qui est mentionné?
19. Qui se cache derrière le visage de chaque Français?
20. Qu'est-ce que le rythme poétique de Charles Péguy évoque?

B. Exercices sur le futur.

EXEMPLE

— Je te passerai cette brochure, si je la finis.
— Je te passerai cette brochure quand je la finirai.

1. Je te passerai cette page, si je la finis.
2. Je te donnerai cet index, si je le trouve.
3. Je te ferai voir cette lettre, si je la rédige.
4. Je t'enverrai cette affiche, si je la reçois.

Remplacez *quand* par *aussitôt que* et continuez cet exercice.

5. Vous verrez cette affiche, s'il me la prête.

6. Vous vous perdrez dans ce labyrinthe, s'il vous abandonne.
7. Vous serez obligé de partir, si elle vient.
8. Elles seront obligées de partir, si nous venons.
9. Elles partiront, si nous le voulons.
10. Elles auront besoin de cette brochure, si nous l'emportons.

C. Exercices sur le futur antérieur.

EXEMPLE

– Elle te passera ce livre, si elle l'a fini.
– Elle te passera ce livre quand elle l'aura fini.

1. Elle te passera cette brochure, si elle l'a terminée.
2. Elle te recommandera ce livre, si elle l'a lu.
3. Elle t'enverra cet index des musées, si elle l'a reçu.
4. Tu me signaleras cela si tu l'as remarqué.

Remplacez *quand* par *lorsque* et continuez cet exercice.

5. Tu me feras voir cette carte, si tu l'as étudiée.
6. Ils seront contents, si elle est arrivée.
7. Ils seront contents si son attitude s'est modifiée.
8. Ils se constitueront prisonniers si cet avocat est devenu leur défenseur.
9. Il sera réhabilité, si Voltaire a pris sa défense.
10. Il se déclarera pour ces lois, si l'ambassadeur les a proposées.

Le public populaire et les acteurs; tableau de Daumier. *(French Embassy Press and Information Division)*

«24»

Quelques Parisiens et leur peintre

Mary Morse: Je commence à comprendre à quoi Monsieur Delavigne songeait quand il nous a suggéré de l'attendre au Musée, dans la salle réservée aux expositions spéciales. Voilà donc ces Parisiens, dont il voulait que nous fassions la connaissance, les bons bourgeois du siècle dernier caricaturés par Daumier.*

Jim Gerald: Venez voir cette lithographie dans le coin. Quelle évocation d'un moment de sérénité familiale! Monsieur, Madame, bébé et le chat dorment paisiblement à poings fermés. . . . Si vous aviez suivi avec Daumier une

* Honoré Daumier (1808–1879), peintre et caricaturiste français.

famille à travers les tempêtes d'une journée, vous auriez apprécié tout particulièrement ce rare moment de détente.

Albert Clark: Bravo pour les commentaires qui accompagnent les dessins de Daumier. Les Services Culturels français les ont intelligemment sélectionnés. Ne manquez pas cette citation d'un texte que Baudelaire a consacré au caricaturiste:

> Nul comme celui-là n'a connu et aimé (à la manière des artistes) le bourgeois, ce dernier vestige du moyen âge, cette ruine gothique qui a la vie si dure, ce type à la fois si banal et si excentrique. Daumier a vécu intimement avec lui, il l'a épié le jour et la nuit, il a appris les mystères de son alcôve, il s'est lié avec sa femme et ses enfants, il sait la forme de son nez et la construction de sa tête. . . .

Jim Gerald: Voici toute une série de dessins consacrés aux distractions bourgeoises à la mode. Monsieur et Madame Tout-le-Monde, d'humeur bucolique, ont décidé de faire un pique-nique. Lui traîne depuis longtemps un énorme panier et commence à en avoir assez de chercher le petit coin à l'ombre où l'herbe est bien fraîche. Il songe avec nostalgie au tapis vert de leur appartement et sans doute aussi à ses bonnes pantoufles.

Suzanne Bernard: Nous voici à Paris maintenant. Daumier a dû aimer vagabonder à travers ses rues et ses foules à la recherche d'un visage, d'une attitude. S'il sait nous faire sourire d'un couple bourgeois qui s'extasie, bouche ouverte, devant la lune, il sait aussi nous faire rêver devant un public populaire qui suit de tout son corps le jeu d'un groupe d'acteurs.

Joseph Ford: Je suis ravi de découvrir ces autres facettes du talent de Daumier. C'était le caricaturiste politique que je connaissais surtout, celui qui avait arraché au roi Louis-Philippe son masque bonhomme.

M. Delavigne [*qui a rejoint les étudiants*]: Vous retrouverez la force et l'indignation de ses caricatures politiques dans ces dessins et ces toiles où il dénonce impitoyablement le monstrueux égoïsme des gens de loi. Voyez ces mains qui sortent de leurs vastes manches se transformer en pattes d'oiseaux de proie.

Exposition Daumier: Les Parisiens.

(*French Cultural Services*)

Un homme de loi; tableau de Daumier. (*French Cultural Services*)

Albert Clark: Voyez aussi ce juge bien en chair qui s'exclame: "Vous aviez faim, vous aviez faim? Ça n'est pas une raison, mais, moi aussi, presque tous les jours j'ai faim, et je ne vole pas pour cela."

M. Delavigne: Très souvent derrière l'instant recréé, derrière la petite scène saisie pour toujours se cache l'observation d'un moraliste. Il a su mettre en lumière notre tendance à nous payer de grands mots. Témoin ce bourgeois armé de la tête aux pieds, qui par un soir de neige, monte la garde, bleu de froid, et s'exclame en claquant des dents: "Oh! Patrie!"

Le caricaturiste pourchasse impitoyablement la vanité de ses contemporains quels que soient ses déguisements. Ces bons bourgeois fièrement équipés en loups de mer (les promenades sur la Seine étaient à la mode), les voici désespérément accrochés aux rames de leurs petits bateaux dès le moindre coup de vent! Ces rêveurs dérisoires sont-ils si loin de nous?

Cependant, dans une série de tableaux et d'aquarelles, Daumier réserve une place de choix au plus rêveur des rêveurs, au plus chimérique des chimériques, au chevalier de la triste figure, Don Quichotte. La sympathie avec laquelle il a dépeint cette silhouette solitaire nous dévoile un Daumier qu'on aurait tort de méconnaître.

C'est surtout dans ses tableaux que se révèle ce Daumier secret. Voyez quelle tendresse discrète il exprime pour les humbles, pour cette femme qui, après avoir lavé son linge au bord de la Seine, remonte, une petite fille à côté d'elle. . . .

Il revient constamment à ceux qui ont beaucoup donné et très peu reçu en échange, en particulier à ces vieux acrobates fatigués que la foule a oubliés.

Derrière ses thèmes favoris, le chevalier rêveur, le petit peuple de Paris, les acrobates abandonnés, nous pouvons entrevoir fugitivement le vrai visage de Daumier.

VOCABULAIRE

Noms

l'alcôve *f.* alcove, (*fig.*) bed, sexual life
l'aquarelle *f.* watercolor
le bateau boat
le bébé baby
le bord edge, bank
la chair flesh
 –**bien en chair** corpulent
le chat cat
le chevalier knight
la citation quotation
le contemporain contemporary
le coup de vent gust of wind
le déguisement disguise
la dent tooth
 –**claquer des dents** to have one's teeth chatter
la détente relaxation
la distraction diversion
Don Quichotte Don Quixote
le doute doubt
 –**sans doute** probably
la facette facet
la figure face
la foule crowd
la garde guard

–**monter la garde** to be on guard duty
les gens de loi men of law (judges, lawyers, etc.)
l'herbe *f.* grass
le jeu acting
le linge linen, laundry
Louis-Philippe king of France, 1830–1848, wanted his subjects to think of him as a typical, good-natured bourgeois
le loup de mer "seadog," "old salt"
la lumière light
–**mettre en lumière** bring to light
la manche sleeve
la manière manner, way
le masque mask
la mode style
–**à la mode** fashionable
le Moyen Age the Middle Ages
le mystère mystery
le panier basket
la pantoufle slipper
la patrie native country, fatherland
la patte paw, (of a bird) foot, claw
la proie prey
le public audience
la rame oar
le rêveur dreamer
la sérénité serenity, calm, quiet
le tapis carpet
le témoin witness
la tempête tempest, storm
la toile canvas, painting

Verbes

accompagner to accompany
apprécier to appreciate
armer to arm
arracher (à) to tear (from)
dévoiler to unveil
dormir to sleep
–**dormir à poings fermés** to sleep soundly
entrevoir to glimpse, catch a glimpse of
épier to spy on
s'extasier to go into ecstasies
laver to wash
lier to bind, attach
–**se lier** to form a friendship with
méconnaître to ignore, fail to recognize
manquer to miss
pourchasser to pursue
recréer to re-create
rejoindre to join
remonter to climb up
révéler to reveal
saisir to seize, catch
sélectionner to choose, select
vagabonder to wander
vivre (*past part.* **vécu**) to live
voler to steal

Adjectifs et adverbes

accroché hanging on to
bonhomme good-natured
chimérique visionary
constamment constantly
dérisoire ridiculous
désespérément desperately
excentrique eccentric
familial family
fièrement proudly
frais (*f.* **fraîche**) cool
fugitivement momentarily
impitoyablement pitiless
intelligemment intelligently
intimement intimately
monstrueux (*f.* **monstrueuse**) monstrous
populaire of the people, working-class
solitaire solitary
vrai true

Prépositions, pronoms, etc.

bravo hurrah
dès as soon as
nul (*f.* **nulle**) no one
à travers through

Expressions diverses

à la fois at one and the same time
avoir la vie dure to be hard to kill

Expressions diverses (suite)
en échange in exchange
pour cela because of that
se payer de grands mots to let oneself be deluded by "high falutin" language
une place de choix a preferred place

Nouveau temps: le conditionnel passé

Si vous aviez suivi avec Daumier une famille à travers les tempêtes d'une journée, vous *auriez apprécié* ce rare moment de détente.
If you had followed with Daumier a family through all the tempests of a day, you would have appreciated this rare moment of relaxation.

EXERCICES

A. Répondez en français d'après le texte.

1. Qu'est-ce que Mary commence à comprendre pendant qu'elle attend le professeur Delavigne?
2. De quels Parisiens le professeur Delavigne voulait-il que ses étudiants fassent connaissance?
3. Qu'est que Jim leur demande de venir voir?
4. Que voit-on sur cette lithographie?
5. Quand appréciera-t-on le rare moment de détente d'une scène si paisible?
6. Qu'est-ce qu'Albert applaudit?
7. Quelle organisation a sélectionné ces commentaires?
8. Comment Baudelaire voit-il le bourgeois de Daumier?
9. Comment Daumier est-il arrivé à connaître si bien le bourgeois de son époque?
10. Quelle série de dessins Jim voit-il ensuite?
11. Qu'est-ce que M. et Mme Tout-le-Monde ont décidé de faire?
12. Qu'est-ce que M. Tout-le-Monde traîne depuis longtemps?
13. De quoi en a-t-il assez?
14. A quoi songe-t-il avec nostalgie?
15. A la recherche de quoi Daumier a-t-il dû aimer vagabonder?
16. De quel couple sait-il nous faire sourire?
17. Devant quel public sait-il nous faire rêver?
18. Qu'est-ce que Joseph est ravi de découvrir?
19. Quelle facette du talent de Daumier connaissait-il surtout?
20. Où retrouvera-t-on la force et l'indignation de ses caricatures politiques?

21. En quoi les mains des gens de loi se transforment-elles?
22. Qu'est-ce qui se cache très souvent derrière la petite scène que Daumier saisit?
23. Laquelle de nos tendances a-t-il su mettre en lumière?
24. Qu'est-ce que le caricaturiste pourchasse impitoyablement?
25. Quelles promenades étaient à la mode à l'époque de Daumier?
26. Où retrouvait-on ces bons bourgeois au moindre coup de vent?
27. A qui Daumier réserve-t-il une place de choix dans ses aquarelles?
28. Pour qui exprime-t-il une tendresse discrète dans ses tableaux?
29. A qui revient-il constamment?
30. Derrière lesquels de ses thèmes pouvons-nous entrevoir le vrai visage de Daumier?

B. Formation d'adverbes. Le professeur lit une phrase avec la construction "d'une façon . . ." et l'étudiant répète la phrase en remplaçant cette construction par un adverbe. Pour former l'adverbe, ajoutez *-ment* à la forme féminine de l'adjectif.

EXEMPLE

– Mary commence d'une façon modeste (abstraite, discrète) ses études.
– Mary commence modestement (etc.) ses études.

1. Daumier évoque d'une façon admirable la sérénité familiale.
2. Il dénonce d'une façon imp toyable le monstrueux égoïsme des gens de loi.
3. Monsieur, Madame, bébé et le chat dorment d'une façon paisible.
4. Voltaire décrit d'une façon remarquable le courage de Mme Calas.
5. Daumier caricature d'une façon exacte les bourgeois de son époque.
6. Mary parle d'une façon abstraite de la tolérance religieuse.
7. Cette brochure décrit d'une façon rapide la vallée de la Loire.
8. L'Office du Tourisme rédige d'une façon spéciale cet index.
9. Mary connaît d'une façon parfaite ce labyrinthe de détails.
10. Elle parle d'une façon discrète de ses projets.
11. Vous apprécierez d'une façon particulière ce rare moment de détente.
12. Nous pouvons entrevoir d'une façon fugitive le vrai visage de Daumier.

C. Emploi de l'infinitif. Substituez les verbes indiqués au verbe *savez* dans cet exemple: Vous *savez* apprécier les caricatures de Daumier.

1. pouvez
2. voulez
3. devez
4. devriez
5. allez
6. venez

Au verbe *a dit* dans cet exemple: Il nous *a dit* de l'attendre au musée.

1. a suggéré
2. a proposé
3. a demandé
4. a persuadé
5. a empêché
6. a permis

Au verbe *ont décidé* dans cet exemple: Ils *ont décidé* de chercher un petit coin à l'ombre, substituez les verbes suivants:

1. ont essayé
2. ont fini
3. ont cessé
4. ont choisi
5. ont résolu
6. ont été ravis
7. ont eu raison
8. ont eu tort

Au verbe *commencerons* dans cet exemple: Nous *commencerons* à étudier la triste figure de Don Quichotte, substituez:

1. songerons
2. réussirons
3. arriverons
4. chercherons
5. hésiterons
6. nous nous mettrons
7. nous nous déciderons
8. nous nous amuserons
9. nous nous attendrons

Exercice de synthèse. Au verbe *peut* dans cet exemple, Elle peut comprendre ces dessins de Daumier, substituez:

1. veut
2. commence
3. m'empêche
4. va
5. me permet
6. a résolu
7. songe
8. devrait
9. a essayé
10. a réussi
11. a été ravie
12. arrive

ETUDE DE GRAMMAIRE XII

65. Other Compound Tenses (*Autres temps composés*)

We studied in section **16** the first compound tense, the *passé composé,* which uses with the past participle the present of the auxiliary, and in section **38**, the past subjunctive, which uses the present subjunctive of the auxiliary. The other compound tenses of the indicative are as follows:

1. The *pluperfect,* which uses the *imperfect* of the auxiliary:

   Joseph *avait étudié* sa leçon avant de venir.
   Nous avons appris que M. Delavigne *était allé* au Musée après les étudiants.

2. The *past anterior,*[1] which uses the passé simple of the auxiliary:

   Quand Joseph *eut fini* sa leçon, il sortit.

3. The *future anterior,* which uses the *future* of the auxiliary:

   Je te la prêterai aussitôt que je l'*aurai terminée.*

4. The *past conditional,* which uses the *conditional* of the auxiliary:

   Si je l'avais permis, il *serait parti.*

A. USES OF THESE COMPOUND TENSES (*Emplois de ces temps composés*)

1. Pluperfect and past anterior. Both of these tenses correspond to the English pluperfect. The French *pluperfect* is used to denote an action or fact that happened before the moment in the past being referred to, without the time being indicated exactly.

   Joseph *avait étudié* sa leçon avant de finir.

[1] In spoken French a tense called the *passé surcomposé,* made with the *passé composé* of the auxiliary, is often used instead of the past anterior: Quand Joseph a eu fini sa leçon, il est sorti.

The use of the *past anterior* is limited (and it does not often occur in spoken French—see note). It is most frequent in subordinate clauses, after conjunctions of time, such as *quand, aussitôt que,* and *après que.*

Quand Joseph *eut terminé* son travail il partit.

In conditional sentences, when the verb in the principal clause is in the past conditional (see below), the verb in the *if* clause is in the pluperfect:

Si Suzanne *avait été* millionnaire, qu'est-ce qu'elle aurait choisi de faire?
Si votre pilote n'*avait* pas *veillé* sur vous, que seriez-vous devenus?

2. Future anterior. The *future anterior* is used to denote an action which *will have* happened before another action *will* happen.

Quand vous *aurez quitté* la Normandie, vous arriverez en Bretagne.

Note that the future anterior is used in French where the corresponding tense would not be used in English: Contrast:

Quand je *l'aurai terminée,* je te la prêterai.
and
When I *have finished* it, I will lend it to you.

3. Past conditional. This tense is similar in use to its English counterpart. Its most frequent use is, as illustrated above, after a pluperfect in an *if* clause, to denote what *would have* happened, if something else *had* (or had not) happened.

FURTHER EXAMPLES:

Si je l'avais terminée à temps, je te l'*aurais prêtée.*
Si vous aviez continué votre voyage vers l'ouest, vous *seriez arrivés* en Bretagne.

Exercices

I. Exercice sur le futur antérieur. Changez les phrases suivantes d'après l'exemple:

EXEMPLE

– Vous avez quitté la Normandie; vous arriverez en Bretagne.
– Quand vous aurez quitté la Normandie vous arriverez en Bretagne.

1. Je l'ai terminé; je te le prêterai.
2. Joseph a fini sa leçon; il sortira.
3. Monsieur Bernard m'a reçu comme un prince; je dînerai joyeusement.
4. J'ai choisi mes cours; je commencerai à étudier.
5. Mon appétit a disparu; je m'inquiéterai.
6. Les étudiants ont reçu leurs notes; ils nous les diront.
7. Vous me l'avez demandé; je vous le raconterai.
8. Joseph est monté dans le train; on partira dans dix minutes.
9. Mon cousin est venu; je descendrai du train.
10. Nous sommes arrivés au centre de New York; nous prendrons le métro.

II. Exercice à livres ouverts sur le plus-que-parfait et sur le conditionnel passé. Changez ces phrases d'après l'exemple.

EXEMPLE

— Si vous quittiez la Normandie, vous arriveriez en Bretagne.
— Si vous aviez quitté la Normandie, vous seriez arrivé en Bretagne.

1. Si nous voyagions en France, nous trouverions des places à la Comédie française.
2. Si elles aimaient le théâtre elles pourraient y aller souvent.
3. Si Don Quichotte était moins chimérique, il serait moins intéressant.
4. Si ce bourgeois avait le talent de peindre, il ne serait pas nécessairement un Daumier.
5. Si j'aimais l'œuvre de Daumier, j'achèterais plusieurs de ses dessins.
6. Si vous vouliez acheter des cadeaux, il faudrait commencer plus tôt.
7. Si Daumier connaissait les bourgeois du XXe siècle, les caricaturerait-il?
8. Si c'était les vacances de Noël, nous partirions immédiatement en autocar.
9. Si j'allais à New York, je me promènerais sur la Cinquième Avenue.
10. Si elle pouvait choisir sa profession, elle se verrait bien en hôtesse de l'air.

III. Exercice de synthèse sur les temps composés. Mettez les verbes au temps composé qu'il faut. (Notez que les participes passés ont déjà été donnés.)

1. Je vous le ferai savoir aussitôt que je ____ arrivé.
2. Dès qu'il ____ reçu les documents sur Calas, Voltaire décida d'agir.

3. Si Daumier ____ connu les bourgeois du XXe siècle, les ____-il caricaturés?
4. Don Quichotte ____ été moins intéressant, s'il ____ été moins chimérique.
5. Le caricaturiste n'____ pas arraché le masque bonhomme du Roi s'il le ____ mieux connu.
6. Si vous vouliez visiter le Musée, vous ____ dû venir plus tôt.
7. Pourra-t-on dire si Bernard Buffet ____ su peindre le petit peuple de Paris?
8. Pensez-vous qu'un jour ce peintre ____ retrouvé son talent?
9. Hier nous avons remarqué que l'hiver ____ enfin arrivé.
10. Après que les rois ____ partis, les bourgeois gouvernèrent.
11. Quand je suis arrivé au Musée, les gardiens le ____ déjà fermé.
12. Il nous a dit que nous étions en retard parce que nous ____ partis trop tard.
13. Jusqu'à ce jour-là Joseph s' ____ toujours demandé s'il était trop colèrique.
14. J'ai peur que l'avion ne ____ parti avant notre arrivée.
15. Elle se ____ bien vue en hôtesse de l'air si elle ____ pu choisir sa profession.

66. Adverbes (*Les Adverbes*)

A. FORMATION OF ADVERBS (*Formation des adverbes*)

In addition to many common short ones, most of which you have already learned (*assez, aussi, beaucoup, bien, moins, peu, très, trop,* etc.), adverbs may be formed by adding the suffix *-ment* to the adjectives. The general rule is that *-ment* is added to the *feminine* of the adjective.

adjective		*adverb*
masc.	*fem.*	
certain	certaine	certainement
fier	fière	fièrement
fugitif	fugitive	fugitivement
gratuit	gratuite	gratuitement
impitoyable	impitoyable	impitoyablement
intime	intime	intimement
mutuel	mutuelle	mutuellement
particulier	particulière	particulièrement
régional	régionale	régionalement

There are several categories of exceptions to the preceding rule, of which the most important are these:

1. Adjectives in *-ant* and *-ent* form their adverbs with the endings *-amment* and *-emment:*

constant	constamment
intelligent	intelligemment

2. Adjectives ending in an accented vowel add *-ment* to the masculine:

désespéré	désespérément
vrai	vraiment

B. POSITION OF ADVERBS (*Place des adverbes*)

Though, for special effects of emphasis, adverbs may be placed almost anywhere in a sentence (but *never* between a pronoun subject and a verb), the regular position is *after* a verb they modify, and *before* an adjective or another adverb they modify:

Le caricaturiste pourchasse *impitoyablement* la vanité des ses contemporains.
Michelet nous a décrit un *très* beau paysage.
Nous apprécions *tout* particulièrement le talent de Daumier.

When the verb is in a compound tense, most adverbs, especially the short ones, are placed after the auxiliary (after *pas* of the negative also) and before the participle:

Il revient constamment à ceux qui ont *beaucoup* donné.
Il ne s'intéresse pas à ceux qui n'ont pas *beaucoup* donné.

But a certain number of common adverbs are placed *after* the past participle in compound tenses. Among these are: *hier, aujourd'hui, demain, tôt, tard, ici, là, ailleurs, partout.*[2]

M. Delavigne nous a amenés *hier* au Musée, et nous y sommes arrivés *tard.*

C. COMPARISON OF ADVERBS (*Comparaison des adverbes*)

Adverbs are compared like adjectives (see section 60). Since adverbs do not vary in gender or number, the *le* of the superlative is invariable.

[2] Note that these adverbs take a stress (which they would not have if placed before the past participle).

EXAMPLES:

Daumier pourchasse la vanité des bourgeois *plus impitoyablement* que d'autres caricaturistes.
Venez *le plus tôt* possible.
Je te recommande encore *plus particulièrement* cette page sur les tarifs.

Irregular comparison. The following adverbs have irregular comparison:

	comparative	*superlative*
beaucoup, much	plus, more	le plus, the most
bien, well	mieux, better	le mieux, the best
peu, little	moins, less	le moins, the least

EXAMPLES:

J'aime *bien* la Flandre, mais *j'aime* moins la Bretagne.
J'aime *mieux* la Bourgogne que la Flandre, et j'aime *le mieux* de toutes la Provence.

Exercice

IV. Le professeur vous lira un adjectif ou un adverbe, ensuite il vous lira une phrase. Répétez sa phrase en ajoutant un adverbe à la place qu'il faut. (The instructor will read you an adjective or an adverb, then he will read you a sentence. Repeat the sentence adding an adverb in the right place.)

EXEMPLE

– (impitoyable) Daumier pourchasse les bourgeois.
– Daumier pourchasse impitoyablement les bourgeois.

1. (paisible) Ils ont dormi toute la nuit.
2. (intelligent) Les Services Culturels Français choisissent ces commentaires.
3. (plus loin) Allons dans cette direction.
4. (intime) Baudelaire n'a pas vécu avec les bourgeois.
5. (froid) Joseph parle à Albert.
6. (trop tôt) Nous sommes arrivés; le musée n'est pas ouvert.
7. (particulier) C'est le chevalier à la triste figure que j'aime.
8. (altier) Le propriétaire de ce château traverse sa terre.
9. (fort) Camus a exprimé cette attitude dans *la Chute*.

10. (principal) C'est dans *La Peste* que vous trouverez la solidarité humaine.
11. (hier) Nous sommes allés à New York.
12. (bien) Nous avons ri de votre histoire.
13. (très) En France il y a des régions disparates.
14. (prudent) Cette fois vous avez agi.
15. (évident) Il a raison!

67. Prepositions with the Infinitive (*Prépositions avec l'infinitif*)

The infinitive is often used as a complement of verbs. When so used it is sometimes preceded by no preposition at all (the "direct" infinitive), sometimes by the preposition *de,* and sometimes by the preposition *à, according to the verb taking the infinitive as complement.* It is very difficult to establish rules for these three categories of verbs. A list of some of the more common of them in each category follows.

1. The infinitive is not preceded by a preposition after:

   aimer, aimer mieux, aller, compter, croire, daigner, devoir, entendre, espérer, faire, falloir, (il faut), laisser, penser, pouvoir, regarder, savoir, sembler, voir, vouloir

2. The infinitive is preceded by *de,* after:

   arrêter, cesser, craindre, dire, empêcher, essayer, finir, regretter, rêver, souhaiter, suffire, suggérer

3. The infinitive is preceded by *à,* after:

   aider, apprendre, arriver, avoir, chercher, commencer, concourir, inviter, réussir

EXAMPLES:

Le paysage *va devenir* triste.
Le voyageur *voit* le paysage se *modifier.*
Il *suffit de* me *regarder* un instant.
M. Delavigne nous *a suggéré de* l'*attendre* au Musée.
Mary *commence à comprendre* Daumier.
Tout *concourt à faire* de Péguy un paysan.

Note that an infinitive which is a complement of a verb may itself have another infinitive as its own complement.

> *Je voudrais* vous *faire remarquer* l'harmonie de la France.
> Daumier *a dû aimer vagabonder* dans Paris.

Exercice

V. Exercice sur les infinitifs compléments, avec ou sans préposition. Dans les phrases suivantes, employez le verbe souligné comme complément d'infinitif du verbe donné entre parenthèses. Mettez ce dernier verbe au temps demandé par le sens et ajoutez, devant l'infinitif, une préposition, s'il en faut une.

EXEMPLES

– Le paysage *devient* triste. (aller)
– Le paysage va devenir triste.

– Mary *comprend* Daumier. (commencer)
– Mary commence à comprendre Daumier.

1. Plusieurs familles *sortirent* de la ville. (devoir)
2. Qu'est-ce que Camus *met* au centre de ses écrits? (rêver)
3. Je ne crois pas que vous *disiez* cela. (pouvoir)
4. Marc-Antoine Calas *finit* sa vie. (décider)
5. Mary et Suzanne *sont* en grand tralala. (compter)
6. Voltaire se *renseigna* aussitôt sur Calas. (commencer)
7. La librairie *ferme*. (aller)
8. Voltaire ne s'*intéressa* jamais à Ferney. (cesser)
9. Joseph *taquine* les gens. (aimer)
10. Le Roi *protégea* ces familles. (daigner)
11. Dans l'œuvre de Camus l'amour *est* sacrifié. (sembler)
12. Le pauvre jeune homme n'*entre* pas dans le négoce. (réussir)
13. La censure en *a passé* d'autres. (laisser)
14. Je vous *ferai* remarquer ces détails. (vouloir)
15. Tout *fait* de moi un paysan de la vallée de la Loire. (concourir)

68. Prepositions with Geographical Names (*Prépositions avec noms géographiques*)

A. CONTINENTS, COUNTRIES, AND PROVINCES (*Continents, pays, et provinces*)

In or *to* with the names of the continents, the former provinces of France and *feminine* countries is *en*.

en Asie	en Amérique du Nord	en France	en Allemagne
en Italie	en Espagne.	en Normandie	en Dauphiné

With *masculine* names of countries, *in* or *to* is *à* + the definite article.

au Brésil	au Portugal	au Danemark
au Mexique	au Canada	aux Etats-Unis

B. CITIES (*Villes*)

In or *to* with cities is *à*. The definite article is used only if it is a part of the name of the city.

à Paris à New York

but

au Havre (le Havre)
au Caire (le Caire, Cairo)
à la Haye (la Haye, the Hague)

VI. Exercice. Le professeur vous posera une question. Il vous lira ensuite le nom d'une province, d'un pays, ou d'un continent. Répondez à sa question en utilisant la province, le pays, ou le continent qu'il vous propose.

EXEMPLE

– Où allez-vous cet été? (la Suisse)
– Je vais en Suisse.

1. Où allez-vous cet été? (la France)
2. Où est le paquebot "France" en ce moment? (le Havre)
3. Où passerez-vous l'hiver? (le Mexique)
4. Habitez-vous en France? (les Etats-Unis)
5. Où passerez-vous la nuit? (Marseille)
6. Dans quelle province allez-vous pour les fêtes? (la Normandie)
7. Est-ce que Lima est en Argentine? (le Pérou)
8. Y a-t-il beaucoup de nouveaux pays en Asie? (l'Afrique)
9. Est-ce que le Brésil est en Europe? (l'Amérique du Sud)
10. Où trouve-t-on de grasses plaines? (la Flandre)

«25»

Casse-pieds du XXe siècle et fâcheux du XVIIe siècle

Albert Clark: J'espère que vous n'avez pas manqué le film que présentait le Ciné-club hier soir. Toute une collection de raseurs y étaient représentés, depuis le spectateur de cinéma qui, au moment le plus émouvant, déplie à grand bruit le papier qui entoure un bonbon jusqu'au mauvais plaisant qui. . . .

Le professeur: Si nous nous mettions au travail? Puisque votre voyage se rapproche de plus en plus, ne serait-ce pas une bonne idée de continuer aujourd'hui votre initiation à la France et aux Français? Je me suis demandé par quoi je pourrais commencer aujourd'hui, et j'ai songé à quelques scènes tirées de Molière.

Albert Clark: Encore un retour en arrière, Monsieur! Je ne vois pas très bien ce que les perruques et les révérences du XVIIe siècle ont à voir avec ce qui intéresse les voyageurs d'aujourd'hui.

Le professeur: Ne parliez-vous pas avec enthousiasme, il y a un instant, des *Casse-Pieds,* ce film où défilent tant de types humains qui nous empoisonnent l'existence?

Joseph Ford: Si, et j'avoue que je préférerais plutôt savoir lesquels de ces personnages je rencontrerai au cours de mon séjour.

Albert Clark: Moi aussi, et je suis reconnaissant au film de m'en avoir fourni une telle série.

Le professeur: Eh bien, trois siècles plus tôt, Molière avait déjà exposé sur scène tout un groupe d'ancêtres de ces gêneurs qu'il a appelés *Les Fâcheux.*

Tenez, Joseph, lisez-nous ce passage où un jeune marquis se plaint à un ami à propos d'un de ces énergumènes qui lui a gâté une après-midi au théâtre.

Joseph Ford: [*commence à lire le texte de Molière légèrement modernisé*]:

Sous quel astre, bon Dieu, faut-il que je sois né
Pour être de fâcheux toujours assassiné? [1]
Il semble que partout le sort me les adresse,
Et j'en vois chaque jour, quelque nouvelle espèce.
Mais il n'y a rien d'égal au Fâcheux d'aujourd'hui;
J'ai cru n'être jamais [2] débarrassé de lui,
Et cent fois, j'ai maudit cette innocente envie
Qui m'a pris à dîner, de voir la comédie,
Où pensant m'égayer, j'ai misérablement
Trouvé de mes péchés le rude châtiment.
Il faut que je te fasse un récit de l'affaire,
Car je m'en sens encor [3] tout ému de colère.
J'étais sur le théâtre,[4] en humeur d'écouter
La pièce, qu'à plusieurs j'avais ouï vanter; [5]
Les acteurs commençaient, chacun prêtait silence,[6]
Lorsque d'un air bruyant et plein d'extravagance,
Un homme à grands canons [7] est entré brusquement,
En criant: Hola-ho, un siège promptement!
Et de son grand fracas surprenant l'assemblée,
Dans le plus bel endroit a la pièce troublée.[8]
Hé mon dieu! nos Français, si souvent redressés,[9]
Ne prendront-ils jamais un air de gens sensés,
Ai-je dit, et faut-il sur nos défauts extrêmes,
Qu'en théâtre public nous nous jouions nous-mêmes,
Et confirmions ainsi par des éclats de fous,
Ce que chez nos voisins on dit partout de nous!
Tandis que là-dessus je haussais les épaules,

[1] persécuté; [2] ne jamais être; [3] encore. On trouve parfois l'orthographe *encor* au XVIIe siècle. [4] Les spectateurs distingués avaient des places sur la scène. [5] que j'avais entendu vanter par plusieurs; [6] se taisait; [7] des ornements de dentelle fixés au bas de la

Les acteurs ont voulu continuer leurs rôles;
Mais l'homme, pour s'asseoir, a fait nouveau fracas,
Et traversant encore le théâtre à grand pas,
Bien que dans les côtés il pût [10] être à son aise,
Aux trois-quarts du parterre [11] a caché les acteurs,
Et de son large dos bravant les spectateurs,
Aux trois-quarts du parterre [11] a caché les acteurs
Un bruit s'est élevé, dont un autre eût eu honte [12]
Mais lui, ferme et constant, n'en a pas tenu compte
Et se serait tenu comme il était posé,
Si pour mon infortune il ne m'eût avisé.[13]
Ha! Marquis, m'a-t-il dit, prenant près de moi place,
Comment te portes-tu? Permets que je t'embrasse.
Au visage, sur l'heure,[14] un rouge m'est monté,
Que l'on me vît [15] connu d'un pareil éventé.[16]
Je l'étais peu pourtant; mais on en voit paraître
De ces gens qui de rien[17] veulent fort vous connaître,
Dont il faut au salut les baisers essuyer [18]
Et qui sont familiers jusqu'à vous tutoyer.
Il m'a fait, tout d'abord, cent questions frivoles,
Plus haut que les acteurs élevant ses paroles.
Chacun le maudissait, et moi pour l'arrêter:
Je serais, ai-je dit, très heureux d'écouter.
—Tu n'as point vu ceci, Marquis? Ah! Dieu me damne!
Je le trouve assez drôle, et je n'y suis pas âne;
Je sais par quelles lois un ouvrage est parfait,
Et Corneille [19] me vient lire [20] tout ce qu'il fait.
Là-dessus, de la pièce il m'a fait un sommaire,
Scène à scène averti de ce qui s'allait faire [21]
Enfin jusqu' à des vers qu'il en savait par cœur,
Il me les récitait tout haut avant l'acteur.
J'avais beau m'en défendre, il a poussé sa chance [22]
Et il s'est vers la fin, levé longtemps d'avance
Car les gens du bel air [23] pour agir galamment
Evitent bien, surtout, d'ouïr [24] le dénouement. . . .

culotte; [8] a troublé la pièce; [9] susceptibles [10] imparfait du subjonctif du verbe pouvoir; [11] traduit "orchestra seats" (places debout au XVIIe siècle); [12] aurait eu; [13] il ne m'avait pas remarqué; [14] immédiatement; [15] que l'on me voie; [16] étourdi; [17] pour un rien; [18] subir; [19] Grand dramaturge français tragique de l'époque (1606-1684). [20] vient me lire; [21] de ce qui allait se faire, ce qui allait arriver; [22] il a continué; [23] élégants; [24] d'entendre.

VOCABULAIRE

Noms

l'ancêtre *m.* ancestor
l'âne *m.* ass
l'assemblée *f.* assemblage
l'astre *m.* heavenly body
le baiser kiss
le bonbon candy
le canon lace ornament on trousers
le casse-pieds bore
le châtiment punishment
le ciné-club film club
le compte account
 –faire compte de to pay attention to
le défaut defect
le devant front
le dieu god
 –bon Dieu good heavens!
le dos back
l'éclat *m.* outburst
l'énergumène *m.* objectionable character
l'envie *f.* desire
 –avoir envie de to want, desire
l'espèce *f.* kind
l'étourdi *m.* scatter-brain
l'extravagance excess
le fâcheux bore
le fracas noise, tumult
le gêneur annoying person
la honte shame
 –avoir honte to be ashamed
l'infortune misfortune
l'initiation *f.* introduction
l'ouvrage *m.* work
le papier paper
le parterre ground floor of an auditorium
le péché sin
la perruque wig, periwig
le raseur bore (*slang*)
le récit story
la révérence bow, curtsey
le salut greeting, salutation
la scène stage, scene
le séjour stay, sojourn
le siège seat
le sommaire summary
le sort fate
le théâtre stage
le vers verse

Verbes

avertir to warn, know in advance
aviser to notice
braver to defy
crier to yell
damner to damn
 –Dieu me damne! (archaic oath) Demme! (May God strike me!)
se débarrasser de to get rid of
défiler to pass by
déplier to unfold
s'égayer to have an amusing time
embrasser to embrace, kiss
empoisonner to poison, make unbearable
entourer to wrap around
essuyer to receive
fournir to furnish
gâter to spoil
se jouer de to make fun of
maudire to curse
ouïr (*arch.*) to hear
se plaindre to complain
planter to plant, set
se rapprocher to draw near
représenter to show
surprendre to surprise
traverser to cross
troubler to disturb
tutoyer to address someone with "tu"
vanter to praise

Adjectifs, adverbes

brusquement suddenly
bruyant noisy
égal equal
ferme firm

Adjectifs, adverbes (suite)

fort very much
frivole frivolous, meaningless
galamment gallantly
hier yesterday
large broad
pareil (*f.* **pareille**) like, similar, such a
partout everywhere
plutôt rather
reconnaissant grateful
redressé proud, susceptible
sensé sensible, reasonable
tel (*f.* **telle,** *m. pl.* **tels,** *f. pl.* **telles**) such
tôt soon

Expressions diverses

avoir à voir avec to have to do (with)
au cours de during
encore un one more
hausser les épaules to shrug one's shoulders
Hola-Ho! Hey, you!
là-dessus thereupon, at that point
le mauvais plaisant the practical joker
à propos de about
un retour en arrière a step backward
tenez look here
–**tenir compte de** to take into account, to pay attention to
voir la comédie to go to the theater

EXERCICES

A. Répondez en français d'après le texte.

1. Qu'est-ce qu'Albert espère?
2. Qu'a-t-on représenté dans le film dont il parle?
3. Pourquoi le professeur pense-t-il que c'est une bonne idée de continuer l'initiation des étudiants à la France?
4. A quoi a-t-il songé?
5. Contre quoi Albert proteste-t-il?
6. Et pourquoi?
7. Que voit-on dans les *Casse-Pieds?*
8. Que préférerait savoir Joseph?
9. De quoi Albert est-il reconnaissant?
10. Qu'est-ce que Molière avait exposé trois siècles plus tôt?
11. Quel passage des *Fâcheux* Joseph doit-il lire?
12. Par qui le jeune marquis de Molière est-il "assassiné?"
13. Où était-il?
14. Qui est entré quand les acteurs commençaient?
15. Qu'est-ce que cet homme a crié?
16. Dans quel endroit a-t-il troublé la pièce?
17. Et ensuite qu'a-t-il fait pour s'asseoir?
18. Où a-t-il planté sa chaise?
19. Qui a-t-il remarqué?
20. Pourquoi le marquis rougit-il?
21. Qu'a fait le marquis pour l'arrêter?

22. Que fait le casse-pieds ensuite?
23. Que fait-il avant les acteurs?

B. Emploi de *si* après une question négative. Répondez affirmativement aux questions suivants. Commencez votre phrase par "si."

EXEMPLE

— Vous n'avez pas manqué le film hier soir?
— Si, je l'ai manqué.

1. Vous n'avez pas déplié ce papier au moment le plus émouvant?
2. Vous ne voulez pas continuer votre initiation à la France?
3. Ne vous êtes-vous pas demandé par où vous pourriez continuer?
4. Ne voyez-vous pas ce que les perruques du XVIIe siècle ont à voir avec nous?
5. Ne parlait-il pas avec enthousiasme des *Casse-Pieds?*
6. Ne préférerait-il pas savoir lesquels de ces personnages il rencontrerait?
7. N'est-il pas reconnaissant au film de lui en avoir fourni une série?
8. Molière n'a-t-il pas déjà présenté un groupe de ces gêneurs?

C. Révision de la structure conditionnelle.

EXEMPLES

— Le professeur:
  a. Si je finis cette brochure, je te la passerai.
  b. Si elle a assez d'argent, elle partira pour le Midi.
  c. Si vous vous dépêchez, je pourrai vous conduire à la gare.

— Le premier étudiant:
  a. Si je finissais cette brochure, je te la passerais.
  b. Si elle avait assez d'argent, elle partirait pour le Midi.
  c. Si vous vous dépêchiez, je pourrais vous conduire à la gare.

— Le deuxième étudiant:
  a. Si j'avais fini cette brochure, je te l'aurais passée.
  b. Si elle avait eu assez d'argent, elle serait partie. . . .
  c. Si vous vous étiez dépêché, j'aurais pu vous vous conduire à la gare.

1. Si je manque ce film, je le regretterai certainement.
   (premier étudiant: . . .)
   (deuxième étudiant: . . .) Et ainsi de suite. . . .

2. Si elle déplie à grand bruit ce papier, elle surprendra son ami.
3. Si vous parlez avec enthousiasme de ce film, elle aura envie d'aller le voir.
4. Si nous nous mettons tout de suite au travail, nous pourrons y aller ce soir.
5. Si vous partez sans voir mon amie, vous vous exposerez à ses critiques.
6. Si tu lui fais un récit de l'affaire, il s'en sentira tout ému.
7. S'ils entrent brusquement, ils nous empoisonneront l'existence.
8. Si le film lui fournit de tels modèles, il en sera reconnaissant.
9. Si elle répète sa leçon à haute voix, nous nous en plaindrons.
10. Si j'essaye de montrer mon enthousiasme pour Molière, je trouverai des raisons valables.

D. Vous avez certainement rencontré un "fâcheux," un "casse-pieds," au café, au cinéma, ou au théâtre. Décrivez-le dans une petite composition d'une trentaine de phrases où vous pourrez intégrer quelques-unes des constructions idiomatiques du texte.

Poussin: arbres dans une prairie. *(French Embassy Press and Information Division)*

«26»

Dernières recommandations

Monsieur Delavigne:

Mes chers voyageurs, vous voici donc sur le point d'embarquer pour la France. . . . J'ai passé ma soirée d'hier à tourner et retourner dans mon esprit ce qu'il me fallait absolument vous dire avant de vous souhaiter bonne route.

Il me semblait être cet homme qui, ayant deux bons amis qui ne se connaissaient pas encore, se décide enfin à favoriser leur rencontre. Au fond de lui il sait qu'ils vont se trouver sympathiques, il en est même convaincu . . . et pourtant il ne peut pas s'empêcher de s'inquiéter! Votre été en France est si long et si court à la fois, vos intérêts sont si variés, les trajets que vous projetez si différents. . . . Par où devais-je commencer? Sur quoi mettre l'accent? . . .

J'ai en définitive choisi pour porte-parole un artiste français du passé. J'espère qu'à travers Nicolas Poussin, peintre du XVIIe siècle, certaines tendances profondes de l'esprit français se révéleront à vous.

Je lui cède la parole. Voici un extrait de sa correspondance:

> Mon naturel me contraint de [1] chercher et aimer les choses bien ordonnées, fuyant la confusion qui m'est aussi contraire et ennemie comme est la lumière des obscures ténèbres.

Cette recherche de l'ordre qui répond à un besoin profond chez lui, elle s'exprime à travers tout son siècle. Son besoin d'organiser le monde qui l'entoure lui a valu l'admiration de peintres aussi divers que Delacroix, porte-drapeau de la peinture romantique, et Cézanne, initiateur du cubisme. Et de nos jours, chaque petit Français qui apprend parfois avec beaucoup de mal, à organiser ses idées dans une composition scolaire, continue cette tendance!

Si Poussin est l'ennemi du désordre, il est aussi celui de la hâte et de la précipitation. Il travaille lentement et longuement avec une patience de

[1] me contraint *à* en français moderne.

Scène mythologique où Poussin harmonise les hommes et la nature. (*French Embassy Press and Information Division*)

Nicholas Poussin par lui-même.

(*French Cultural Services*)

paysan. Voici comment ce provincial exprime à un ami son mépris envers les artistes . . . et les clients trop pressés, lorsqu'il lui écrit à propos d'un de ses tableaux:

Ce ne sont pas des choses que l'on puisse faire en sifflant comme vos peintres de Paris, qui en se jouant, font des tableaux en vingt-quatre heures. Il me semble que je fais beaucoup quand je fais une tête en un jour, pourvu qu'elle fasse son effet. C'est pourquoi je vous supplie de mettre l'impatience française à part, car si j'avais autant de hâte comme [2] ceux qui me pressent je ne ferais rien de bien.

[2] comme: que en français moderne.

Céramiques de Picasso. (*French Cultural Services*)

Pour fuir la confusion et la hâte de la capitale et afin de pouvoir vivre côte à côte avec les grandes œuvres du passé, Poussin avait choisi l'Italie pour seconde patrie. Il y menait une vie retirée, méditant sur les statues antiques et les monuments de la période romaine. Il connaissait l'art de regarder longuement un objet ou un être harmonieux et s'efforçait d'y initier ses amis.

Les choses esquelles [3] il y a de la perfection ne se doivent pas voir [4] à la hâte, mais avec temps, jugement et intelligence. Il faut user des [5] mêmes moyens à les bien juger comme à les bien faire.[6]

Il nous enseigne à tous le secret de la longue patience. Il nous apprend également à examiner les diverses facettes de la beauté et à les comparer avec fruit lorsqu'il remarque:

Les belles filles que vous aurez vues à Nîmes ne vous auront, je m'assure, pas moins délecté l'esprit par la vue, que les belles colonnes de la Maison Carrée,[7] vu que celles ici [8] ne sont que de vieilles copies de celles-là.

Voici notre ami Albert Clark qui dresse l'oreille! Décidément ces

[3] esquelles: dans lesquelles.
[4] En français moderne, ne doivent pas se voir.
[5] utiliser les.
[6] les bien juger: bien les juger; les bien faire: bien les faire.
[7] beau petit temple romain qui se trouve à Nîmes.
[8] celles ici: celles-ci.

Français à perruques ne sont pas si lointains que cela. . . . Cette méthode, il n'hésitera pas à l'appliquer, j'en suis sûr.

Si Poussin savait méditer la leçon que lui présentait un temple antique, un visage ou un corps parfait, il savait aussi interroger patiemment la nature depuis les grandes lignes de ses paysages jusqu'aux plus humbles de ses matériaux.

"Je l'ai vu," écrit un de ses contemporains, "considérer jusqu'à des pierres et des mottes de terre, et des morceaux de bois pour mieux imiter des rochers, des terrasses et des troncs d'arbres."

Par cette patiente interrogation des matériaux les plus modestes, il s'apparente à ces générations d'artisans français qui du Moyen-Age jusqu'à nous se transmettent la tradition du travail bien fait. . . . Entre l'artisan et l'artiste vous verrez que la ligne de partage n'est pas toujours facile à établir: au lendemain de la guerre, Picasso a exploré dans le Midi les possibilités que lui offrait l'art des potiers.

Nicolas Poussin, ce Normand qui examine longuement un morceau de bois ou une motte de terre afin de créer un paysage idéal où l'homme et ses monuments s'harmonisent à la nature, évoque la patience séculaire des paysans qui ont fait de la terre de France un grand jardin harmonieux.

Les paysages français vous attendent, les villages groupant autour de leur église les cercles de leurs maisons et de leurs champs. Vous y serez rarement écrasés par la grandeur de la nature. Déjà dans les illustrations des livres de prière du Moyen Age, l'homme et ses travaux y sont installés.

Un pays harmonisé par l'homme, à la mesure de l'homme va s'ouvrir à vous.

Bonne route!

VOCABULAIRE

Noms

l'arbre *m.* tree
le bois wood
le cercle circle
le champ field
la colonne column
l'effet *m.* effect
l'ennemi *m.* (*f.* **ennemie**) enemy
la 'hâte haste
l'intérêt *m.* interest
le jardin garden
la ligne line
le mal evil, difficulty
–**beaucoup de mal** a lot of difficulty
les matériaux *m. pl.* materials
le mépris scorn
la mesure measure
–**à la mesure de** on the same scale as
la motte de terre clod
le naturel nature

Noms (suite)

le Normand Norman, native of Normandy
le partage division
le passé past
la peinture painting
la pierre stone
le point de départ point of departure
le porte-drapeau standard bearer
le porte-parole mouthpiece
le potier potter
la prière prayer
la rencontre meeting
le rocher rock
les ténèbres *f. pl.* darkness
la terrasse terrace
le trajet journey, trip
le tronc trunk (of a tree)
la vue sight

Verbes

s'apparenter to be related to
appliquer to apply
céder to yield
  –céder la parole à to yield the floor to
contraindre to force
délecter to delight
écraser to crush
s'efforcer (de) to strive (to)
enseigner to teach
favoriser to favor
fuir flee
initier to initiate
interroger to question
juger to judge
projeter to plan
retourner to return, turn around, turn over, go back to
siffler to whistle
supplier to beg
tourner to turn
transmettre to transmit
valoir to be worth, to win for someone

Adjectifs et adverbes

court short
facile easy
lentement slowly
lointain distant
obscur dark
ordonné ordered, organized
parfois at times
pourtant however
scolaire school, pertaining to school
séculaire century-old
sympathique congenial

Prépositions et conjonctions

afin de to, so as to
jusqu'à up to, as far as, even
pourvu que provided that

Expressions diverses

au fond de in the depths of
dresser l'oreille to prick one's ears
en définitive finally
je m'assure I am sure
mettre à part to put aside
souhaiter bonne route à to wish (someone) luck on the road
vu que seeing that

EXERCICES

A. Répondez en français d'après le texte.

1. Comment le professeur Delavigne a-t-il passé sa soirée?
2. Il sait que ses amis vont se trouver sympathiques, et pourtant?
3. Pourquoi M. Delavigne ne sait-il pas par où commencer, sur quoi il devrait mettre l'accent?
4. Quel artiste a-t-il en définitive choisi pour porte-parole?

5. Qu'est-ce qu'il espère?
6. Qu'est-ce que la personnalité de Poussin l'oblige à aimer?
7. Qu'est-ce qu'il cherche à fuir?
8. Où s'exprime sa recherche de l'ordre?
9. Son besoin d'organiser le monde a valu à Poussin l'admiration de quels peintres?
10. De quel mouvement Delacroix a-t-il été le porte-drapeau?
11. A quel mouvement les théories de Cézanne ont-elles servi de point de départ?
12. Comment chaque petit Français continue-t-il cette tendance à organiser? (Utilisez la construction *en* et le *participe présent.*)
13. De quoi Poussin est-il aussi ennemi?
14. Comment travaille-t-il?
15. Comment travaillent les peintres de Paris qu'il critique?
16. Pourquoi Poussin avait-il choisi l'Italie pour seconde patrie?
17. Quelle sorte de vie y menait-il?
18. Sur quelles statues et sur quels monuments méditait-il?
19. A quel art s'efforçait-il d'initier ses amis?
20. Que nous enseigne-t-il à tous?
21. A quoi compare-t-il les belles filles de Nîmes?
22. Qu'est-ce que Poussin cherchait dans la nature?
23. Pourquoi considérait-il si longuement des pierres, des mottes de terre, et des morceaux de bois?
24. A qui s'apparente-t-il par cette patiente interrogation des matériaux les plus modestes?
25. Quelle remarque le professeur fait-il au sujet de l'artisan et de l'artiste?
26. Quelles possibilités Picasso a-t-il explorées dans le Midi?
27. Quand Poussin examine longuement un morceau de bois, qu'est-ce qu'il évoque?
28. Qu'est-ce que les étudiants trouveront au centre d'un village?
29. Que verront-ils autour de l'église?
30. Où trouve-t-on déjà l'homme et ses travaux installés dans la nature?
31. Quelle sorte de pays va s'ouvrir aux étudiants?

B. Exercices à livres ouverts. Combinez chaque paire de phrases, en changeant le verbe en italiques au participe présent.

EXEMPLE

— Albert écoute le professeur. Il *regarde* la pendule.
— Albert écoute le professeur en regardant la pendule.

1. M. Delavigne donne ses dernières recommandations. Il nous *souhaite* bonne route.
2. Il les retourne dans son esprit. Il *arrive* à l'université.
3. Il choisit pour porte-parole Poussin. Il *espère* révéler ainsi certaines tendances profondes de l'esprit français.
4. Il se décide à favoriser leur rencontre. Il *est* convaincu qu'ils vont se trouver sympathiques.

EXEMPLE

— Nous regardons (avons regardé) ces belles illustrations pendant que nous *cherchons* (cherchions) des mots dans le dictionnaire.
— Nous regardons ces belles illustrations *en cherchant* des mots dans le dictionnaire.

1. Il essaye d'organiser le monde qui l'entoure pendant qu'il *a l'air* de rêver.
2. Vous pouvez considérer les remarques du professeur à propos du cubisme, pendant que vous *admirez* ce tableau.
3. Il nous a supplié de cultiver la patience, pendant qu'il *exprimait* son mépris envers les artistes trop pressés.
4. Nous avons écouté avec soin la conférence du guide, pendant que nous *méditions* sur ces statues antiques.

EXEMPLE

— *J'ai médité* sur ces statues antiques. J'ai appris l'art de regarder longuement les objets harmonieux.
— *En méditant* sur ces statues, j'ai appris l'art de. . . .

1. *Il nous a enseigné* à tous le secret de la longue patience. Il nous a appris à comparer les diverses facettes de la beauté.
2. *Il a entendu* mes remarques sur les belles filles de Nîmes. Albert a dressé l'oreille.
3. Poussin *a interrogé* les matériaux les plus modestes. Il s'est apparenté à des générations d'artisans français.
4. Picasso *a exploré* dans le Midi les possibilités que lui offrait l'art des potiers. Il a montré que la ligne de partage entre l'artisan et l'artiste n'est pas toujours facile à établir.

ETUDE DE GRAMMAIRE XIII

69. The Principal Parts of Verbs (*Les Temps primitifs des verbes*)

From five forms of the verb known as the *principal parts* (les temps primitifs) it is possible to derive the tenses of all regular verbs and of many irregular verbs. The principal parts are (1) the infinitive, (2) the present participle, (3) the past participle, (4) the first person singular of the present indicative, (5) the first person singular of the *passé simple*.

The table below gives the principal parts of verbs of the three regular conjugations and those of two so-called irregular verbs whose tenses may be derived from the principal parts.

infinitive	*present participle*	*past participle*	*present indicative*	*passé simple*
étudier	étudiant	étudié	étudie	étudiai
finir	finissant	fini	finis	finis
attendre	attendant	attendu	attends	attendis
dormir	dormant	dormi	dors	dormis
mettre	mettant	mis	mets	mis

A. FROM THE FIRST PRINCIPAL PART

The future and conditional are obtained by adding the endings. The final *-e* of *-re* verbs is dropped.

étudier	étudierai	étudierais
attendre	attendrai	attendrais

B. FROM THE SECOND PRINCIPAL PART

The plural of the present indicative, the plural of the imperative, the present subjunctive and the imperfect are obtained by dropping the final *ant* and adding the endings.

étudiant	nous étudions	étudiez	que j'étudie	il étudiait
finissant	nous finissons	finissez	que je finisse	il finissait
attendant	nous attendons	attendez	que j'attende	il attendait
dormant	nous dormons	dormez	que je dorme	il dormait
mettant	nous mettons	mettez	que je mette	il mettait

C. FROM THE THIRD PRINCIPAL PART

All the compound tenses are obtained by using the proper auxiliary.

étudié	il a étudié	il aura étudié	qu'il ait étudié
fini	il a fini	il aura fini	qu'il ait fini
attendu	il a attendu	il aura attendu	qu'il ait attendu
dormi	il a dormi	il aura dormi	qu'il ait dormi
mis	il s'est mis	il se sera mis	qu'il se soit mis

D. THE FOURTH PRINCIPAL PART

The singular of the present indicative is obtained from the fourth principal part. If it ends in *-e,* the endings *-es* and *-e* are used for the two other persons; if it ends in *-s, -s* and *-t* [1] are used. The singular imperative is identical to the fourth principal part.

étudie	tu étudies	il étudie	étudie
finis	tu finis	il finit	finis
attends	tu attends	il attend	attends
dors	tu dors	il dort	dors
mets	tu mets	il met	mets

E. THE FIFTH PRINCIPAL PART

This indicates, by its ending, the type of endings used in the *passé simple* of that verb (see section 59). The imperfect subjunctive, a tense to be studied later, is obtained by removing the last letter of the fifth principal part and adding the special endings of the imperfect subjunctive (section 78).

étudiai	tu étudias	il étudia	nous étudiâmes
finis	tu finis	il finit	nous finîmes
attendis	tu attendis	il attendit	nous attendîmes
dormis	tu dormis	il dormit	nous dormîmes
mis	tu mis	il mit	nous mîmes

70. Suggestions for Learning Irregular Verbs (*Pour apprendre les verbes irréguliers*)

If the recommendations in this book have been followed, the student will have already learned some of the most important and most difficult of

[1] If the principal part has *d* before *s,* no *t* is added in third person; if it has *t* before *s* no additional *t* is added.

the irregular verbs. The classification given below should help in learning the others.

A. IRREGULAR VERBS WHOSE FORMS MAY BE DERIVED FROM PRINCIPAL PARTS

All forms of the following irregular verbs may be derived from the principal parts: [2]

battre, conclure, conduire, construire, courir (*fut.* courrai), couvrir, craindre (and all other verbs in *-indre,* such as plaindre, éteindre, joindre), cueillir (*fut.* cueillerai), dire (*2nd pl. pres. indic.* dites), dormir, écrire, lire, mentir, mettre, offrir, ouvrir, partir, rire, sentir, servir, suffire, suivre, taire, vaincre (*3rd sing. pres. indic.* vainc), vivre (and their compounds)

B. IRREGULAR FUTURES

1. Verbs in *-oir* have irregular futures.

avoir–aurai, devoir–devrai, falloir–faudra, pouvoir–pourrai, recevoir–recevrai, savoir–saurai, valoir–vaudrai, voir–verrai, vouloir–voudrai

2. The following verbs also have irregular futures.

aller–irai, asseoir–assiérai (assoirai), conquérir–conquerrai, courir–courrai, cueillir–cueillerai, envoyer–enverrai, être–serai, faire–ferai, mourir–mourrai, tenir–tiendrai, venir–viendrai

C. OTHER IRREGULARITIES

These are found in the present indicative and the present subjunctive. Some are superficial and unimportant, as in the verbs whose present indicative can be derived from the principal parts as explained above. An exception is the third person singular, where a circumflex accent must be added to the *i* preceding the final *-t*. This is true of these three:

connaître	je connais	il connaît
naître	je nais	il naît
plaire	je plais	il plaît

There are also verbs with a stem ending in *-oi* or *-ui,* whose only irregularity in the present indicative and in the present subjunctive is the shift

[2] With minor exceptions noted.

from *-oi* or *-ui* to *-oy* or *-uy* in the first and second persons plural. This is true of:

infinitive	*present*			*present subjunctive*	
croire	crois	croyons	croient	croyions	croient
envoyer	envoie	envoyons	envoient	envoyions	envoient
voir	vois	voyons	voient	voyions	voient
fuir	fuis	fuyons	fuient	fuyions	fuient

The other important irregular verbs have unclassifiable irregularities and must be learned from the tables in the appendix in these two tenses. The list follows.

> aller, avoir, asseoir, boire, devoir (recevoir is similar, except that when *c* is followed by *o* or *u* a cedilla must be placed on it), être, faire, mourir, pouvoir, prendre, savoir, tenir (venir is similar), valoir, voir, vouloir

71. Orthographical Peculiarities of *-er* Verbs (*Particularités orthographiques des verbes en* -er)

These are called "orthographical" because they involve the spelling, not the pronunciation.

A. VERBS IN "-CER" AND "-GER"

When the *c* or the *g* is followed by *a* or *o*, the *c* changes to ç and the g to *ge*.

> Par où M. Delavigne *commençait*-il?
> Nous *interrogeons* patiemment la nature.

B. VERBS IN "-YER"

1. Verbs in *-oyer* and *-uyer* change the *y* to *i* before a mute *e*. (This change occurs in the entire singular and in the third plural of the present indicative and the present subjunctive, in the singular imperative and throughout the future and the conditional.)

> Daumier *employait* des tons foncés.
> Buffet n'*emploie* pas d'aussi belles couleurs que celles de Poussin.

2. With verbs in *-ayer*, the change from *y* to *i* before a mute *e* is optional:

Poussin *essaye* (ou *essaie*) de fuir la confusion de la capitale.

C. VERBS WITH A MUTE "E" AS LAST STEM VOWEL (*Verbes à radical en* e *muet*)

Most of these verbs change the mute *e* to *è* when there is a mute *e* in the ending. (These are the same forms as listed in the parenthesis under B, 1, above).

Il *menait* une vie retirée.
Il *mène* une vie retirée.
Il *mènera* une vie retirée.
Achetons des cadeaux.
J'*achète* des cadeaux.

Certain verbs in *-eler* and *-eter* (*appeler* and its compounds and *jeter* and its compounds are the most common of these) double the final stem consonant before a mute *e* in the forms listed above.

Comment vous *appelez*-vous? Je m'*appelle* Jean.
Les trajets que vous *projetez* sont entièrement différents de ceux que je *projette*.

D. VERBS WITH "É" AS THE LAST STEM VOWEL (*Verbes à radical en é*)

These verbs change *é* to *è* before a mute *e* in the present indicative, the present subjunctive and the imperative singular, but retain the *é* in the future and conditional.

Il ne peut pas s'empêcher de s'*inquiéter*, mais moi je ne m'*inquiète* pas; je ne m'*inquiéterai* jamais.
Cédons la parole à Poussin. Bon! je lui *cède* la parole.

Exercices

I. Exercice à livres ouverts. Mettez au présent les verbes en italiques.

EXEMPLE

— Nous *avons acheté* des cadeaux.
— Nous *achetons* des cadeaux.

1. En Italie, nous *avons mené* une vie retirée.
2. J'*ai acheté* la reproduction d'un tableau de Poussin.
3. A l'entrée du jeune marquis un bruit s'*est élevé*.
4. Quand vous *avez fini*, j'*ai cédé* la parole à votre ami.
5. Je ne me *suis* pas *inquiété* des problèmes de Joseph.
6. En parlant de Poussin, j'*espérais* vous intéresser.
7. Molière *a décrit* un groupe de casse-pieds qu'il *a appelé* les *Fâcheux*.
8. Il *a jeté* un coup d'œil sur ce tableau.
9. Joseph et ses amis *ont projeté* beaucoup de voyages.
10. Les moyens que ce peintre *a employés* sont trop simples.
11. Ils n'*ont* pas toujours *réussi*, mais ils *ont essayé*.
12. Nous n'*avons* pas *interrogé* ces paysans.
13. Nous *avons commencé* par prendre Poussin comme porte-parole.

II. Complétez les phrases avec la forme convenable du verbe entre parenthèses.

1. (appeler) Molière a décrit un groupe de casse-pieds qu'il ____ *les Fâcheux*.
2. (s'élever) Hier à l'entrée du jeune marquis un bruit ____.
3. (céder) Quand vous aurez fini, je ____ la parole à votre ami.
4. (interroger) Il ____ ces paysans quand son ami est arrivé.
5. (mener) Quand nous sommes en Italie, nous ____ une vie retirée.
6. (fuir) Il faut que vous ____ la hâte et la confusion de la capitale.
7. (acheter) Demain j'____ la reproduction de ce tableau de Poussin.
8. (appeler) Je ne sais comment il s'____.
9. (employer) Les moyens que ce peintre ____ sont trop simples.
10. (servir) En ce moment il ne se ____ pas souvent de son auto.
11. (espérer) En parlant de Poussin, j'____ vous révéler certaines tendances.
12. (essayer) Ils ne réussissent pas toujours, mais ils ____.
13. (inquiéter) Aujourd'hui je m'____ à propos de votre été en France.
14. (jeter) Il faut qu'il ____ un coup d'œil sur ce tableau.
15. (naître) Un Poussin ne ____ pas tous les jours.

72. The Infinitive after Nouns and Adjectives (*L'Infinitif après les noms et les adjectifs*)

Compare:

Vous remarquerez chez Poussin un *besoin d'organiser* le monde qui l'entoure.

Poussin connaissait l'*art de regarder* longuement un objet harmonieux.
Nous sommes *heureux de faire* votre connaissance.

and

Daumier a observé notre *tendance à* nous *payer* de grands mots.
La ligne de partage n'est pas toujours *facile à établir*.

Most nouns and adjectives which are followed by an infinitive as complement require *de* before the infinitive. Some, denoting fitness, readiness, tendency, purpose, require *à* before the infinitive.

III. Exercice sur l'emploi des prépositions après les noms et les adjectifs. Remplacez l'expression "sentait le besoin" par les expressions que le professeur vous lira en changeant les prépositions s'il le faut.

Poussin *sentait le besoin* d'organiser le monde.

1. était content
2. avait envie
3. trouvait très facile
4. était bien aise
5. a eu la bonne idée
6. avait tendance
7. était prêt

73. Notes on Prepositions (*Notes sur les prépositions*)

A. PREPOSITIONS WITH VERBS

Most prepositions take the infinitive (see sections 67 and 72). The following special cases must be noted:

1. Par, "by," takes the infinitive, but may be used with an infinitive complement only after the verbs *commencer* and *finir:*

Mary a dit qu'elle *commencerait par faire* un long voyage.

2. *En,* "in" (but also "by" and "while") takes the present participle:

Les bons tableaux ne se font pas *en sifflant,* dit Poussin.
Daumier a exprimé ses critiques des bourgeois *en* les *peignant* comme ils sont.

3. *Après* takes the *compound* infinitive:

Après avoir fini un tableau ce peintre en commence un autre.

B. NOTE ON THE USE OF PREPOSITIONS

French prepositions often have no exact counterpart in English. Only by long study and practice can the student learn to use them well. Certain special warnings with regard to the use of *à* and *de* may be helpful.

A means both "at" and "to," whereas *de* means not only "of" and "from," but it is also the sign of the partitive. The student must be careful to avoid ambiguity in using them. Thus, distinguish between

Je prends le train à Paris. I take the train at Paris.
and
Je prends le train pour Paris. I take the train to Paris.

Also note that, in translating "He knows how to question nature, from the lines of the landscapes to its most humble materials,"

des lignes des paysages

would not be clear. Another preposition is used

depuis les lignes des paysages

Similarly, the French translation of Steinbeck's *Of Mice and Men* given as

Des Souris et des hommes

is a poor translation, unless (as was possibly the case) ambiguity was intended.

Exercice

IV. Exercice de synthèse sur l'emploi des prépositions.

1. En somme c'est une chose très facile ____ faire.
2. ____ vieillissant on devient plus sage et plus fou.
3. Je suis content ____ savoir que vous restez.
4. Avez-vous appris l'art ____ être grand-père?
5. J'étais vraiment en humeur ____ écouter.
6. Nous aurions été bien contents ____ les rencontrer.
7. Mais ils ne sont pas très faciles ____ comprendre.
8. Je vous supplie ____ mettre votre patience de côté.
9. Il nous apprend ____ apprécier les œuvres de ce grand peintre.
10. Il avait envie ____ établir la ligne de partage.

11. Vous trouvez que nous avons tendance ____ nous satisfaire trop facilement.
12. Exaspéré, il a fini ____ dénoncer tous ces casse-pieds.
13. On ne fait pas un tableau ____ sifflant.
14. Ce serait une bonne idée ____ continuer notre étude de la France.

74. Interrogative Pronouns in Indirect Questions (*Les Pronoms interrogatifs dans les questions indirectes*)

Compare:

Qui est Poussin? Je ne sais pas *qui* est Poussin.
Qui Cézanne a-t-il admiré? Je ne sais pas *qui* Cézanne a admiré.
A *qui* ces fâcheux ressemblent-ils? Je ne sais pas à *qui* ces fâcheux ressemblent.
A *quoi* ressemblent ces tableaux cubistes? Je ne sais pas *à quoi* ces tableaux cubistes ressemblent.

and

Qu'admire Cézanne? Je ne sais pas *ce qu'*il admire.
Qu'est-ce que Cézanne admire? Je ne sais pas *ce qu'*il admire.
Qu'est-ce qui inquiète cet homme? Je ne sais pas *ce qui* l'inquiète.

In indirect questions, the interrogative pronouns *qui?*, subject, direct object and object of a preposition, and *quoi?*, object of a preposition, are unchanged. *Que?* and *qu'est-ce que?*, on the other hand, become *ce que*, and *qu'est-ce qui?* becomes *ce qui*.

Exercices

V. Répondez à chaque question par une phrase qui commence par "Je ne sais pas. . . ." Chaque question sera répétée deux fois.

1. Qu'est-ce que Molière a dénoncé dans *les Fâcheux?*
2. Qui était représenté dans le film du Ciné-Club?
3. Avec qui Maurice est-il allé au Ciné-Club?
4. Qu'est-ce qui a fait dresser l'oreille à Albert Clark?
5. Que pense Albert Clark des perruques du dix-septième siècle?
6. Sur quoi Poussin méditait-il?
7. Qui nous enseigne le secret d'une longue patience?

VI. Sujets de compositions.

1. Le casse-pieds que j'ai vu au Ciné-Club. (Dans une situation de la vie de tous les jours, cet individu agit d'une façon très semblable à celle du fâcheux du XVIIe siècle.)
2. Décrivez un tableau de Poussin. (Le tableau reproduit dans ce livre ou un autre que vous aurez vu.)

La façade de St. Trophime, amoureusement ciselée.

(*French Cultural Services*)

1. Qui a écrit cette lettre?
2. De quelle ville est-elle écrite?
3. De quoi l'avait-on prévenu à propos de la vie à Paris?
4. Qu'est-ce qu'il n'est pas près d'oublier?
5. Qu'avait-il vu dans les rues?
6. Décrivez la cohue sur les boulevards.
7. De quelle humeur étaient les douaniers de l'aéroport et les Parisiens?
8. Qu'est-ce qui lui bouchait toute perspective?
9. Que s'est-il exclamé?
10. Qu'a-t-il fait avant de s'endormir?
11. A l'aube, qu'est-ce qui est venu lui remonter le moral?
12. Qu'a-t-il vu autour du train?
13. A Aix, que répète-t-il tous les matins au saut du lit?
14. Que prend-il au café du coin?
15. Qu'est-ce que les fermiers apportent au marché en plein air?
16. Qu'est-ce que Jim se surprend à chanter à la grosse marchande?

«27»

Une lettre de Provence

Aix, le 15 juillet

Mon cher professeur,

Je n'ai fait que passer par Paris. On m'avait prévenu que le rythme y était précipité! Je ne suis pas près d'oublier les quelques heures de bousculade que j'y ai vécues. Imaginez des flots de petites voitures, de scooters, de camionnettes de toutes formes et cette circulation encore multipliée par ses reflets car il avait plu. Sur les boulevards se pressait une cohue de gens qui n'avaient pas une minute à perdre et qui semblaient de très mauvaise humeur. . . . Après les douaniers de l'aéroport, les Parisiens me faisaient grise mine.

Deux heures plus tard, installé dans mon train j'ai essayé de jeter un coup d'œil sur la ville mais de grandes maisons noirâtres se carraient sous un ciel plombé et me bouchaient toute perspective. "Vivement la Provence!" me suis-je exclamé. Après m'être installé à mon aise dans un coin et avoir dénoué mes lacets de soulier, je me suis endormi.

A l'aube, quand j'ai ouvert les yeux, un rayon de soleil est venu me remonter le moral. Autour du train des collines, des petits murs de pierres, çà et là une modeste maison aux murs blancs et nus et ces arbres presque noirs, dressés comme une plume plantée tout droit . . . des cyprès . . . la Provence!

Tous les matins, au saut du lit, je me répète ce mot magique. Et tous les matins le soleil est de la fête. Un café-crème et un croissant au café du coin et en route vers le petit marché en plein air où les fermiers de la région apportent leurs fruits appétissants, leurs légumes bigarrés et leur accent sonore: "Goûtez mes cerises, mon beau monsieur. . . ." "Tâtez-moi ces pêches fondantes, elles vous mettent l'eau à la bouche. . . ." Je me surprends à chanter à la méridionale: "Une bonne livre, ma belle," à la grosse marchande!

17. Qu'est-ce qui se trouve dans son sac?
18. Comment explore-t-il parfois la région?
19. Que lui faut-il faire pour retrouver ses meilleurs souvenirs?
20. Quelle ville retrouve-t-il d'abord?
21. Comment s'y revoit-il?
22. Où se trouve cette ancienne capitale romaine?
23. De quels monuments parle-t-il ensuite?
24. Par quoi les grandes dalles de pierre ont-elles été rendues lisses?
25. Que revoit-il dans la façade de Saint-Trophime?
26. Quelle apparence l'ensemble des sculptures donne-t-il à cette façade?
27. Que retrouve-t-il après la profusion de la façade?
28. Que découvre-t-il sur chacune des colonnes du cloître?
29. Quel souvenir l'ombre du cloître évoque-t-elle en lui?
30. Que trouve-t-on dans le musée?
31. Caractérisez le pays dès qu'on quitte Arles.
32. Qu'est-ce qui couvre le halètement de son vélomoteur?
33. Vers lequel de ses endroits favoris monte-t-il?
34. Qui y habitait autrefois?
35. Quand le nid des seigneurs-pirates a-t-il été détruit?

Mon vélomoteur est prêt à partir; dans mon sac se trouvent pain, fromage, saucisson et fruits, un carnet pour notes et croquis, un appareil photographique. En avant!

Parfois j'explore systématiquement, parfois je me laisse guider par le hasard, mais toujours la région a des richesses à partager avec moi. Il ne m'est guère difficile de retrouver mes meilleurs souvenirs: je n'ai qu'à fermer les yeux. Mais il est bien dur de choisir parmi eux.

Arles! Je m'y revois allant de surprise en surprise. Je redécouvre la capitale romaine commodément installée sur la boucle du Rhône, les immenses arènes et le théâtre avec ses deux colonnes si pures se dressant lumineuses au fond de la scène, un monde de grandes dalles de pierre blanchies par le soleil, rendues lisses par le frottement de milliers et de milliers de pas. Je revois quelques-unes des colonnes romaines intégrées dans la façade de l'église Saint-Trophime. L'ensemble des sculptures donne à cette façade l'apparence d'un énorme coffret à bijoux, en vieil ivoire amoureusement ciselé. Après la profusion de la façade, je retrouve l'ombre fraîche du cloître et la joie de découvrir sur chacune de ses colonnes l'imagination sans cesse renouvelée des sculpteurs des périodes romanes et gothiques. Aux petits personnages trapus ou aux longs corps hiératiques succèdent d'harmonieuses silhouettes enroulées souplement autour des colonnes.

L'ombre du cloître évoque en moi le souvenir des salles fraîches du Musée folklorique voisin avec ses costumes provençaux et ses reconstitutions d'intérieurs ruraux.

Dès qu'on quitte Arles le paysage devient accidenté et la chanson stridente des cigales couvre le halètement de mon vélomoteur qui s'attaque à des vagues successives de collines. Je monte peu à peu vers un de mes endroits favoris, l'éperon sauvage des Baux, ancien nid de seigneurs pirates, détruit au XVIIe siècle "de par le roy!"

Sur le grand plateau pierreux, une vue difficile à oublier vous attend. Vous effacez de votre souvenir la rue principale du village qui vous a mené jusqu'ici avec ses pièges à touristes: énormes cigales en céramique qui font penser à des cochons-tirelires, cartes postales aux couleurs criardes avec paysannes en costume local et sourire souligné en rouge. . . .

Devant vos yeux, terres rouges et brunes, cyprès, oliviers, petits murs et maisonnettes s'organisent en un tableau gigantesque ayant pour fond la Méditérranée lorsque le temps est très clair.

36. Qu'est-ce qui attend le voyageur sur le grand plateau pierreux?
37. Quels pièges à touristes rencontre-t-on dans la rue principale du village?

38. Qu'est-ce qui se dresse derrière le voyageur?
39. Qu'est-ce qu'on ne peut plus distinguer quand la nuit vient?
40. Qu'est-ce que les attaques massives du mistral évoquent?
41. Qu'y a-t-il aux portes d'Aix?
42. Que peut-on contempler de la terrasse du café du Tholonet?
43. Que peut-on voir en revenant vers Aix?
44. Qu'entend-on en flânant par les vieilles rues d'Aix?

VOCABULAIRE

Noms

l'accueil *m.* welcome
l'aéroport *m.* airport
l'appareil photographique *m.* camera
les arènes *f. pl.* amphitheater
l'aube *f.* dawn
le bijou jewel
la boucle buckle, (of river) bend
la bousculade jostling
la camionnette pickup truck
la cerise cherry
la cigale cicada
le cloître cloister
le cochon-tirelire piggy bank
le coffre box
la cohue mob
la colline hill
la crème cream
 –**café crème** (coffee with cream or milk)
le croissant crescent shaped breakfast roll
le croquis sketch
le cyprès cypress
la dalle flagstone
le douanier customs employee
l'éperon *m.* spur
la falaise cliff
la fête party
 –**être de la fête** to join the party
le flot wave
la fontaine fountain
le frottement rubbing
le lacet lace (of a shoe)
le légume vegetable
la livre pound (½ kilogram)
la maison house
la maisonnette little house
le marché market
le millier about one thousand
la mine appearance
 –**faire grise mine** to meet or receive coldly

Derrière vous se dresse, au milieu d'un chaos de rochers et de ruines, le squelette de ce que fut la forteresse des Baux. Quand la nuit vient on ne sait plus où le rocher s'arrête et où le château en ruines commence et si le mistral souffle, ses attaques massives contre la falaise rocheuse évoquent les vagues de la mer. Tout devient possible. . . .

Mais il n'est pas toujours nécessaire de couvrir de grandes distances pour enrichir vos souvenirs. Aux portes d'Aix, quand le soir tombe, un tout petit village vous réserve un accueil tranquille. De la terrasse du café du Tholonet, vous pouvez contempler à loisir les vagues rocheuses qui annoncent le voisinage de la Montagne Sainte-Victoire, chère à Cézanne. Quand la nuit descend vous revenez vers Aix en vous retournant en haut des côtes pour regarder la grande masse de Sainte-Victoire qui se fond dans les ténèbres.

Vous rentrez chez vous, en flânant par les vieilles rues d'Aix, accompagné par le chant de leurs fontaines.

Recevez les respectueux souvenirs d'un autre fils du soleil.

Jim Gerald

---

le mistral cold north wind of Provence
la montagne mountain
le moral morale
le mur wall
le nid nest
l'olivier *m.* olive tree
la pêche peach
la perspective view
le piège trap
la plume feather
le rayon ray
le reflet reflexion
le roy king (old spelling of **roi**)
  –de par le roy by the king's authority
la salle room, hall
le saucisson hard sausage (like salami)
le seigneur lord
le soulier shoe
le squelette skeleton
le vélomoteur motorbike
le voisinage neighborhood

Verbes

apporter to bring
blanchir to whiten
boucher to block
se carrer to squat
chanter to sing, speak with a lilt
dénouer to untie
détruire to destroy
dresser to rise straight up
s'endormir to go to sleep
enrouler to roll
flâner to stroll
fondre to melt
partager to share
prévenir to warn
redécouvrir to rediscover
remonter to revive
renouveler to renew
souffler to blow
surprendre to surprise
tâter to feel (by touching)

Adjectifs et adverbes

accidenté hilly
amoureusement lovingly
ancien (*f.* **ancienne**) old, former

Adjectifs et adverbes (suite)

appétissant appetizing
bigarré colorful
blanc white
brun brown
ciselé carved
clair clear
commodément conveniently
criard discordant
fondant juicy
gigantesque gigantic
lisse smooth
méridional southern (of the Midi)
noir black
noirâtre blackish
nu bare
pierreux (*f.* **pierreuse**) stony
plombé leaden
presque almost
prêt ready
rocheux (*f.* **rocheuse**) rocky
roman romanesque
souplement pliably
trapu stocky
voisin neighboring

Pronom indéfini

chacun each one

Expressions diverses

çà et là here and there
en avant forward
en haut de at the top of
en plein air open air
au saut du lit on jumping out of bed
sans cesse ceaselessly
vivement la Provence! come quick, Provence!
des flots de voitures streams of cars

EXERCICES

B. Exercice sur le futur. Relisez cette lettre de Jim en mettant tous les verbes au futur ou au futur antérieur selon le cas.

C. Racontez un voyage que vous avez fait en chemin de fer ou en autocar. Utilisez si possible les constructions suivantes: *être prêt à partir; dénouer ses lacets; boucher toute perspective; je n'ai fait que; de bonne (mauvaise) humeur; faire grise mine à; jeter un coup d'œil sur; remonter le moral à; çà et là; être de la fête; en route vers; se surprendre à faire quelque chose; parfois . . . parfois . . . ; n'avoir qu'à (verbe infin.) quelque chose; succéder à; faire penser à; en haut de.*

D. Exercices sur la voix passive. Relisez les phrases suivantes en commençant chaque phrase par *on*.

EXEMPLE

– Il a été prévenu.
– On l'a prévenu.

1. J'ai été prévenu.
2. Vous avez été prévenu.
3. Nous avons été prévenus.
4. Ces efforts ont été redoublés.

5. Elle a été installée dans un coin.
6. Les fenêtres ont été ouvertes.
7. Cette plume a été plantée tout droit.
8. Mes lacets ont été dénoués.
9. Ce nom magique a été répété 1000 fois.
10. Cette montagne a été explorée systématiquement.
11. Les colonnes romaines ont été retrouvées.
12. La capitale romaine a été découverte.

1. De quelle ville et de quelle région Mary écrit-elle cette lettre?
2. De qui est-elle la fille adoptive?
3. Depuis quand les Bellanger demeurent-ils à Blois?
4. Quelle est la profession de M. Bellanger?
5. Grâce à qui Mary a-t-elle reçu cette invitation?
6. Quel âge a Lucile?
7. Quels sont les rapports entre les deux jeunes filles?
8. A quoi le sourire de Madame Bellanger fait-il penser?
9. Que font Lucile et son père pendant les repas?
10. Que fait Madame Bellanger de temps à autre?
11. Que rappelle-t-elle aux contestants?
12. Pourquoi a-t-elle le droit de leur rappeler cela?
13. Quelles sont les sérieuses craintes de Mary?
14. De quoi Mary et Lucile se servent-elles tous le jours?
15. Que pense-t-elle de sa compétence comme cycliste?
16. Quels avantages la vallée de la Loire offre-t-elle à Mary?
17. Comment avait-elle trouvé les repas les premiers jours?

«28»

Lettre de la vallée de la Loire

Blois, le 30 juillet

Mon cher professeur,

Me voici depuis six semaines la fille adoptive de Monsieur et Madame Bellanger et je me félicite tous les jours d'avoir accepté leur invitation à venir vivre chez eux.

Les Bellanger ont de tout temps demeuré à Blois où M. Bellanger est propriétaire d'un grand magasin de bicyclettes et de motos. C'est grâce à Lucile, leur fille unique, avec laquelle je corresponds depuis l'année dernière, que j'ai reçu cette invitation. Elle a le même âge que moi, je partage sa chambre et nous nous entendons très bien.

Mais je ne voudrais pas oublier la maman de Lucile, très discrète, mais dont le sourire fait penser au gris lumineux des maisons et du ciel de la région.

Imaginez-vous nos repas quotidiens: Lucile, très animée, très vive et son père, les yeux brillants d'humour, se renvoyant la balle et Madame Bellanger qui rétablit patiemment l'ordre de temps à autre et rappelle aux contestants que la nourriture bien préparée mérite un peu plus de respect. Elle en a le droit car c'est un cordon bleu inégalable. J'en arrive à avoir de sérieuses craintes pour ma ligne! Heureusement que nous nous servons de nos bicyclettes tous les jours. Sans être une championne je commence à me distinguer. D'ailleurs la vallée de la Loire semble être dessinée tout spécialement pour moi car les pentes y sont très douces. Mais où en étais-je?

Les tout premiers jours j'avais trouvé les repas un peu chargés et un peu longs: une bonne heure pour le déjeuner, une heure et demie au moins pour le dîner. . . . Mais je m'y suis habituée peu à peu et je tiens

18. Combien de temps passait-on à déjeuner? à dîner?
19. Mais qu'est-ce qui arrive peu à peu à Mary?

20. Que discutent les Bellanger et Mary?
21. Qu'est-ce qui arrive parfois au ton de la discussion?
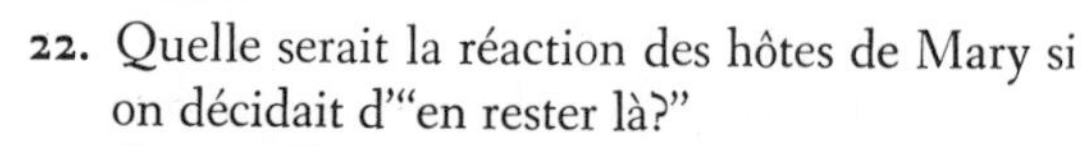
22. Quelle serait la réaction des hôtes de Mary si on décidait d'"en rester là?"
23. Sur quelle question Lucile estime-t-elle que son père est trop conservateur?
24. Comment s'en console-t-il?
25. Quelle attitude Madame Bellanger semble-t-elle avoir devant la politique?
26. Qu'est-ce qui a plus d'une fois étonné Mary?
27. Pourquoi Madame Bellanger contemple-t-elle sa fille?
28. Qu'est-ce que Lucile et Mary ont décidé de faire un soir?
29. Qu'a-t-il dû faire sous leur assaut conjugué?
30. Mais qu'a fait Mme Bellanger quand Mary et Lucile chantaient victoire?
31. Qu'a-t-elle déclaré?
32. Quel proverbe M. Bellanger a-t-il cité?
33. Qu'a-t-il fait ensuite?
34. Quant à Mary, que préfère-t-elle faire?
35. Où revient-elle toujours avec plaisir?
36. Que retrouve-t-elle chaque fois qu'elle pénètre dans la cour intérieure du Château de Blois?
37. Où lui semble-t-il être?
38. Qu'est-ce qui se substitue aux gais dessins que permet la brique de la région?

à ces moments où nous sommes tous ensemble, où nous discutons tout ce qui nous passe par la tête tout en savourant et en analysant un des plats dont Maman Bellanger a le secret. Parfois le ton de la discussion s'élève et les disputes ne sont pas rares. J'ai l'impression que ce serait une déception pour mes hôtes si d'un commun accord on décidait d'"en rester là" afin d'éviter une explosion.

Lucile estime que son père est trop conservateur, en particulier pour la question des territoires d'Outre-Mer. Lui, s'en console en disant qu'on est fatalement conservateur par rapport à quelqu'un et que son père à lui le traitait de révolutionnaire. Madame Bellanger, elle, ne semble se soucier qu'assez peu de la politique. Par contre, la finesse de ses observations sur la manière dont les gens vivent m'a plus d'une fois étonnée.

Souvent et particulièrement pendant les discussions politiques je la vois contempler Lucile comme si elle cherchait à bien comprendre une attitude qui la surprend et l'intrigue en même temps. . . . Hier soir, après le dîner, Lucile et moi avons décidé d'arracher son père à son journal. Dès qu'il faisait mine de s'y plonger l'une de nous lui demandait comment un homme aussi large d'esprit que lui pouvait tolérer de voir sa femme se battre seule avec des piles de vaisselle et d'argenterie sales. Sous notre assaut conjugué il a dû céder. Déjà nous chantions victoire mais sa femme l'a chassé de la cuisine en déclarant qu'elle n'y accepterait jamais un homme.

"A chacun son métier et les vaches seront bien gardées," a-t-il proclamé et, la pipe aux dents, il s'est absorbé dans les nouvelles du jour.

Quant à moi je préfère me plonger dans le passé et partir à sa recherche dans les vieilles rues de la ville. Je reviens toujours avec plaisir au Château de Blois lui-même. Chaque fois que je pénètre dans sa cour intérieure je retrouve quelque chose de ma première surprise devant ses faces si différentes. Il me semble être à l'intérieur d'un kaléidoscope où les styles architecturaux sautent du Moyen Age jusqu'au classicisme du XVIIe siècle. Aux gais dessins que permet la brique de la région se substitue la pierre blanche richement ornementée à l'italienne. Sur le grand escalier de l'Aile François Ier [1] les lignes verticales et obliques s'opposent fortement au jeu mesuré des horizontales environnantes.

A chacune de nos randonnées à bicyclette nous nous lançons à la découverte d'un des châteaux de la région et maintenant que mon œil est

[1] Roi de France de 1515 à 1547.

39. Dans le grand escalier, qu'est-ce qui s'oppose au jeu des horizontales?
40. A la découverte de quoi se lancent-elles à chacune de leurs randonnées à bicyclette?
41. Qu'est-ce que Mary apprend à évaluer?

42. De quoi s'émerveille-t-elle?
43. Comment voyait-elle ces châteaux?
44. Qu'a-t-elle maintenant à ajouter?
45. Dans quoi les Bellanger et Mary sont-ils montés un soir?
46. Qui était au volant?
47. Comment M. Bellanger a-t-il réagi à toutes leurs questions?
48. Quel proverbe a-t-il prononcé en sortant de son mutisme?
49. Par quels sons Mary se laissait-elle bercer?
50. Une fois arrivée comment a-t-elle suivi ses hôtes?
51. De quoi était-elle consciente?
52. Où se trouvaient-ils?
53. Quelles sonneries l'ont fait sursauter?
54. Par quoi le château de Chambord a-t-il été soudain éclairé?
55. Qu'est-ce qui s'est établi à ce moment-là?
56. Quelle histoire ont-ils été invités à écouter?
57. Qu'est-ce qui soulignait cette évocation?
58. Quelle légende prenait un relief saisissant?
59. Grâce à quoi?
60. A quoi a-t-elle été initiée ce soir-là?
61. Sur quel aspect de la région M. Bellanger a-t-il fait une remarque au retour?
62. Qu'est-ce que Mary avait mis au mur de sa chambre?

plus exercé, je cherche à évaluer sur les façades diverses l'héritage du Moyen Age et l'influence de la Renaissance et je m'émerveille de la variété des combinaisons.

Ces châteaux, je les revoyais se dessinant sous un ciel d'un bleu ou d'un gris léger. Grâce aux parents de Lucile, j'ai maintenant une auréole plus mystérieuse à ajouter à l'un d'entre eux.

Un soir, nous sommes montés dans la voiture familiale et Monsieur Bellanger installé au volant est resté impénétrable, malgré toutes nos questions. Il n'est sorti de son mutisme que pour nous dire: "La parole est d'argent, mais le silence est d'or." Un peu somnolente, je me laissais bercer par le ronron de la voiture et le chant monotone des grenouilles. . . . C'est l'arrêt de l'auto qui m'a réveillée. En me frottant les yeux, j'ai machinalement suivi mes hôtes, consciente d'un assez grand nombre de personnes autour de nous.

"C'est ici," m'a dit Lucile en me mettant une couverture sur les épaules. Nous étions devant une grande et longue masse noire, voilée par une brume assez épaisse qui se tenait à la surface d'une nappe de liquide. Tout à coup des sonneries de trompettes parties de tous les points de l'horizon m'ont fait sursauter et éclairé soudain par de puissants projecteurs le Château de Chambord s'est révélé à nous! Un grand silence s'est établi. Une voix nous a invités à écouter l'histoire des grandes heures de Chambord. La voix du récitant, des fragments mélodiques bien placés et le mouvement souple des projecteurs soulignaient l'évocation. La légende d'un chasseur maudit, condamné avec sa meute à errer autour du château prenait un relief saisissant grâce à d'étranges appels de cors. . . .

C'est ainsi que j'ai été initiée à mon premier spectacle Son et Lumière.

Au retour, pendant que nous longions à nouveau la calme Loire et traversions des villages endormis, M. Bellanger nous a dit: "Il y a tout un aspect de cette région que le spectacle que nous avons vu laisse de côté: la tranquillité, la sérénité même de ce paysage et de ces modestes toits groupés. . . ."

Lorsque je regarde la carte de la vallée que j'ai mise au mur de ma chambre, je revois les châteaux amis et les maisons discrètes, et je comprends la nostalgie du poète, exilé en Italie, qui a écrit:

> Quand reverrai-je, hélas, de mon petit village
> Fumer la cheminée; et en quelle saison
> Reverrai-je le clos [2] de ma pauvre maison
> Qui m'est une province, et beaucoup davantage?

[2] Un jardin fermé qui entoure une maison.

63. Que revoit-elle quand elle regarde la carte de la vallée?
64. Et que comprend-elle alors?

VOCABULAIRE

Noms

les aïeux *m. pl.* ancestors
l'aile *f.* wing
l'appel *m.* call
l'ardoise *f.* slate
l'argenterie *f.* silver, silverware
l'arrêt *m.* stop
l'assaut *m.* assault
l'auréole *f.* halo
la balle ball
la brique brick
la brume mist
le chant song
le chasseur hunter
la cheminée chimney
le clos enclosure, closed garden
le cor horn
le cordon bleu superior cook (said of women)
la couverture blanket
la crainte fear
la cuisine kitchen
la déception disappointment
la découverte discovery
le droit right
l'épaule *f.* shoulder
le front forehead, façade
la grenouille frog
l'hôte *m.* host
l'humour *m.* humor
le jeu mesuré the rhythmic pattern
la ligne (of a woman) figure
la maman mother (mamma)
le marbre marble
le métier trade
la meute pack (of hounds)
le mont Palatin Palatine Hill (in Rome)
la moto motorcycle
le mutisme muteness, silence
la nappe sheet (of water)
l'or *m.* gold
le palais palace
la pente slope
le plat plate, dish, recipe
le projecteur spotlight
le propriétaire owner
la randonnée outing
le récitant speaker
la reconnaissance gratitude
le ronron purring
le séjour abode
le son sound
la sonnerie ring (call) of a trumpet
le témoignage evidence, testimony
le toit roof
la trompette trumpet
la vache cow
la vaisselle dishes
la voiture car
la voix voice
le volant wheel, steering wheel

Plus me plaît le séjour qu'ont bâti mes aïeux
Que des palais romains le front audacieux:
Plus que le marbre dur me plaît l'ardoise fine,

Plus mon Loire [3] gaulois, que le Tibre latin,
Plus mon petit Lyré,[4] que le mont Palatin,
Et plus que l'air marin la douceur angevine.[5]

Cette douceur, je tiens à la partager avec vous, en témoignage de reconnaissance.

Respectueusement à vous.

Mary Morse

Verbes

bâtir to build
bercer to lull
chasser to chase, hunt
dessiner to draw, design
distinguer to distinguish
s'émerveiller to marvel
s'entendre to get along (with each other)
errer to wander
estimer to consider, esteem
étonner to astonish
évaluer to evaluate
éviter to avoid
féliciter to congratulate
frotter to rub
fumer to smoke
s'habituer to become accustomed
se lancer to rush
longer to go along something
plonger to plunge
renvoyer to send back
–**se renvoyer la balle** to exchange witticisms
sauter to jump
se soucier to care, worry
sursauter to start (as when startled)
tolérer to tolerate
traiter to treat
voiler to veil

Adjectifs, adverbes

adoptif (*f.* **adoptive**) adopted
chargé loaded, heavy
commun common
–**d'un commun accord** with one accord, in full agreement
conjugué joint
conservateur (*f.* **conservatrice**) conservative
davantage more
éclairé lighted up
environnant surrounding
épais (*f.* **épaisse**) thick
étrange strange
exercé experienced
familial family
fatalement inevitably
fin fine, delicate
gaulois Gallic
inégalable unparalleled
lumineux luminous
machinalement mechanically
marin of or pertaining to the sea
puissant powerful
quotidien daily
seul alone
somnolent drowsy

[3] Nous disons aujourd'hui la Loire (la Seine, la Garonne, le Rhône, et le Rhin).
[4] Lyré est le village du poète du Bellay (1522–1560).
[5] Angevine est l'adjectif formé sur Anjou, le nom d'une ancienne province dont la ville principale est Angers.

Adjectifs, adverbes (suite)

unique only
vif (*f.* **vive**) keen

Expressions diverses

à nouveau again
au retour during the return trip
d'ailleurs besides
de temps à autre from time to time
de tout temps always
en particulier in particular
en rester là to leave it at that
faire mine de to look as if one is going to (do something)
laisser de côté to leave out
Outre-Mer overseas
tout ce qui nous passait par la tête everything that crossed our minds

EXERCICES

B. Imaginez que vous avez été invité à passer quelques semaines dans une famille française qui habite dans la vallée de la Loire. Ecrivez une lettre à un(e) ami(e). Utilisez les expressions suivantes: se féliciter de; grâce à; s'entendre; se renvoyer la balle; en arriver à; d'un commun accord; en rester là; se consoler de; traiter quelqu'un de; se soucier de; faire mine de; se battre avec; chanter victoire; quant à; il me semble être; se frotter les yeux; se révéler à; tenir à.

C. Mettez les phrases suivantes au passif.

EXEMPLE
— Le professeur favorise leur rencontre.
— Leur rencontre est favorisée par le professeur.

1. Mary accepte cette invitation.
2. Mme Bellanger rétablit l'ordre.
3. Elle prépare le repas.
4. Mary retrouve ce château oublié.
5. Le mouvement de la voiture berce Mary.
6. L'auteur y ajoute une auréole mystérieuse.
7. Mary suit ses hôtes.
8. Le mouvement des projecteurs souligne cette évocation historique.
9. Lucile nous renvoie la balle.

D. Même exercice.

EXEMPLE
— Le professeur *a favorisé* leur rencontre.
— Leur rencontre *a été favorisée* par le professeur.

1. Mary a accepté cette invitation.
2. Mme Bellanger a rétabli l'ordre.
3. Elle a préparé le repas.
4. Mary a retrouvé ce château oublié.
5. Le mouvement de la voiture a bercé Mary.

6. L'auteur y a ajouté une auréole mystérieuse.
7. Mary a suivi ses hôtes.
8. Le mouvement des projecteurs a souligné cette évocation historique.
9. Lucile nous a renvoyé la balle.

E. Même exercice.

EXEMPLE

– Le professeur *favorisera* leur rencontre.
– Leur rencontre *sera favorisée* par le professeur.

1. Mary acceptera cette invitation.
2. Mme Bellanger rétablira l'ordre.
3. Elle préparera le repas.
4. Mary retrouvera ce château oublié.
5. Le mouvement de la voiture bercera Mary.
6. L'auteur y ajoutera une auréole mystérieuse.
7. Mary suivra ses hôtes.
8. Le mouvement des projecteurs soulignera cette évocation mystérieuse.
9. Lucile nous renverra la balle.

Dans un magasin de cycles et motos.

(*French Embassy Press and Information Division*)

Son et Lumière à Chambord.

(*French Embassy Press and Information Division*)

F. Exercice de synthèse. Mettez les phrases suivantes au passif.

1. Cézanne exprime cette recherche de l'ordre.
2. Ce peintre a fait des paysages ravissants.
3. Jim racontera cette histoire.
4. Poussin a en définitive choisi l'Italie.
5. Jim projette des trajets différents.
6. Baudelaire a critiqué les œuvres de ses contemporains.
7. Poussin a transmis cette tradition.
8. Albert admirera ces colonnes.
9. La finesse de ses observations m'étonne.
10. Les Bellanger m'initient à mon premier spectacle Son et Lumière.
11. Une voix nous a invités à écouter cette histoire.
12. La variété du spectacle m'a impressionné.

Toulouse-Lautrec: Parade de cirque.

(French Embassy Press and Information Division)

1. Qui écrit cette lettre, et de quelle ville?
2. Quand Albert a-t-il failli éclater de rire?
3. Quelle était sa compagne de voyage?
4. Quelles considérations pesaient dans la balance quand il a choisi la 2 CV-Citroën? Pourquoi?
5. Qu'est-ce qui vous aide à oublier l'allure comique de la 2 CV?
6. Comment a été la "lune de miel" d'Albert et de sa 2 CV?
7. Comment la Loire a-t-elle été franchie?
8. Quelle difficulté a-t-il eue aux approches de la Garonne?
9. Quelle en était peut-être la cause?
10. Qu'a-t-il eu beau essayer?
11. Où son moteur l'a-t-il laissé en panne?
12. Pourquoi aucun garagiste n'était-il disposé à se déranger?
13. Que s'est-il résigné à faire après avoir vainement tenté d'intéresser les garagistes à son affaire?
14. Pourquoi l'atmosphère du petit restaurant était-elle intime?
15. Qui avait pris Albert sous son aile protectrice?
16. A quoi Albert a-t-il goûté?
17. De quoi s'est-il aperçu?
18. Quels étaient les rapports entre André et les autres clients?

«29»

Lettre du Languedoc

Albi, le 2 août

Mon cher professeur,

Quand je me suis trouvé nez à nez avec ma compagne de voyage j'ai failli éclater de rire. Comment cette silhouette de canard pouvait-elle être prise au sérieux? Mais les considérations pratiques pesaient dans la balance car le prix de l'essence est élevé en France et la consommation limitée d'une deux chevaux-Citroën * vous aide à oublier son allure comique.

Notre lune de miel a été parfaite. La Loire a été franchie triomphalement, mais aux approches de la Garonne quelque chose de curieux est arrivé. J'ai d'abord commencé à avoir du mal à changer de vitesses. Peut-être était-ce le graissage? Rapidement la situation s'est aggravée. J'ai eu beau essayer tour à tour prières et menaces. Dans les faubourgs d'Albi c'est mon moteur qui m'a laissé en panne. Comme il était midi aucun garagiste n'était disposé à se déranger et après avoir vainement tenté de les intéresser à mon cas, je me suis résigné à aller déjeuner avec l'un d'entre eux.

Dans le petit restaurant où nous nous sommes installés tout le monde se connaissait. J'étais le seul étranger mais un grand type en bleu de mécanicien, André, m'avait pris sous son aile protectrice. J'ai goûté à mon premier apéritif. Je me suis alors aperçu que jusqu'à présent je n'avais pas trouvé le temps de prendre un repas autrement qu'à la hâte. André, très détendu, plaisantait avec tous les autres clients. Il a prévenu le patron que puisqu'il y avait du lapin au menu, il tenait absolument à voir si le chat du restaurant était encore en vie. Sous sa direction j'ai commandé des hors d'œuvre variés, le fameux lapin aux champignons et une salade. André avait un rude coup de fourchette et il avait l'œil à tout. A peine mon verre se vidait-il qu'il était plein de nouveau.

* Petite voiture économique mais sans élégance, connue comme la 2 CV (2 chevaux: 2 h.p.).

19. Pourquoi tenait-il à voir si le chat du restaurant était encore en vie?
20. Qu'est-ce qu'Albert a commandé?

21. Comment Albert exprime-t-il son admiration pour l'appétit d'André?
22. Comment André s'occupait-il d'Albert pendant le repas?
23. A quoi André était-il arrivé professionnellement?
24. Combien de "jeunes" avait-il avec lui?
25. A quelle condition se serait-il contenté d'un revenu plus modeste?
26. Qu'apprécient ses clients?
27. Qu'espère-t-il avoir fait dans quelques années?
28. Qu'a-t-il demandé au patron du restaurant?
29. Que faisait-il quelques instants plus tard pour préparer la salade?
30. Qu'est ce qu'Albert a essayé de faire sous le regard amusé d'André?
31. Puis qu'a-t-il savouré?
32. Comment a-t-il exprimé sa satisfaction en sortant du restaurant?
33. Qui est venu leur dire au revoir?
34. Que faisait le chat?
35. Qu'est-ce qu'Albert avait presque oublié?
36. Qu'a dit André à propos de la voiture après l'avoir examinée?
37. Qu'a-t-il suggéré à Albert?
38. De quoi Albert s'est-il aperçu en se tournant vers la ville?
39. A travers quoi lui fallait-il passer pour arriver à la cathédrale?
40. Et sous quoi a-t-il dû passer?

A trente ans André Clarac avait son propre petit garage. Bien sûr, ce n'était qu'une toute petite affaire puisqu'il n'avait que deux autres "jeunes" avec lui. Il préférait être son propre maître et se serait contenté d'un revenu plus modeste encore à condition de ne pas travailler sur une chaîne de montage: "tu serres une vis, tu passes, tu serres une vis, tu passes . . . ah non! Très peu pour moi! Quelques-uns de mes clients apprécient le travail bien fait. S'ils m'en amènent d'autres, j'espère avoir remboursé dans quelques années l'argent qu'on m'a prêté."

"Et cette salade, patron, elle arrive?"

Quelques instants plus tard, André jonglait en connaisseur avec l'huile et le vinaigre. Voilà donc à quoi servaient ces petites bouteilles que j'avais vaguement remarquées sur les autres tables. Sous son regard amusé j'ai essayé de faire moi aussi mon assaisonnement, puis j'ai longuement savouré ma première salade à la française.

Quand nous sommes sortis du petit restaurant le roi n'était pas mon cousin! Le patron était venu nous dire au revoir accompagné de son chat qui faisait le gros dos. J'avais presque oublié ma voiture. . . . Après l'avoir examinée, André s'est redressé: "Ce n'est pas très grave mais ça risque d'être long. Allez donc faire un tour en ville et revenez vers sept heures."

Je me suis tourné vers la ville et c'est alors que je me suis aperçu qu'elle était dominée par l'énorme masse rouge d'une cathédrale-forteresse comme je n'en avais jamais vu. Comme attiré par un aimant je me suis dirigé vers elle. Plus j'avançais, plus le colosse grandissait. Après avoir cheminé à travers un labyrinthe de vieilles rues il m'a fallu passer sous une lourde arche de briques que le monstre projetait au-dessus d'une petite rue. Après la chaleur d'un soleil qui frappait verticalement, l'ombre m'a fait frissonner. Çà et là une longue fenêtre étroite s'ouvrait dans la masse d'un rouge sombre. J'avais l'impression d'être sous le regard de quelque géant implacable. Pendant ce qui m'a paru une éternité, j'ai tourné autour de la cathédrale à la recherche d'une porte. J'ai enfin aperçu l'entrée à laquelle on ne pouvait accéder qu'après avoir monté en plein soleil un large escalier. Tout à coup je me suis senti si minuscule que j'ai décidé de faire demi-tour. . . .

41. Qu'est-ce qui l'a fait frissonner?
42. Quelle impression désagréable Albert avait-il?
43. A la recherche de quoi a-t-il tourné autour de la cathédrale?
44. Comment pouvait-on accéder à la porte?
45. Pourquoi a-t-il décidé de faire demi-tour?

46. Qu'est-ce qui lui a fait signe alors?
47. Qu'y avait-il dans le musée?
48. Quelle image différente de Lautrec Albert avait-il devant lui au musée?
49. Qu'est-ce que Lautrec savait faire quand il était jeune?
50. Qu'est-ce qui se dégageait du monde de ses personnages?
51. Quand Albert est-il sorti du musée?
52. Où s'est-il retrouvé?
53. Comment apparaissait la cathédrale dans le calme du soir?
54. Avant de quitter la cathédrale, qu'est-ce qu'Albert s'est promis?
55. D'où André a-t-il émergé?
56. Qu'a-t-il dit?
57. Qu'est-ce qu'Albert et lui ont fait?
58. Qu'est-ce qu'Albert lui a raconté?
59. Qu'est-ce que la réaction d'Albert à la cathédrale prouve selon André?
60. Quand cette cathédrale a-t-elle été construite?
61. Qu'est-ce que le nouvel évêque d'Albi a voulu?
62. Comment André explique-t-il ses connaissances en histoire?
63. Qu'est-il arrivé aux études d'André?
64. Et pourquoi?
65. Jusqu'où espère-t-il que son fils ira?
66. Quand André oublie-t-il l'heure du dîner?
67. Qu'a-t-il dit en se redressant?
68. Qu'a-t-il invité Albert à faire?

Une pancarte qui annonçait "Musée" m'a fait signe. J'ai machinalement suivi le chemin que sa flèche m'indiquait. Une fois arrivé j'ai failli pousser un cri d'étonnement: j'étais devant le musée Toulouse-Lautrec!

Le reste de l'après-midi a passé comme un rêve. Il y avait là une collection Lautrec d'une variété difficile à imaginer. Peu à peu se dessinait devant moi une personnalité complexe. Quand je pense à l'image simpliste qu'un film comme *Moulin Rouge* avait proposée au public! J'avais devant moi un être plein de vie, ami du rire, un moqueur à la dent dure parfois et non un nain amer qui remâchait constamment ses déceptions sentimentales.

Je découvrais un Lautrec qui très jeune savait regarder et saisir le mouvement des animaux, l'élégance d'un cheval de selle ou la fatigue d'un cheval de trait, la puissance d'un attelage de bœufs reculant sous le geste fier d'un paysan de la région. J'allais de découverte en découverte. Du monde de ses personnages se dégageait une force de vie saisissante.

Le soir tombait quand je suis sorti du musée. Je me suis retrouvé devant la cathédrale. Le calme du soir en adoucissait l'austérité. Je me suis promis de la revoir plus à loisir.

André a émergé de derrière le capot de ma voiture. "Ça avance, mais il y en aura encore pour un bon bout de temps." Nous avons bavardé. Je lui ai raconté quelle impression le musée Lautrec m'avait laissée. Au récit de ma réaction à la cathédrale il s'est exclamé: "Ceci prouve que vous avez, très loin dans le passé un ancêtre albigeois! Cette cathédrale a été construite au lendemain d'une véritable croisade au cours de laquelle les seigneurs du Nord ont écrasé les gens de notre région, coupables d'hérésie. Le nouvel évêque d'Albi a voulu cette cathédrale-forteresse qui rappellerait constamment aux habitants de la ville qu'il serait insensé de se rebeller contre son pouvoir."

Je l'ai regardé. Il a poursuivi: "Mes connaissances historiques vous surprennent? Au lycée, j'étais un as en histoire. Mais je n'ai pas pu aller jusqu'au bac. Tout de suite après la guerre il m'a fallu travailler. Raisons de famille. . . . Mais mon fils, lui, ira jusqu'au bout. C'est d'ailleurs pour cela que quand je tombe sur un moteur intéressant j'en oublie l'heure du dîner!"

Il s'est redressé: "Ecoutez-moi ça." Il a mis le moteur en marche: "Ça tourne rond. . . . Si vous veniez dîner à la maison?"

Moi qui ne comptais que passer par Albi, j'y suis encore. . . . Il y avait la cathédrale à explorer pour ne pas déplaire à mes ancêtres. Et puis les Français qui vous invitent à dîner chez eux sont très rares. . . .

Permettez à un ancien nomade de vous envoyer ses respects.

Albert Clark

Toulouse-Lautrec: Danseur dans un bar.

(*French Cultural Services*)

VOCABULAIRE

Noms

l'aimant *m.* magnet
l'allure *f.* air, appearance
l'apéritif *m.* alcoholic drink taken before a meal
l'as *m.* ace
l'assaisonnement *m.* salad dressing, seasoning
l'attelage *m.* team (of animals)
le bac (*pop.*) baccalaureate (a degree given if one passes state exams taken at end of lycée)

la balance scale
le bleu blue coverall
le bœuf ox
la bouteille bottle
le canard duck
le capot hood (of a car)
la chaleur heat
le champignon mushroom
le chemin way
le cheval horse
 –**cheval de selle** saddle horse
 –**cheval de trait** draft horse
la compagne companion
la connaissance knowledge
la consommation consumption
la croisade crusade
l'essence *f.* gasoline
l'étonnement *m.* astonishment
les faubourgs *m. pl.* outskirts
la flèche arrow
le garagiste garage man, automobile mechanic
le géant giant
le geste gesture
le graissage grease, greasing
l'huile *f.* oil
le lapin rabbit
le maître master
le mécanicien mechanic
la menace threat
le monstre monster
le moqueur mocker
le Moulin Rouge dance hall in the Montmartre section of Paris in the late 19th century. Also title of movie inspired by the life of Toulouse-Lautrec
le nain dwarf
la pancarte sign
le patron boss
la puissance power
le type individual
le verre glass
le vinaigre vinegar
la vis screw

Verbes

adoucir to soften
amener to bring
apercevoir to notice
attirer to draw, attract
bavarder to chat
cheminer to make one's way
se dégager to emerge
se déranger to go out of one's way
éclater to burst
faillir to almost (do something)
franchir to cross
jongler to juggle
peser to weigh
plaisanter to joke
pousser to utter
reculer to draw back
se redresser to straighten up
remâcher to brood over
rembourser to pay back
serrer to tighten
tenter to attempt
vider to empty

Adjectifs

albigeois living in Albi, Albigensian
amer bitter
coupable guilty
détendu relaxed
élevé high
étroit narrow
fier (*f.* **fière**) proud
minuscule tiny
pratique practical
protecteur (*f.* **protectrice**) protective
simpliste oversimplified

Expressions diverses

à la dent dure with a biting tongue
à loisir at leisure
à peine hardly
avoir un rude coup de fourchette to be a hearty eater (literally, have a tough fork stroke)
ça tourne rond it's going all right
changer de vitesses to shift gears
en marche running
en panne at a standstill

Expressions diverses (suite)

faire demi-tour to turn back
faire le gros dos to arch one's back (of a cat)
faire un tour take a walk
j'ai eu beau essayer I tried in vain
la chaîne de montage assembly line
la lune de miel honeymoon
le roi n'était pas mon cousin corresponds approx. to: I was on top of the world
tour à tour in turn
très peu pour moi! none of that for me!
il y en aura pour un bon bout de temps it will be quite a while
tomber sur come upon, happen upon

EXERCICES

B. Révision des verbes pronominaux. Mettez les phrases suivantes à la forme interrogative.

EXEMPLES

— Il se trouve à Albi.
— Se trouve-t-il à Albi?

— Vous vous trouvez à Albi.
— Vous trouvez-vous à Albi?

1. Il se trouve nez à nez avec sa compagne de voyage.
2. Il se résigne à aller déjeuner avec un garagiste.
3. Ce garagiste s'appelle André.
4. Ils s'aperçoivent qu'ils aiment la culture albigeoise.
5. Leurs verres se vident très vite.
6. Vous vous redressez après avoir regardé sous le capot.
7. Vous vous exclamez que ça avance.
8. Vous vous rappelez que votre ami est un as en histoire.
9. Vous vous apercevez qu'il connaît bien les moteurs.
10. Nous nous contentons de tourner autour de la cathédrale.
11. Nous nous promettons d'y revenir bientôt.
12. Nous nous dirigeons vers la ville.

C. Même exercice.

EXEMPLES

— Elle s'est trouvée à Albi.
— S'est-elle trouvée à Albi?

— Vous vous êtes trouvé à Albi.
— Vous êtes-vous trouvé à Albi?

1. Elle s'est trouvée nez à nez avec sa 4 CV.

2. Elle s'est résignée à oublier l'allure comique de sa voiture.
3. Mais la situation s'est aggravée.
4. Elles se sont aperçues qu'elles avaient du mal à changer de vitesses.
5. Elles se sont exclamées: "Il faut trouver un garagiste!"
6. Vous vous êtes redressé pour bavarder avec lui.
7. Vous vous êtes aperçu que ce garagiste était un as en géographie.
8. Vous vous êtes contenté de résultats plus modestes.
9. Vous vous êtes rebellé contre vos professeurs.
10. Nous nous sommes sentis un peu tristes.
11. Nous nous sommes dirigés vers la ville.
12. Nous nous sommes promis d'aller jusqu'au bout.

D. Exercice de synthèse. Mettez à la forme interrogative.

1. La porte s'ouvre lentement.
2. Une certaine force se dégage du monde de ses personnages.
3. Il s'est destiné à l'enseignement.
4. Vous vous êtes mis à bavarder avec lui.
5. Elle s'est sentie si minuscule qu'elle a décidé de faire demi-tour.
6. Nous nous sommes tournés vers la ville.
7. Une personnalité complexe s'est dessinée devant lui.
8. Le verre s'est vidé très vite.
9. Nous nous sommes aperçus qu'il avait l'œil à tout.
10. Vous vous êtes redressé après avoir examiné le moteur.
11. Elle se contente de votre décision.
12. De nouveaux horizons s'ouvrent devant ses yeux.

E. Répétez l'exercice **D** en mettant vos questions au négatif.

EXEMPLES

– Ne se trouvent-elles pas à Albi?
– Ne s'est-elle pas trouvée à Albi?

– Ne vous trouvez-vous pas à Albi?
– Ne vous êtes-vous pas trouvés à Albi?

ETUDE DE GRAMMAIRE XIV

75. The Passive Voice (*La Voix passive*)

When a verb is *active,* the subject *acts,* by means of the verb, on a direct object:

La cathédrale *dominait* la ville.

Such a sentence may be converted to what is known as the *passive voice* by making the direct object [1] the subject of the verb.

La ville *était dominée* par la cathédrale.

The passive voice of the verb is formed by using as auxiliary the verb *être,* in the same tense that would be used if the verb was active, followed by the past participle. What would have been the subject of the active verb is placed after the passive verb, and it is preceded by the preposition *par* (sometimes by *de*). This noun or pronoun is known as the *agent.* It is not always expressed:

La Loire *a été franchie* triomphalement.

Par moi, the agent, is understood here, but not expressed.

In translating English passives into French, American students often assume that "was" is always equivalent to *était* in French. If, instead of a condition, "was" indicates an action, *a été* should be used. Thus, the rule given above, that the passive requires the same tense as would be used in the active, holds good.

Albert *a franchi* la Loire.
La Loire *a été franchie* par Albert.
La cathédrale *dominait* la ville.
La ville *était dominée* par la cathédrale.

NOTE: A tense of the verb *être,* followed by a past participle, is not necessarily passive; it may merely be a case of the verb *être* with an adjective complement formed from a past participle. Use this rule here: if a sup-

[1] The English construction *I was given a book* is impossible in French. The idea is rendered by the use of *on,* and *an active verb:* on m'a donné un livre.

posedly passive sentence cannot be reconverted to an active sentence without a change in meaning, it is not a true passive. Contrast:

Cette cathédrale a été construite récemment.
and
Le prix de l'essence est élevé en France.

As an active sentence, the first becomes: "On a construit cette cathédrale récemment," there is no change of meaning. But the other becomes: "On élève le prix de l'essence en France," which does not mean "the price is high," but "they are raising the price."

A. WHEN THE PASSIVE IS NOT USED IN FRENCH

The use of the passive in French is much less extensive than in English. When the agent is not expressed or does not need to be expressed, an active construction with *on* as subject or a reflexive construction (if the verb itself permits this) is more usual. The ideas expressed in the following French sentences would normally be expressed in the passive in English.

Compare:

Dans quelques années, j'aurai remboursé l'argent qu'*on m'a prêté*.
In a few years I will have paid back the money that *was loaned* to me.
On parle français ici. French *is spoken* here.
Ce match important *se jouera* demain.
This important game *will be played* to-morrow.
L'affaire Eichmann ne *s'est* pas *jugée* en une semaine.
The Eichmann case *was* not *decided* in a week.

Exercice

I. Changez le verbe à la voix passive (le sujet devient l'agent).

EXEMPLE

— Tous les matins *il répète cette leçon*.
— Tous les matins *cette leçon est répétée par lui*.

1. Chaque matin je répète ce nom unique.
2. Elle a compris la nostalgie du poète.
3. M. Bellanger a laissé de côté un aspect de la région.
4. Il a prévenu le patron.
5. J'avais remarqué ces petites bouteilles.

6. Le nain amer remâchait ses déceptions sentimentales.
7. Il a mis le moteur en marche.
8. Il a choisi ce livre la semaine dernière.
9. Toulouse-Lautrec saisit admirablement le mouvement des animaux.
10. Mon fils a oublié l'heure du dîner.
11. L'évêque d'Albi n'a pas voulu une petite église.
12. Les seigneurs du Nord ont écrasé les Albigeois.

76. Use of Participles (*L'Emploi des participes*)

A. THE PRESENT PARTICIPLE (*Le Participe présent*)

The present participle may be used adjectivally or verbally.

1. In its adjectival use, which is not difficult to recognize,[2] the present participle agrees in gender and number with the noun it modifies.

> La légende prenait un relief *saisissant*.
> A l'est d'Aix se trouve une vallée vraiment *charmante*.

2. Used verbally, a present participle is invariable.

> Ces châteaux, je les revoyais se *dessinant* [3] sous un ciel bleu.
> Arles! vous vous y voyez *allant* de surprise en surprise.
> Imaginez Lucile et son père se *renvoyant* la balle.

The present participle is sometimes preceded by the preposition *en* (see section **73 A, 2**). This is done especially when the action denoted by the participle is to be shown as *concurrent* with another action or as the *cause* of another action. (*En,* in the first of these cases, may be translated "while," and in the second "by.")

> Sa femme l'a chassé de la cuisine, *en déclarant* qu'elle n'y accepterait jamais un homme.
>
> M. Bellanger se console *en disant* qu'on est fatalement conservateur par rapport à quelqu'un.

To strengthen the idea of *concurrence* of an action, *tout* is sometimes placed before *en*

> Nous discutons ce qui nous passe par la tête *tout en savourant* les plats de Mme Bellanger.

[2] Translated into English, a present participle used as an adjective *precedes* its noun (a really charming valley), while used verbally it follows the noun (I saw Jim going from surprise to surprise).

[3] Used verbally, the present participle of a reflexive verb retains its reflexive pronoun.

B. THE PAST PARTICIPLE (*Le Participe passé*)

Whether used verbally or as an adjective, the past participle agrees in gender and in number with the noun to which it refers.

Le prix de l'essence est *élevé* en France.

Ne me parlez pas du prix *élevé* de l'essence!

La patronne était venue nous dire au revoir *accompagnée* de son chat.

Comme *attirés* par un aimant, Joseph et Albert se sont dirigés vers le bar.

In the first example the past participle is a predicate adjective, in the second it is an adjective modifying a noun, in the third and fourth it is used verbally.

The past participle of reflexive verbs, when not used in compound tenses (or in the compound participle and infinitive), does not take the reflexive pronoun.

Exercices

II. Le participe présent avec *en*. Rattachez les deux phrases ensemble en mettant le premier verbe au participe présent avec *en*.

EXEMPLES

— On quitte Arles. On voit que le paysage devient accidenté.
— En quittant Arles, on voit que le paysage devient accidenté.

— Ils se renvoient la balle. Ils discutent aimablement.
— En se renvoyant la balle, ils discutent aimablement.

1. Je marche sur la route du Tholonet. Je vois la masse de Sainte-Victoire.
2. Je saute du lit. Je me répète ce mot magique.
3. Elle se frotte les yeux. Elle suit machinalement ses hôtes.
4. Nous longions la calme Loire. Nous traversions des villages endormis.
5. Je regarde la carte de la vallée de la Loire. Je revois les châteaux amis.
6. Je pénètre dans la cour intérieure du château de Blois. Je retrouve ses faces si différentes.
7. Mary se sert de sa bicyclette tous les jours. Elle se distingue.
8. Albert s'est trouvé nez à nez avec son compagnon de voyage. Il a éclaté de rire.

9. J'ai goûté mon apéritif. Je me suis aperçu que je prenais mes repas trop à la hâte.
10. Je suis sorti du petit restaurant. Il me semblait que le roi n'était pas mon cousin.
11. André jonglait avec l'huile et le vinaigre. Il a fait un bon assaisonnement.
12. Albert a tourné autour de la cathédrale. Il a enfin aperçu l'entrée.

III. Exercice de synthèse. Remplacez l'expression entre parenthèses par sa traduction.

1. Deux heures plus tard (seated) dans leur train, Mary et Suzanne jetaient un coup d'œil sur le paysage.
2. Ma 2 CV est une compagne (charming).
3. J'ai vu une cohue de Parisiens (hurrying) sur le boulevard.
4. (On leaving) Arles, on remarque que le paysage devient accidenté.
5. (After drinking) trois apéritifs, Albert trouvait que le roi n'était pas son cousin.
6. Il ne faut pas quitter Albi (without visiting) la cathédrale.
7. (By discussing) tranquillement vous êtes sûr de plaire à M. Bellanger.
8. Nous avons fini (by discussing) amicalement.
9. Le garçon, (accompanied) de son chat, est venu à notre table.
10. (While going along) la Loire, nous avons vu le château de Chaumont.
11. Nous nous sommes plaints du prix (high) de ce repas.
12. (Installed) au volant, Lucile reste impénétrable.
13. Il a fixé sur moi ses yeux (shining).
14. (Dominated) par sa cathédrale, cette ville est impressionnante.
15. (Arching its back), le chat a regardé l'énorme lapin.

77. Indefinite Adjectives and Pronouns (*Les Adjectifs et les pronoms indéfinis*)

Note these examples (taken, with minor modifications, from recent texts of the grammar).

1. André plaisantait avec les *autres* clients.
   Si ses clients lui en amènent *d'autres,* André aura vite remboursé l'argent.
2. On découvre sur *chacune* des colonnes du cloître l'imagination de ces sculpteurs.

Chaque fois que je pénètre dans la cour intérieure du château de Blois je retrouve ma première surprise.

3. Mme Bellanger voit chez sa fille une attitude qui la surprend et l'intrigue en *même* temps.

4. Dès qu'*on* quitte Arles le paysage devient accidenté.

5. J'avais l'impression d'être sous le regard de *quelque* géant.
Dans *quelques* années André aura remboursé l'argent.
Quelques-uns de mes clients apprécient le travail bien fait.

6. *Quelque chose* de curieux nous est arrivé.

7. Je suis reconnaissant au film de m'avoir fourni une *telle* série de casse-pieds.

8. *Tout* le monde se connaissait.
Je me félicite *tous* les jours d'avoir accepté l'invitation des Bellanger.
Il y a *tout* un aspect de cette région que nous avons laissé de côté.
Jim a vu à Paris des camionnettes de *toutes* formes.
André avait un rude coup de fourchette et il avait l'œil à *tout*.
J'aime ces moments où nous sommes *tous* ensemble.
Nous discutons *tout* ce qui nous passe par la tête.

The preceding examples have given, in alphabetical order, the most important indefinite adjectives and pronouns,[4] in their main uses. Special notes on each follow.

1. *Autre* (*pl.* autres), other, others, is an indefinite adjective and an indefinite pronoun. Note that, both as an adjective and as a pronoun, in a plural *partitive* sense, *d'autres* is required.

Cherchons *d'autres* paysages.
J'en ai vu *d'autres*.

2. *Chacun* and *chaque*. *Chacun* (*f.* chacune), each one, everyone, is an indefinite pronoun, and *chaque*, each, every, is an indefinite adjective. Their use, illustrated in example 2, involves no special difficulty.

3. *Même* (*pl.* mêmes), same, is both an adjective and a pronoun. As an adjective meaning "same" it precedes the noun (see example 3). When it follows the noun, the meaning changes:

[4] The negatives *personne* and *rien* are indefinite pronouns, and the negative *aucun* is both an indefinite adjective and an indefinite pronoun. See section **41**.

Compare:

C'est toujours la même histoire. (It's always the same story.)
C'est la patience *même,* cet homme. (This man is patience itself.)

Même can be added to the disjunctive pronouns (attached by a hyphen):

lui-même, elles-mêmes, etc.
himself, themselves, etc.

As an adverb, *même* means "even."

Il en est *même* convaincu.
He is even convinced of that.

4. *On,* one (or they, we, etc.) is an indefinite pronoun which has already been used so extensively in the texts of this book that the student is surely familiar with it. Note that it may be used only as *subject* of a verb. After a vowel, *l'on* may be used:

On peut partir si *l'on* veut.

5. *Quelque* and *quelqu'un. Quelque* (*pl.* quelques), some (in the plural "a few"), is an adjective, and *quelqu'un,* someone, in the plural some, a few, (*f.* quelqu'une, rather uncommon), *m. pl.* quelques-uns, *f. pl.* quelques-unes, is the corresponding indefinite pronoun. Note that when "some" is unstressed in English it is not translated as *quelques* (or certains), but simply *des.*

Sir Christopher Wren went out to dine with some men.
Sir Christopher Wren est allé dîner avec des hommes.

6. *Quelque chose,* something (it does *not* mean: anything) is a masculine indefinite pronoun. It takes *de* before an adjective (see example 6).

7. *Tel* (*f.* telle, *m. pl.* tels, *f. pl.* telles), such, is both pronoun and adjective. The only point to be noted with it is the word order required with an indefinite article:

un tel homme	such a man
de tels hommes	such men

8. *Tout* (*f.* toute, *m. pl.* tous,[5] *f. pl.* toutes), all (and in some cases, "each," "every," "any") is both adjective and pronoun.

[5] As a pronoun, the *s* of tous is pronounced.

a. Adjective. When *tout,* adjective, is used with an article, the article follows it:

tous les hommes   tout un monde

Note carefully the meanings of typical uses:

(1) The most common uses:

tout le monde	all of [6] the group, the whole group
tous les hommes	all men
tous les jours	every day

(2) Other uses:

tout un aspect	an entire aspect
des camionnettes de toutes formes	pickup trucks of all shapes
tout homme qui ose dire cela	any man who dares to say that

b. Pronoun. In the singular it means "everything," in the plural it means "all."

André avait l'œil à tout.
André had his eye on everything.

Poussin nous enseigne à tous la patience.
Poussin teaches patience to all of us.

NOTE: When a relative clause has *tout* as an antecedent, *ce* must be inserted before the relative pronoun.

Nous discutons tout ce qui nous passe par la tête.

c. Tout as an adverb. *Tout,* meaning "very," "quite," is often used as an adverb, modifying an adjective or another adverb. As such, logically, it should be invariable, but, quite illogically, before feminine adjectives beginning with a consonant it becomes *toute* or *toutes.*

Ce garage n'était qu'une *toute* petite affaire.

IV. Exercice à livres ouverts. Le professeur vous posera une question, ensuite il vous proposera un adjectif ou un pronom indéfini. Donnez une réponse (positive ou négative, selon le cas) à sa question en utilisant le pronom proposé.

[6] Note the "all of" in English, never *tout de* in French.

EXEMPLE

– Sur combien de colonnes découvre-t-on l'imagination des sculpteurs? (chaque)
– On la découvre sur chaque colonne.

1. Avec quels clients plaisantait-il? (autre)
2. Sur combien de colonnes découvre-t-on l'imagination des sculpteurs? (chacune)
3. Est-ce qu'on voit un autre paysage en quittant Arles? (même)
4. Vous n'avez pas de souvenirs de votre visite aux Baux? (quelques)
5. Voulez-vous me raconter vos souvenirs de cette visite? (quelques-uns)
6. Est-ce que Lucile écrit à ses amis? (chacun)
7. N'avez-vous rien vu de beau à Blois? (quelque chose)
8. Joseph a-t-il déjà reçu une invitation de ce genre? (telle)
9. Est-ce que Mary a écrit à une de ses amies? (toutes)
10. A Aix vous êtes-vous amusé une partie du temps? (tout)
11. Voulez-vous visiter deux des châteaux de la Loire? (tous)
12. Avez-vous passé une demi-heure au déjeuner? (toute)

Un calvaire breton: Celui de St. Thégonnec.

(French Cultural Services)

1. Dans quelle province se trouve Suzanne?
2. Qu'y a-t-il à quelques kilomètres d'elle?
3. A quoi répondent les dessins changeants des nuages et les voiles mouvants de la brume?
4. Quelle réaction a-t-on, en entendant gronder l'océan?
5. Qu'aime-t-elle sentir sous sa main quand elle prend ses repas à la pension?
6. Qu'est-ce qui orne les murs?
7. Que continuent à faire les pêcheurs et les fermiers?
8. Que remarque-t-on le dimanche?
9. Où peut-on trouver les calvaires de Bretagne?
10. Depuis combien de temps connaît-elle la Bretagne?
11. Par les visites de qui a-t-elle été confirmée dans certaines de ses impressions?

«30»

Lettre de Bretagne

Plougastel Daoulas, le 20 août

Mon cher professeur,

Me voici donc devenue Bretonne depuis la fin juin. . . . A quelques kilomètres d'ici se trouve la pointe extrême du continent européen. Là, vous n'avez plus devant vous qu'une immense étendue d'océan. Tout se transforme constamment: au jeu des vagues et des courants répondent les dessins éternellement changeants des nuages et, à la tombée de la nuit, les voiles mouvants de la brume. Quand on a une fois entendu chanter et gronder l'énorme masse houleuse on en revient grisé et troublé.

Et cependant sur cette terre de granit tout semble immuable, éternel. J'aime sentir sous ma main le bois poli de la vieille table de chêne sur laquelle je prends mes repas à la pension de famille. Comme la table, les boiseries sombres qui ornent les murs ont lentement vieilli et les feuillages qui y sont sculptés continueront à gagner en beauté. A l'intérieur du pays les petits champs entourés d'arbres ou de buissons ont marqué le paysage d'une manière ineffaçable. Les fermiers de l'intérieur et les pêcheurs de la côte, bien qu'ils aient abandonné le costume traditionnel continuent à répéter les gestes ancestraux de leur tâche quotidienne. Le dimanche, quand les cloches de l'église sonnent, un mouvement général se fait sentir à travers toute ma petite ville, le même depuis des siècles et des siècles. . . . D'ailleurs les témoins de la persistance religieuse se dressent partout en Bretagne: au milieu des places publiques, au bord de la mer, ou même dans la forêt de l'intérieur, des calvaires de toutes tailles intègrent la religion dans la vie quotidienne.

Mais me voici dissertant sur cette Bretagne que je ne connais que depuis moins de deux mois! Je vous avouerai que j'ai été confirmée dans certaines de mes impressions par les visites de Michel Gautier, l'un des jeunes Français dont nous avions fait la connaissance à New York. Il passe ses

12. Où Michel Gautier passe-t-il ses vacances?
13. Qu'est-ce que la Bretagne a toujours formé selon lui?
14. A quoi la Bretagne a-t-elle toujours résisté?
15. Avec quel danger le Breton de la côte vit-il en contact?
16. Quel refrain Suzanne cite-t-elle pour illustrer ce danger?
17. Quel dicton évoque la pointe rocheuse du Raz?
18 Que fait le Breton face à face avec le danger?
19. Dans quelles circonstances le beau calvaire ancien de Plougastel s'est-il élevé?
20. Que voit-on sur ce calvaire?
21. Quel personnage les sculpteurs bretons ont-ils ajouté à la liste de ceux qui accompagnent traditionnellement le Christ?
22. Qu'est-ce qui a fait tomber Catherine dans le péché?
23. Qu'attestent les énormes pierres à propos de la foi bretonne?
24. De quoi cette presqu'île celte est-elle le domaine d'élection?
25. Qui s'est réfugié dans ses forêts?
26. Quels sont les cadavres qui reposent sur sa côte?
27. Qu'est-ce qui est arrivé lorsque la clef de la ville d'Ys a été dérobée au vieux roi?
28. Par qui ces légendes étaient-elles colportées de village en village?

vacances tout près d'ici, dans sa famille à Brest, et je dois tant à sa connaissance de sa région.

Pour lui, la Bretagne a toujours formé un monde à part en France, une sorte d'îlot où vit un groupe humain dur à la peine, replié sur soi-même, se nourrissant de ses rêves, fortement attaché à ses coutumes et à sa langue celte, et résistant passivement en général, activement s'il le faut, à toute atteinte à son style de vie.

Alors que les conditions physiques en France ne sont qu'assez rarement difficiles pour l'homme, le Breton de la côte vit en contact permanent avec un océan dont les colères sont terribles: "c'est le vent de la mer qui nous tourmente" nous dit le refrain d'une chanson folklorique. La dangereuse pointe du Raz est évoquée dans ce dicton breton: "Nul homme n'y passe sans avoir peur ou douleur." Devant la fureur de la mer la prière vient naturellement aux lèvres des pêcheurs: "Mon Dieu, aidez-moi à traverser le Raz, car ma barque est si petite et la mer si grande." Face à face avec le danger le Breton se tourne naturellement et simplement vers Dieu. C'est ainsi que le très beau calvaire ancien de Plougastel s'est élevé comme une prière adressée par toute une région qu'une peste horrible ravageait. La force du fléau est évoquée par ce vieux poème chanté:

La Peste blanche est partie d'Elliant
Elle a emporté sept mille et cent
Cruel eût été le cœur de celui qui n'eût pleuré.
S'il eût été au bourg d'Elliant,
En voyant sept fils d'une même maison allant en terre dans une même charrette:
La pauvre mère les traînait;
Le père suivait en sifflant: il avait perdu la raison.

Sur le calvaire de Plougastel le Christ est accompagné de personnages taillés dans le granit du pays et vêtus de costumes bretons. A la liste des personnages bibliques traditionnels les sculpteurs ont ajouté une création de leur terroir: une pécheresse, Catherine la perdue, qui se lamente ainsi dans un autre poème chanté:

Par Marie Madeleine
J'ai été avertie douze fois
Qu'il fallait faire une confession sincère et complète
Et que je serais pardonnée.
Un More [1] noir et gris, à la longue queue,
Horrible avec les griffes de ses pieds
En me menaçant de me briser la tête

[1] Un Maure, a Moor.

29. Qu'est-ce qui a fait disparaître les bardes?
30. En quoi les méthodes de culture scientifiques ont-elles transformé les régions côtières?
31. Quelles usines sont venues s'installer dans les ports?
32. Quel est le résultat de cela?
33. Pour les maigres finances de qui la Bretagne avait-elle été une découverte providentielle?
34. A la recherche de quoi les familles parisiennes arrivent-elles?
35. Quelle question Suzanne pose-t-elle à la fin de sa lettre?

M'a contrainte de [2] rester bouche close.
Ma malédiction sur les mauvaises compagnies.
Sur les sorciers et les soirées!
Ma malédiction sur les bals et les danses
Qui m'ont fait tomber dans le péché!

La foi des Bretons a des racines mystérieuses qui s'enfoncent dans la nuit des temps. D'énormes pierres isolées ou groupées en alignements gigantesques l'attestent. Faut-il s'étonner si cette presqu'île celte avec ses brouillards est aussi la terre d'élection des légendes? C'est dans ses forêts que l'enchanteur Merlin se réfugie auprès de Viviane. C'est sur sa côte que les cadavres de Tristan et d'Iseult reposent, enfin unis à jamais. C'est sa mer redoutable qui se précipite en mugissant par-dessus les digues lorsque par un artifice du Diable la clef de la ville d'Ys [3] a été dérobée à un vieux roi endormi.

Ces légendes, parmi beaucoup d'autres, étaient colportées de village en village par des bardes qui se sont relayés jusqu'au vingtième siècle. Apparemment, ils arrivaient fort bien à vivre puisque l'un d'eux, Jean l'aveugle, nous dit:

Ma maison est bâtie au bord de la rivière.
Si son toit est en paille, elle a des murs en pierre;
Comme cet ancien barde, harmonieux maçon,
Chanteur, avec mes chants, j'ai construit ma maison.
Ma chaumière, il est vrai, n'a pas de fenêtre:
Sans doute elle a voulu ressembler à son maître.
Elle est aveugle aussi; notre sort est pareil;
Comme moi, ma maison est fermée au soleil. . . .

Mais l'électricité étant venue, puis la radio, les bardes ont disparu. La Bretagne change. . . . Les méthodes de culture scientifiques, l'usage des engrais chimiques ont transformé les régions côtières en riches productrices de primeurs. Des usines pour mettre en conserves le produit de la pêche sont venues s'installer dans les ports. La population ouvrière se développe de plus en plus.

D'autre part, relayant les peintres pour les maigres finances desquels la Bretagne avait été une découverte providentielle, les familles parisiennes à la recherche du "petit trou pas cher" arrivent en nombre croissant, l'été venu.

Quel sera le visage de la Bretagne dans une dizaine d'années?

J'aimerais bien ne pas avoir à finir sur cette note d'inquiétude.

Très respectueusement à vous,

Suzanne Bernard

[2] M'a contrainte de, m'a obligée à.

[3] Ys: ville légendaire submergée par la mer, évoquée par Debussy dans le morceau connu: *La Cathédrale engloutie* (*The Sunken Cathedral*).

VOCABULAIRE

Noms

l'atteinte *f.* attack
le bal ball
le barde bard
la barque boat, bark
les boiseries *f. pl.* wood panelling
le bourg hamlet
le Breton (*f.* **Bretonne**) Breton
le brouillard fog
le buisson bush
le cadavre corpse
le Calvaire Calvary, sculptured crucifixion scene, often with many figures
le chanteur singer
la charrette cart
la chaumière thatch-roofed cottage
le chêne oak
la clef key
la compagnie company
les conserves *f. pl.* canned goods
la côte coast
le courant current
la coutume custom

Boiseries bretonnes.

(*French Cultural Services; Copyright* V. *Marcano*)

La dangereuse pointe du Raz.

(*French Cultural Services*)

le diable devil
le dicton saying
la digue dike
le domaine d'élection special domain
la douleur pain, sorrow
l'engrais *m.* fertilizer
l'étendue *f.* extent
le feuillage foliage
le fléau scourge
la foi faith
la fureur fury
la griffe claw
l'îlot *m.* isle
l'initiateur *m.* originator
le jeu play
la lèvre lip
le maçon mason, construction worker
la malédiction curse
la paille straw
le pécheur (pécheresse) sinner
le pêcheur fisherman
la pension de famille boarding house
la presqu'île peninsula
la primeur fruit or vegetable ripe before the normal season
le producteur (*f.* **productrice**) producer
la queue tail
la racine root
la soirée evening, evening party
le sorcier (*f.* **sorcière**) wizard, enchanter

Noms (suite)

la taille size
le terroir soil
la tombée fall
le trou hole
 –**petit trou pas cher** inexpensive place (to spend vacation)
l'usine *f.* factory

Verbes

attester to bear witness
briser to break
colporter to peddle, spread around
dérober to steal
disserter to hold forth
emporter to carry off
s'enfoncer to sink down
gagner to increase
gronder to roar
intégrer to integrate
mugir to bellow
nourrir to nourish
orner to adorn
pleurer to weep
relayer to relieve, come after, succeed
replier to fold back
 –**replié sur soi même** withdrawn within oneself
revenir to return
sculpter to sculpture, carve
tailler to cut
tourmenter to torment
vieillir to grow old

Adjectifs et adverbes

apparemment apparently
aveugle blind
celte celtic
chimique chemical
chrétien (*f.* **chrétienne**) Christian
côtier (*f.* **côtière**) of the coast
croissant increasing
grisé intoxicated, exalted
houleux (*f.* **houleuse**) surging (pertain to the waves of the sea)
immuable immutable
ineffaçable indelible
maigre thin, meager
ouvrier (*f.* **ouvrière**) working (in a factory)
 –**un ouvrier** a worker
poli polished
uni united

Préposition

auprès de near to, with

Expressions diverses

une dizaine d'années about ten years
dur à la peine capable of doing back breaking work, or resisting hardship
eût été (*pluperfect subjunctive of* **être**) meaning here "would have been." (In literary style this tense is often used in conditional sentences to replace the pluperfect and the conditional anterior.)
un monde à part a separate world

EXERCICE

Discussion libre. Donnez un résumé des aspects les plus importants de la Bretagne dont parle Suzanne. Lesquels de ces aspects vous intéressent le plus. Pourquoi? Utilisez le vocabulaire de cette leçon.

Un coin tranquille de Paris: Le jardin du Vert-Galant—surnom de Henri IV.
(French Cultural Services)

1. Qui écrit cette lettre?
2. De quelle ville?
3. Comment Joseph avait-il passé sa première journée à Paris?
4. Dans quel état d'esprit était-il revenu à son hôtel?
5. De quelle couleur était le ciel le surlendemain?
6. Comment s'est-il senti tout à coup?
7. A quoi en est-il arrivé?
8. Où a-t-il dîné ce soir-là?
9. De quoi était-il persuadé en sortant du petit restaurant?
10. Qu'a-t-il aperçu en descendant le Boulevard St. Germain?
11. Qu'annonçait cette affiche?
12. Par quel groupe ces courts-métrages seraient-ils présentés?
13. Qu'est-ce que le jeune homme a annoncé après la séance?
14. Qu'est-ce que Joseph a décidé de faire?
15. Par quoi a-t-il failli se laisser tenter?
16. Jusqu'à quand la discussion dans la salle du cinéma a-t-elle continué?
17. Que faisait un dernier groupe pendant que les lumières s'éteignaient?

«31»

Lettre de Paris

Paris, le 25 août

Mon cher professeur,

Il me semble maintenant que mes premiers jours à Paris sont bien loin de moi.

Ma première journée, je l'avais passée à vagabonder le long des quais de la Seine, dans l'ombre fraîche des vieux arbres. Puis j'étais revenu à mon petit hôtel, grisé d'images et de parfums nouveaux. Le lendemain, même émerveillement! Le surlendemain . . . le ciel était pourtant d'un bleu léger . . . mais quelque chose n'allait pas. J'avais beau regarder les vitrines si diverses des boutiques, ce curieux état d'esprit refusait de se dissiper. Tout à coup je me suis senti étranger à Paris et seul. J'en suis même arrivé à envier un groupe de touristes qui se prélassaient dans un autocar!

Ce soir-là, même le repas, dans un petit restaurant du Quartier Latin, n'est pas arrivé à m'égayer. J'étais persuadé que rien ne pourrait m'arracher à cette curieuse mélancolie, lorsqu'en descendant le boulevard St. Germain, j'ai aperçu une affiche que regardaient un groupe d'étudiants. Elle annonçait toute une série de courts-métrages sur l'Afrique qui seraient présentés par le Ciné-Club Universitaire de Paris. Voilà ce qu'il me fallait pour me changer les idées!

A la fin de la séance, notable par sa qualité et sa diversité, un jeune homme au visage ouvert est venu annoncer que tous ceux qui voulaient prendre part à la discussion étaient cordialement invités à rester dans la salle. Après avoir hésité un instant, c'est ce que j'ai décidé de faire. Quand je pense que j'ai failli me laisser tenter par la fraîcheur du soir. . . .

Presque immédiatement une discussion passionnée s'est engagée et elle continuait ferme quand on est venu nous annoncer la fermeture de la salle à minuit. Pendant que les lumières s'éteignaient une à une, un dernier groupe, refoulé peu à peu hors du cinéma, poursuivait les débats. Par hasard

18. Où Joseph s'est-il retrouvé alors?
19. Qu'est-ce le grand gaillard bronzé a proposé?
20. Où se trouvait le petit groupe de "rescapés" cinq minutes plus tard?
21. Qu'a dit le patron vers une heure du matin?
22. Comment Joseph allait-il pouvoir découvrir Paris et la France?
23. Comment les jeunes Français influenceront-ils leur pays?
24. Dans quelle organisation René joue-t-il un rôle actif?
25. Pourquoi les salles de classes et de conférences sont-elles "pleines à craquer"?
26. A l'insuffisance des locaux se joint quel autre problème?
27. Que cherchent les étudiants venus de province ou de l'étranger?
28. Quelles sont les objections des étudiants aux cités-dortoirs?
29. De quelle organisation Jacqueline fait-elle partie?
30. Quel problème persiste malgré le système de bourses gouvernementales?
31. Qu'est-ce que Joseph a été surpris d'apprendre?
32. Qu'est-ce que le gouvernement s'est efforcé de faciliter?
33. De quoi a-t-il fait bénéficier les étudiants?
34. Qu'a-t-il subventionné?
35. Quelle remarque Henriette a-t-elle faite?

je me suis retrouvé au centre de ce groupe qui continuait à discuter sur le trottoir. "On va prendre un pot?" a proposé un grand gaillard bronzé, armé d'une pipe. Cinq minutes plus tard le petit groupe des rescapés était assis dans un café où la discussion a repris.

Lorsque, vers une heure du matin, le patron est venu d'un air bonhomme nous dire: "Vous savez, les jeunes, il faut que j'ouvre à six heures et demie," j'avais été adopté par cinq Français!

Le hasard avait eu la main heureuse. Désormais, c'est à travers cinq amitiés que j'allais pouvoir découvrir Paris et la France. Avec René, Jacqueline, Henriette, Pierre, et Jean-Luc se dessine la première vague d'un flot grandissant de jeunes qui donneront un jour une physionomie nouvelle à leur pays. Mais les années de transition sont parfois dures m'a dit René qui joue un rôle actif dans l'Union Nationale des Etudiants de France. La masse des lycéens et des étudiants grandit sans cesse et les salles de classe et de conférences sont pleines à craquer. A l'insuffisance des locaux se joint le manque de professeurs. A ces difficultés vient s'ajouter la longue recherche d'une chambre à prix abordable pour l'étudiant venu de province ou de l'étranger. Les cités-dortoirs que le gouvernement envisage de faire construire à l'extérieur de Paris se heurtent aux objections de nombreux étudiants qui préféreraient ne pas vivre en vase clos, coupés des réalités quotidiennes. A propos de certaines de ces réalités Jacqueline, qui fait partie de la Jeunesse Etudiante Catholique m'a signalé que malgré un système de bourses gouvernementales il n'y a que très peu d'enfants d'ouvriers qui peuvent envisager des études avancées. J'ai été surpris d'apprendre que Camus avait été une exception. . . . Cependant le gouvernement s'est efforcé de faciliter les conditions de vie des étudiants. Ils les a fait bénéficier de la Sécurité Sociale, il a subventionné des restaurants universitaires où l'on sert des repas à prix réduits mais la demande ne cesse de croître et les crédits sont loin d'être suffisants.

Si la demande croît en France, elle croît aussi à travers le monde, a remarqué Henriette, étudiante à Sciences Po.[1] Si la France doit faire accéder toute une partie de sa jeunesse à l'instruction, le monde, lui, a ses nations sous-développées à considérer.

Evoquant *Moi un Noir,*[2] un des films sur l'Afrique que nous avions vus, elle a rappelé combien de difficultés attendaient les jeunes gens qui quittaient leur village pour la ville industrialisée. Comment fallait-il aider les nouvelles nations africaines à se développer? Elle plaçait tous ses espoirs dans le rôle grandissant des Nations-Unies qui pourraient conseiller

[1] Nom donné familièrement à Sciences Politiques, une institution de l'Université de Paris.

[2] *Moi un Noir:* un film de l'ethnologue Jean Rouch.

36. Quel problème a-t-elle souligné en évoquant *Moi un Noir?*
37. Où plaçait-elle tous ses espoirs?
38. Pourquoi?
39. Que souhaitait René?
40. Qu'est-ce que ces observations de René ont amené Joseph à faire?
41. Quelle question se pose-t-il?
42. Qu'est-ce que la foule et les kiosques du "Boul'Mich" évoquent?
43. Sur quoi Jacqueline met-elle l'accent?
44. Qu'a-t-elle rappelé à ses amis?
45. Qu'est-ce que Pierre ne manque jamais de faire?
46. Selon lui, quelle définition de l'homme la civilisation industrielle fournissait-elle?
47. Que voyait-il déjà?
48. Quelle est la réponse de Jacqueline à cette observation de Pierre?
49. Qu'a-t-on sacrifié pour l'automobile, selon Jean-Luc?
50. Qu'est-ce que l'auto permettait à Monsieur et à Madame Tout-le-Monde?
51. Quelles inquiétudes Jean-Luc fait-il partager à Joseph?

et aider les nouveaux pays et risqueraient moins d'inquiéter leur indépendance nouvellement acquise.

René, lui, souhaitait des échanges accrus entre les fédérations des étudiants d'Afrique et de France. Ceci m'a amené à regarder d'un œil nouveau les étudiants africains que l'on rencontre en si grand nombre à Paris. Parmi ces futurs avocats, ces futurs médecins, ces futurs professeurs, y aurait-il un futur homme d'Etat?

Devant la foule bigarrée qui monte et descend le Boul'Mich [3] dont les kiosques proposent des magazines venus de tous les coins de l'univers comment ne pas songer à un monde en pleine transformation? Mais quel avenir attend ce monde de demain? Jacqueline, qui met l'accent sur le style de vie, le système des valeurs, nous a rappelé qu'il ne nous fallait pas perdre de vue qu'outre la modernisation, d'autres problèmes se posaient. Que devenait l'homme dans tout cela?

Pierre, notre artiste, qui ne manque jamais une occasion d'ironiser, a rappelé que certainement la civilisation industrielle arrivait fort bien à fournir une définition à l'homme: producteur-consommateur! Il voyait déjà des statuettes africaines sortant par milliers de quelque chaîne de production du continent noir et inondant les appartements de l'occident. A quoi Jacqueline a répondu que l'Afrique avait peut-être autre chose à offrir que des statuettes ou le traditionnel fardeau de l'homme blanc! Peut-être l'Afrique pourrait-elle nous aider à retrouver une certaine sagesse de vivre.[4]

C'est alors que Jean-Luc, abandonnant sa pipe, s'est exclamé qu'il n'y avait peut-être plus grand'chose à faire à cet égard! Pour l'automobile, la nouvelle idole d'un pays qu'on dit sceptique, des rangées de vieux arbres étaient impitoyablement sacrifiés le long des routes, on mutilait des forêts, on transformait en autostrades des quais de la Seine, chers aux flâneurs. Ne fallait-il pas tout sacrifier à l'automobile qui permettait à Monsieur et à Madame Tout-le-Monde d'aller s'installer au bord de n'importe quelle route avec tables et chaises portatives sans oublier l'inévitable petit poste de radio clamant à tous les échos le dernier refrain à la mode? Jean-Luc qui m'a fait explorer les forêts qui entourent Paris m'a fait partager ses inquiétudes à propos des lotissements et des autostrades qui menacent cette ceinture verte.

[3] Le Boul'Mich': Le boulevard St. Michel et le boulevard St. Germain sont les deux avenues les plus célèbres du Quartier Latin.

[4] Voici ce que Jean Rouch, le metteur en scène de *Moi un Noir* écrit à ce sujet: "A l'Afrique, je dois tout. C'est pour la faire connaître que je me suis lancé dans le cinéma. J'ai infiniment de respect pour cette culture, à laquelle nous pouvons apporter beaucoup, ne serait-ce que par notre attention, mais dont nous avons aussi tant à retenir. Les Africains ont une extraordinaire vocation pour la joie, l'humour, le bonheur. Et je ne suis pas sûr qu'ils soient moins armés que nous pour affronter le monde moderne."

52. Que lui révèle Pierre?
53. Qu'est-ce que Pierre n'hésite pas à lui montrer?
54. Qu'est-ce que Joseph découvre à travers ses amis?

VOCABULAIRE

Noms

l'accent *m.* stress
l'affiche *f.* poster
l'architecte *m.* architect
l'autocar *m.* motor coach
l'autostrade *f.* limited access road for motor cars
l'avenir *m.* future
la ceinture belt
le cinéma movie theater
la civilisation civilization
la condition condition
le consommateur consumer
le continent continent
le cordonnier shoemaker
le court-métrage short subject
le crédit credit
le débat oral discussion
la définition definition
la demande request
les échos *m. pl.* news items
l'émerveillement amazement
l'état d'esprit *m.* frame of mind
l'exception *f.* exception
le fardeau burden
la fermeture closing
la fin end
le flâneur stroller
la fraîcheur coolness
le gaillard fellow
le groupe group
le guide guide
l'idole *f.* idol
l'image *f.* picture
l'indépendance *f.* independence
l'instruction *f.* instruction
l'insuffisance *f.* deficiency
la jeunesse youth
le kiosque newspaper stall
le local premises
le lotissement development
le lycéen (la lycéenne) secondary school pupil
le manque shortage
la masse mass
la mélancolie melancholy
la modernisation modernization
la nation nation
l'objection *f.* objection
l'occident *m.* occident

A Paris, c'est Pierre qui est mon guide. Tantôt il me révèle une minuscule boutique de cordonnier qui semble échappée à un conte de fées, tantôt une petite place où l'on retrouve l'atmosphère d'un des villages que Paris grandissant a englobés, tantôt le magnifique ensemble du Palais de Chaillot sur sa colline. Il n'hésite pas non plus à me montrer les maisons des quartiers surpeuplés avec leurs cours intérieures que le soleil atteint à peine et les nouvelles unités d'habitation où des architectes ont simplement oublié que les enfants et les adolescents ont besoin de terrains de jeux.

Et c'est ainsi qu'au hasard des sentiers forestiers, des ruelles de la ville et des conversations, je découvre à travers mes amis la France d'aujourd'hui et le monde de demain.

Respectueusement à vous,

Joseph Ford

---

le parfum perfume, fragrance
le patron proprietor, boss
la physionomie appearance
le pot jug
le quai embankment along a river
la qualité qualification
la rangée row
la réalité reality
le refrain refrain
les rescapés the survivors
la ruelle by-street
la sagesse wisdom
la séance session
le sentier bridle path
la série series
la statuette statuette
le style style
le surlendemain the second day after
le système system
le terrain de jeu playground
la transformation transformation
la transition transition
le trottoir sidewalk
l'union *f.* association
l'univers *m.* universe
la valeur value
le vase vase

Verbes

abandonner to abandon
accéder to assent (to)
accroître to increase
acquérir to obtain
adopter to adopt
annoncer to announce, to give notice of
s'arracher (à) to tear oneself from
arriver (en arriver à) to be reduced to
bénéficier to profit
conseiller to counsel
considérer to consider
construire to build
continuer to carry on
couper to cut
craquer to crack
croître to increase in size
découvrir to discover
développer to expand
se dissiper to vanish
égayer to cheer up
s'engager to start up, begin
englober to include, encompass
envier to envy
envisager to envisage, foresee
s'éteindre to go out
s'exclamer to exclaim

Dans un restaurant universitaire subventionné par le gouvernement, les étudiants font la queue. (*French Cultural Services*)

Verbes (suite)

faillir to almost do
fournir to furnish
grandir to grow larger
se heurter to run up against
inonder to inundate, drown
ironiser to speak ironically
monter to ascend
offrir to offer
persuader to convince
se prélasser to take it easy, relax
proposer to propose
réduire to reduce
refouler to force back
refuser to refuse
subventionner to subsidize
tenter to tempt
transformer to change

Adjectifs et adverbes

abordable accessible
actif active
armé equipped (with)
bronzé tanned
certainement certainly
cordialement cordially
de près near
désormais from now on
ferme firm, steady

forestier pertaining to a forest
futur future
gouvernemental governmental
impitoyable ruthless
industrialisé industrialized
industriel industrial
inévitable unavoidable
magnifique magnificent
national national
passionné ardent
rescapé rescued
–**les rescapés** rescued people, survivors
sceptique skeptical
simplement simply
surpeuplé overpopulated
tantôt presently
tout à coup suddenly

Expressions diverses

à cet égard in this respect
au visage ouvert frank and friendly
elle continuait ferme it was still going strong
on va prendre un pot? shall we have a drink?
le hasard avait eu la main heureuse fortune smiled on him
faire partie de to be a member of
d'un air bonhomme in a friendly way
plein à craquer full to the brim, packed
n'importe it does not matter

Un dortoir d'étudiants en construction.

(*French Cultural Services; Photo Jean d'Augeaud*)

EXERCICES

B. Exercices sur l'expression *avoir beau.*

EXEMPLES

— Bien qu'il soit à Paris, il ne s'amuse pas.
— Il a beau être à Paris, il ne s'amuse pas.

— C'est en vain qu'il regarde (regardait, regardera, etc.) les vitrines, sa mélancolie ne se dissipe pas. (dissipait, dissipera, etc.)
— Il a (avait, aura, etc.) beau regarder les vitrines, sa mélancolie ne se dissipe. (dissipait, dissipera, etc.)

1. Bien que je lui dise la vérité, il n'a pas confiance en moi.
2. Bien qu'on annonce la fermeture de la salle, la discussion continue.
3. Bien que nous soyons étrangers, le groupe nous adopte.
4. Bien que vous nous proposiez de rentrer, nous allons "prendre un pot."
5. C'est en vain que le gouvernement subventionne les restaurants universitaires, les étudiants sont loin d'être satisfaits.
6. C'est en vain qu'on fera construire ces cités-dortoirs, les étudiants refuseront de vivre en vase clos.
7. C'est en vain que vous envisagiez des études avancées, la bourse que vous cherchiez ne suffisait pas.
8. C'est en vain que la France essaie d'aider certains pays africains, elle risque d'inquiéter leur indépendance.

C. Exercices sur faillir et l'infinitif.

EXEMPLE

— Avez-vous quitté la capitale sans visiter le Palais de Chaillot?
— Non, mais j'ai failli quitter la capitale sans visiter le Palais de Chaillot.

1. Avez-vous envié les touristes dans les autocars?
2. Avez-vous oublié de mentionner l'inévitable poste de radio?
3. Le patron a-t-il mis les étudiants à la porte?
4. A-t-on sacrifié tous les beaux arbres le long des quais?
5. Est-ce que j'ai sacrifié mes études avancées?
6. Avons-nous perdu de vue le problème humain?
7. Vous êtes-vous laissé tenter par la fraîcheur du soir?
8. Après cette discussion vous êtes-vous battu avec Pierre?

D. Refaites les exercices de C en remplaçant les compléments par des pronoms.

EXEMPLE

– Avez-vous quitté la capitale sans voir le Palais de Chaillot?
– Non, mais j'ai failli la quitter sans le voir.

E. Imaginez-vous à la place de Joseph ou d'un autre étudiant américain et écrivez une composition de 600 mots sur vos expériences à Paris.

1. Où retrouvons-nous la plupart de nos étudiants?
2. Quelle remarque Jim fait-il sur le temps?
3. Que fait le navire maintenant?
4. Qu'est-ce qu'Albert commençait à penser?
5. Quelle remarque Suzanne fait-elle sur Joseph?
6. Que dit Mary à propos du mal de mer?
7. Qu'est-ce que Suzanne est obligée de faire pour arriver jusqu'à son lit?
8. A quoi Jim rêve-t-il au beau milieu de cette confusion?
9. Pourquoi Mary se voit-elle mal explorant seule?
10. En fermant les yeux que revoit-elle?
11. Que souhaite Albert, en pensant à André?
12. En voyant remonter Joseph, quelle remarque Jim fait-il?

« 32 »

Voyage-retour

[*Nous retrouvons la plupart de nos étudiants sur le pont de leur bateau.*]

Jim Gerald: Enfin le ciel se dégage!

Albert Clark: Le navire roule beaucoup moins. Ce n'est pas trop tôt! Je commençais à penser que tout notre voyage-retour se ferait par gros temps.

Suzanne Bernard: Peut-être verrons-nous notre pauvre Joseph émerger de sa cabine. Il n'a décidément pas le pied marin.

Mary Morse: Il faut avouer que le mal de mer peut prendre les proportions d'une épidémie sur un bateau d'étudiants aussi bondé que le nôtre.

Suzanne: Tu devrais voir cette cabine que je partage avec sept autres jeunes filles. Pour arriver jusqu'à mon lit je suis obligée de faire des prodiges d'acrobatie!

Jim: Au beau milieu de cette confusion il m'arrive de rêver aux routes sinueuses de Provence où je vagabondais tout seul. . . .

Mary: C'est drôle, je me vois mal explorant seule. . . . Lucile et ses parents sont indissolublement liés à mes souvenirs. Lorsque je ferme les yeux pour retrouver en moi un coin de la Vallée de la Loire, je revois immédiatement les visages de Lucile et de sa mère et j'entends la voix tranquille de M. Bellanger.

Albert: Quant à moi, je dois tant à André, mon garagiste d'Albi, que je souhaite qu'une panne providentielle permette à tout jeune Américain de découvrir un ami comme le mien!

Jim [*aperçoit Joseph qui émerge*]: Mais voilà notre Parisien endurci lui-même remonté des profondeurs du vaisseau. Nous pouvons être sûrs que désormais nous aurons beau temps.

13. Qu'est-ce que les étudiants étaient en train de comparer?
14. Quelle idée Suzanne n'aurait-elle peut-être pas saisie sans Michel Gautier?
15. Qu'a-t-elle pu comprendre grâce à lui?
16. En pensant à ce qu'il doit à ses amis parisiens, que souhaite Joseph?
17. Quelle question Albert pose-t-il quand Joseph emploie l'imparfait du subjonctif?
18. Quelle est la réponse de Joseph?
19. Dans quelles circonstances Pierre devenait-il un ardent défenseur de l'art de bien dire?
20. Qu'est-ce qu'il n'est pas difficile de faire en Provence?
21. Que ferait Jim s'il avait à recommencer son voyage?

Joseph: Parlons de tout ce que vous voulez, mais pas du temps, je vous en supplie.

Albert: Nous étions en train de comparer nos manières d'explorer la France. Qu'en pense notre rêveuse Bretonne?

Suzanne: Je crois j'aurais goûté lá Bretagne même sans Michel Gautier.

Albert: Ah oui?

Jim: Tu es incorrigible! Continuez donc, Suzanne.

Suzanne: Mais sans lui, je ne sais si j'aurais saisi cette tension entre le passé et l'avenir de cette région. Grâce à lui j'ai pu vraiment comprendre que parce qu'il connaissait à fond le passé de la Bretagne il devait s'interroger sérieusement sur l'avenir de tout un mode de vie auquel il tenait.

Joseph: Ce que je dois à mes cinq amis parisiens est du même ordre. Quand je pense à la chance que j'ai eue de découvrir Paris à travers la variété de cinq personnalités, je souhaiterais que tous les futurs voyageurs en profitassent de même.

Albert: Profitassent! Où as-tu pêché cette forme?

Joseph: C'est un tic de Pierre, notre artiste, qui de temps à autre fait du purisme. Il suffisait d'une promenade dans le Marais,[1] de quelques hôtels du XVIIe siècle, et immédiatement il devenait un ardent défenseur de l'art de bien dire! Malheur à moi, s'il m'arrivait d'oublier la concordance des temps.

Mary: Jim semble être le seul d'entre nous qui ait choisi la solitude.

Jim: Vous oubliez le soleil, les cigales et le fait qu'en Provence il n'est pas difficile d'engager la conversation avec des inconnus. Les spectateurs d'une partie de boules ne m'ont jamais déçu, surtout si je leur demandais leur opinion sur un point contesté.

Mais plaisanterie à part, si j'avais à recommencer mon voyage, malgré tout ce que vous m'avez dit, je le recommencerais de la même façon. D'ailleurs la solitude en Provence et la solitude à Paris ont une signification bien différente, n'est-ce pas?

[1] Le Marais: quartier de Paris, au NE du centre, où ont été construits de très beaux hôtels.

22. A quoi un rayon de soleil sur un vieux mur est-il préférable, pour tout esthète?
23. Quelle est la réponse de Jim à la remarque ironique de Joseph?
24. A quoi a-t-il eu l'occasion de participer vers la fin juillet?
25. Dans quel groupe a-t-il été intégré?
26. Qu'est-ce qu'il n'est pas près d'oublier?
27. Qu'est-ce que les trompettes de la cour du Palais des Papes annonçaient?
28. Quelles tentatives Albert aime-t-il?
29. A quel spectacle ces tentatives donnaient-elles un cachet si particulier?
30. Qu'est-ce qui ne sourit guère à Suzanne?
31. Quelle remarque Joseph fait-il à Suzanne sur les paysans bretons?
32. Au sujet de quoi pourtant a-t-il partagé les inquiétudes de Jean-Luc?

Joseph: De plus, pour tout esthète qui se respecte, un rayon de soleil sur un vieux mur n'est-il pas infiniment préférable aux contacts humains, parfois si décevants?

Jim: Allons, ne t'emballe pas, mon vieux! Vers la fin juillet, j'ai eu l'occasion de participer aux Rencontres Internationales des Jeunes à Avignon, et pendant une semaine j'ai été intégré dans un groupe international que dirigeaient trois jeunes Français. Je ne suis pas près d'oublier ces jours et ces nuits où nous avons discuté passionnément théâtre et problèmes internationaux, tout en explorant la région environnante depuis le Pont du Gard jusqu'à une cave de Châteauneuf-du-Pape, où nous attendait une dégustation-surprise. Je serais franchement très embarrassé si je devais choisir entre la tranquillité de cette après-midi que j'ai passée à visiter par moi-même l'abbaye romane du Thoronet et la joie qui nous unissait lorsque dans la cour du Palais des Papes [2] les appels de trompette annonçaient que le spectacle du Théâtre National Populaire [3] allait commencer.

Albert: J'aime ces tentatives où un cadre riche de souvenirs et les recherches de créateurs modernes se mettent réciproquement en valeur.

Mary: Voilà ce qui donnait un cachet si particulier au spectacle Son et Lumière de Chambord.

Suzanne: Je dois avouer que ces éclairages et cette musique qu'on ajoute à un monument ne me sourient guère. Je préfère le silence, la solitude et le rêve devant un lieu choisi.

Joseph: Allons, allons, Bretonne de mon cœur, pourquoi repousser les méthodes modernes, pourquoi s'accrocher si désespérément au passé? Même les paysans bretons sont presque tous motorisés de nos jours, et lorsqu'ils protestent contre des prix insuffisants, s'ils brandissent des fourches, c'est du haut de leurs tracteurs!

Jim: Toi qui ironises à propos de ce changement, ne nous as-tu pas fait partager les inquiétudes de ton ami Jean-Luc au sujet des transformations physiques et morales dont l'automobile était cause?

[2, 3] Le Palais des Papes: Il s'agit du très beau palais papal d'Avignon. C'est dans la cour de ce palais que sont donnés les spectacles du Théâtre National Populaire, une excellente compagnie dramatique.

33. Quels avantages l'automobile offrait-elle à André?
34. Que lui permet son garage?
35. Que craint Mary à propos de cette mobilité?
36. Que peut-elle comprendre?
37. Grâce à quoi la vie culturelle dans une université de province peut-elle être riche?
38. Quel risque les jeunes troupes théâtrales de province peuvent-elles prendre?
39. Quelle question Albert pose-t-il à Joseph à propos de ses amis parisiens?
40. Qu'est-ce que Paris assimile?
41. A quoi Albert compare-t-il Paris?
42. Quelle sorte de base le passé serait-il?

Albert: Mais c'est cette même automobile qui a libéré à bien des égards mon ami André. Il m'a dit qu'alors que son père n'était sorti de sa région que pour aller faire son service militaire, il avait, lui, exploré le Languedoc et la Provence, et avait même poussé quelques pointes jusqu'à Paris. De plus, son garage lui permet d'envisager pour son fils ces études secondaires auxquelles il avait dû, lui, renoncer.

Mary: Cette plus grande mobilité qui ouvre aux jeunes Français des horizons plus étendus, j'espère qu'elle ne se transformera pas en goût du mouvement pour le mouvement, du changement pour le changement. Paris a peut-être une atmosphère stimulante à offrir, mais je peux comprendre les réticences des provinciaux devant sa trépidation.

Joseph: Et où crois-tu que ton amie Lucile viendra faire ses études universitaires?

Mary: Et pourquoi pas à une université de province? Comme la cohue y est moindre, l'étudiant n'y est pas perdu dans la foule et les conditions de vie peuvent y être moins dures. La vie culturelle, sans avoir l'éclat de celle de Paris, peut y être riche grâce à des organisations comme les Jeunesses Musicales de France et leurs cycles de conférences-concerts, ou aux jeunes troupes théâtrales de la région qui sont beaucoup plus en contact avec leur public et peuvent même prendre le risque de créer des œuvres nouvelles que les coûts de Paris étoufferaient dans l'œuf.

Albert: Allons, allons, n'opposons pas la province et Paris. Que feraient-ils l'un sans l'autre? Crois-tu vraiment que tes amis sont des Parisiens pur-sang, Joseph? Paris assimile des milliers de jeunes "aventuriers" comme il assimile les idées nouvelles venues de tous les coins du monde. Il ne ferme ses portes ni aux uns ni aux autres.

Paris est à la fois un creuset où s'élabore le monde de demain et une ville-musée pour les trésors du passé. Ce passé que vous admirez tant, Suzanne, n'a pas besoin d'être un refuge. Pourquoi ne serait-il pas une base ferme d'où les Français peuvent s'élancer à la recherche de

43. A qui Montaigne ouvre-t-il la voie?
44. Comment Cousteau poursuit-il l'investigation des mystères de la nature?
45. Comment Le Corbusier dessine-t-il ses cités nouvelles?
46. A quelle condition Jim serait-il d'accord avec Albert?
47. Que craint-il?
48. Qu'est-ce que Joseph voit défiler dans la cité "abstraite" dont parle Jim?
49. Que parie-t-il?
50. Quel trait de caractère des Français Jim et Mary soulignent-ils?

VOCABULAIRE

Noms

l'aventurier *m.* adventurer
la base base
la boule ball
le cachet seal
 –**un cachet si particulier** so unusual a character
la caméra motion picture camera
la cité city, housing project in a city
le coût cost
le creuset crucible
le cycle cycle
la dégustation tasting
l'éclat *m.* brilliance
l'esthète *m.* esthete
la fonction function
 –**en fonction de** hand in hand with
la fourche (pitch)fork
le galop gallop
l'investigation *f.* investigation
le laboratoire laboratory
la mobilité mobility
le mode mode
 –**un mode de vie** a mode of living
le navire ship
le Parisien Parisian
la partie game
le plongeur diver
la pointe point

mondes nouveaux? Montaigne,[4] s'interrogeant sur l'homme, ouvre la voie à Jean Rouch enquêtant avec sa caméra. L'éternelle investigation des mystères de la nature, Cousteau [5] la poursuit avec ses agiles plongeurs et son navire-laboratoire. Bien qu'il admire les cathédrales du Moyen Age, Le Corbusier [6] dessine ses cités nouvelles en s'appuyant sur l'évolution des techniques architecturales et en fonction des besoins de l'homme moderne.

Jim: D'accord avec toi, mais à condition que ces cités soient dessinées *pour l'homme.* Ce que je crains c'est que l'homme ne soit obligé de s'adapter à quelque cité abstraite, répétée à des milliers d'exemplaires.

Joseph: Je vois défiler dans cette cité une procession d'hommes sans visage. Je parie que tu entends déjà les galops de ces rhinocéros que Ionesco [7] a évoqués dans les cités radieuses de l'avenir. Quel sacré individualiste tu es!

Jim: Individualiste? Et pourquoi pas? Pas plus individualiste que tes cinq amis qui s'interrogent sur l'avenir de la France et du monde.

Mary: Pas plus individualiste que ces quarante-huit millions de Français que nous laissons derrière nous.

–**pousser quelques pointes jusqu'à Paris** to make a few trips as far as Paris
le pont bridge
la proportion proportion
le purisme purism
–**faire du purisme** to become puristic
le refuge refuge
la réticence reticence
le risque risk
le tic mannerism
le tracteur tractor
la tranquillité tranquility
la trépidation trepidation
le trésor treasure
le vaisseau vessel
la valeur value
–**mettre en valeur** enhance

Verbes

s'accrocher à to hang on to
s'appuyer sur to rely upon
assimiler to assimilate
brandir brandish

[4] Montaigne: Philosophe-moraliste du XVIe siècle, auteur des *Essais.*
[5] Cousteau: Il s'agit de l'auteur du *Monde du Silence.*
[6] Le Corbusier: Un des plus grands architectes modernes. Sa cité radieuse de Marseille illustre ses conceptions.
[7] Ionesco: Dramaturge moderne qui dans *Le Rhinocéros* dénonce le conformisme moderne.

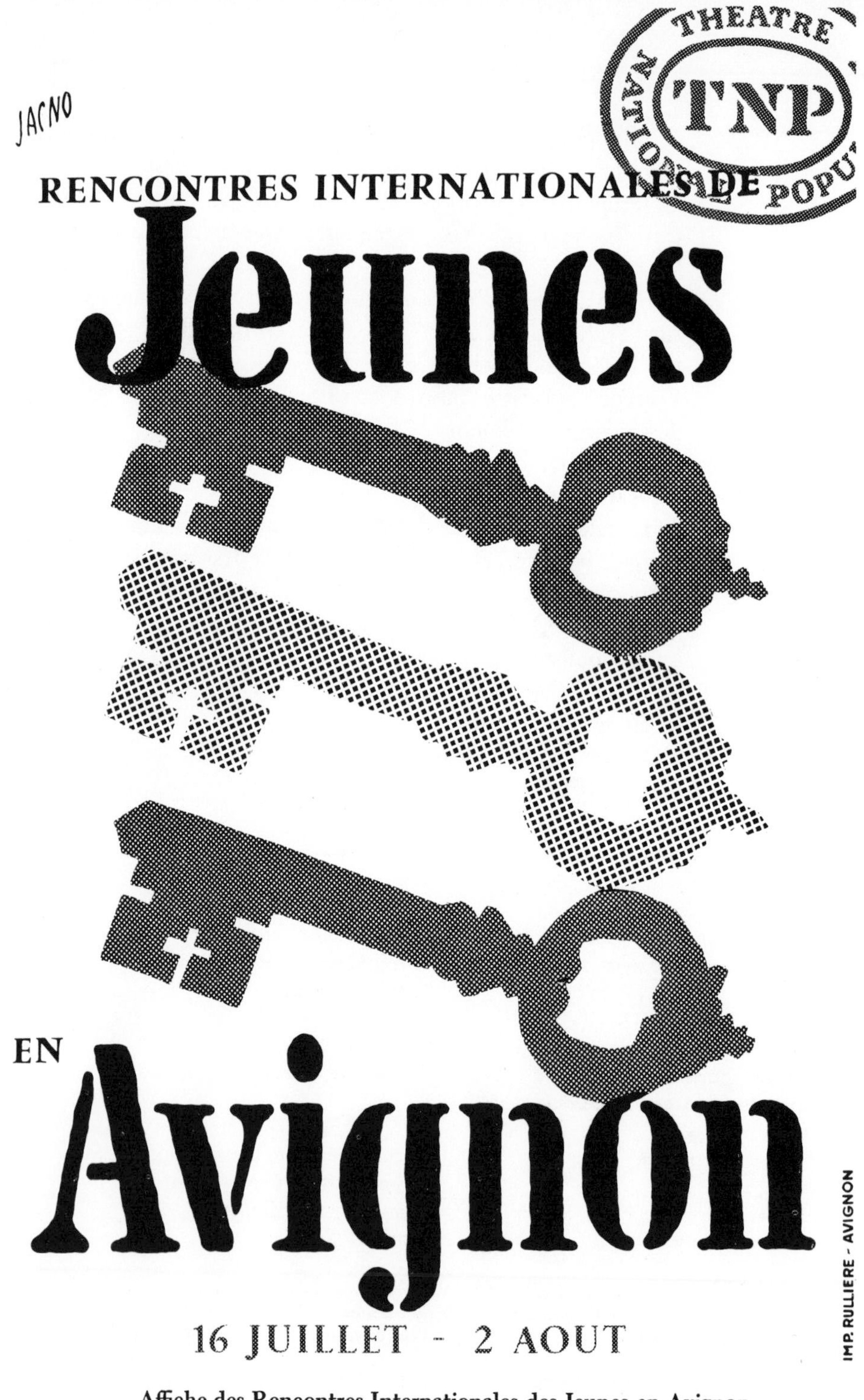

Affiche des Rencontres Internationales des Jeunes en Avignon.

Verbes (suite)

s'élancer to thrust forward
enquêter to make investigation
envisager envisage
se faire to be made
ironiser to speak ironically
respecter to respect
–**tout esthète qui se respecte** every self-respecting esthete

Adjectifs et adverbes

agile agile
bondé packed
contesté disputed
endurci hardened
étendu extended
incorrigible incorrigible
indissolublement indissolubly
motorisé motorized
providentiel providential
pur-sang (*invariable*) pure blooded
radieux (*f.* **radieuse**) shining, dazzling
sinueux (*f.* **sinueuse**) winding

Préposition

du haut de from the top of

Conjonction

alors que whereas

Expressions diverses

au beau milieu right in the middle
il n'a décidément pas le pied marin he is decidedly not a good sailor
s'il m'arrive d'oublier la concordance des temps if I happen to forget the agreement of tenses
étouffer dans l'œuf to nip in the bud
discuter théâtre et problèmes internationaux to talk about the theater and international problems
le ciel se dégage the sky is clearing
engager la conversation strike up conversation
faire des prodiges d'acrobatie to perform acrobatic miracles
faire son service militaire to do his military service
où as-tu pêché cette forme where did you get hold of that form
l'idée ne me sourit guère the idea does not appeal to me very much
ne t'emballe pas do not get excited
je vous en supplie I beg of you
la cohue est moindre the crowd is less great
la fin juillet the end of July
quel sacré individualiste tu es! what a confounded individualist you are
l'art de bien dire the art of saying things nicely
plaisanterie à part all joking aside
à bien des égards in many respects
à fond thoroughly
de même similarly

EXERCICES

A. Discussion libre. Que voudriez-vous voir et que voudriez-vous faire si vous pouviez passer un été en France?

B. Discussion libre. De toutes les régions visitées par les étudiants, laquelle vous tente le plus? Pourquoi? Qu'est-ce que vous aimeriez voir si vous faisiez un voyage en France?

Un moment de détente après les examens à Paris.

(*French Embassy Press and Information Division*)

A Paris l'étudiant n'est pas toujours perdu dans la foule.

(*France-Soir*)

ETUDE DE GRAMMAIRE XV

78. The Imperfect and Pluperfect Subjunctive (*L'Imparfait et le plus-que-parfait du subjonctif*)

A. FORMS OF THE IMPERFECT SUBJUNCTIVE (*Formes de l'imparfait du subjonctif*)

The imperfect subjunctive of all French verbs may be obtained as follows: take the fifth principal part (the first form of the *passé simple*— see section 69), remove the last letter and add the imperfect subjunctive endings, which are:

-sse, -sses, -^t, -ssions, -ssiez, -ssent

The circumflex accent is placed over the last vowel preceding the ending: étudiâ-t, vîn-t.

EXAMPLES:

STEM	étudia-i	fini-s	fu-s
1st sing.	(que) j'étudia-sse	(que) je fini-sse	(que) je fu-sse
2nd sing.	(que) tu étudia-sses	(que) tu fini-sses	(que) tu fu-sses
3rd sing.	(que) il étudiâ-t	(que) il finî-t	(que) il fû-t
1st pl.	(que) nous étudia-ssions	(que) nous fini-ssions	(que) nous fu-ssions
2nd pl.	(que) vous étudia-ssiez	(que) vous fini-ssiez	(que) vous fu-ssiez
3rd pl.	(que) ils étudia-ssent	(que) ils fini-ssent	(que) ils fu-ssent

Je souhaiterais que tous les futurs voyageurs en *profitassent* de même.

B. THE PLUPERFECT SUBJUNCTIVE (*Le Plus-que-parfait du subjonctif*)

The *pluperfect subjunctive* is formed with the imperfect subjunctive of the auxiliary and the past participle.

EXAMPLE:

Joseph *eût voulu* que ses amis ne *fussent* pas *partis*.

The above form is literary. In spoken French one would say:

Joseph *aurait voulu* que ses amis ne *soient* pas *partis*.

C. USE OF THE IMPERFECT AND PLUPERFECT SUBJUNCTIVE

Strict application of the rules for the sequence of tenses (see section **79**) requires use of the imperfect and the pluperfect subjunctive. But, in conversation, the imperfect subjunctive is rarely heard today, and, when used, especially inasmuch as the form in *-ass, -iss,* and *-uss* are concerned, it produces a special effect (pedantic or comic: see text **32**). It is still quite frequently found in formal written French. The use, in conversation, of the present or past subjunctive, where the rules of tense sequence require the imperfect or the pluperfect, subjunctive, is tolerated.

D. SPECIAL USE OF THE PLUPERFECT SUBJUNCTIVE

In literary French and, occasionally, in conversation, the pluperfect subjunctive may be used in conditional sentences to replace the pluperfect indicative in the *if* clause and the conditional anterior in the result clause:

> Cruel *eût été* le cœur de celui qui n'*eût pleuré,* s'il *eût été* au bourg d'Elliant.

In spoken French: "Cruel *aurait été* le cœur de celui qui n'*aurait* pas *pleuré,* s'il *avait été* au bourg d'Elliant."

79. Sequence of Tenses with the Subjunctive (*Concordance des temps avec le subjonctif*)

1. Il *faut* que j'*ouvre* à six heures et demie.
   Je *souhaite* que les futurs voyageurs en *profitent.*
   Je *crains* que l'homme ne *soit* obligé de s'adapter à quelque cité abstraite.
   Je *regrette* que les Français *aient été* obligés de s'adapter à des conditions de vie difficiles.

2. Je *souhaiterais* que les futurs voyageurs en *profitassent.*
   Je *craignais* que l'homme ne *fût* obligé de s'adapter à quelque cité abstraite.
   Il *regrettait* que les Français *eussent été obligés* de s'adapter à des conditions de vie difficiles.

The examples just given illustrate the sequence of tenses with the subjunctive. The subjunctive is used mainly in subordinate clauses. The tense is determined by the tense of the verb in the principal clause. This is shown schematically as follows:

	Principal Clause	Subordinate Clause
(1)	present future	present subjunctive past subjunctive *
(2)	a past tense imperfect, passé simple, conditional	imperfect subjunctive pluperfect subjunctive *

Exercice

I. Complétez ces phrases avec le verbe entre parenthèses, en observant la concordance des temps.

1. (faire) Il fallait que vous . . . une confession sincère.
2. (confirmer) Je suis content que Michel me . . . la semaine dernière dans certaines de mes impressions.
3. (être) Suzanne avait peur que le visage de la Bretagne . . . changé dans une douzaine d'années.
4. (aller) Joseph s'étonne que quelque chose ne . . . pas.
5. (pouvoir) Je suis sûr qu'à l'avenir la majorité des enfants d'ouvriers . . . envisager des études avancées.
6. (avoir) René souhaiterait qu'il y . . . beaucoup d'échanges entre les fédérations d'étudiants d'Afrique et de France.
7. (oublier) J'espère, dit Lucile, que les Bellanger ne m' . . . pas.
8. (partager) Suzanne aimait sa cabine bien qu'elle la . . . avec sept autres jeunes filles.
9. (faire) Il est possible qu'il ne . . . pas beau pendant le voyage.
10. (faire) Je regrette qu'il n' . . . pas beau pendant votre dernier voyage.
11. (oublier) Pierre était furieux que j' . . . la concordance des temps hier.
12. (oublier) Si vous . . . la concordance des temps, Pierre sera furieux.
13. (être) Joseph ne croyait pas que des contacts humains . . . préférables à un rayon de soleil sur un vieux mur.
14. (répéter) Croyez-vous que les paysans . . . toujours les gestes de leurs ancêtres?
15. (être) J'avais du mal à comprendre que la vie des paysans . . si dure.

* If the action indicated in the subordinate clause is prior to the action or statement of the principal clause.

80. Avoidance of the Subjunctive (*Pour éviter le subjonctif*)

1. Compare:

> Il faut *que j'ouvre* à six heures et demie.
> Il faut *ouvrir* à six heures et demie.

In the above example, the subordinate clause is replaced by a dependent infinitive. Since, however, the infinitive usually has no subject, a subordinate clause with the subjunctive must be used, when the context is not sufficiently explicit.

> Il faut ouvrir à six heures et demie.

is not as clear as

> Il faut que j'ouvre à six heures et demie.

since, without context, it could also mean:

> Il faut que vous ouvriez à six heures et demie.

2. Compare:

> Il regrettait *que je fusse parti.*
> Il regrettait *mon départ.*

The subordinate clause may be replaced by a noun conveying the same meaning.

3. Compare:

> Je suis content *que vous veniez.*
> Je suis content *de savoir que vous venez.*

The subordinate clause is made to depend upon an inserted dependent infinitive which does not require the subjunctive.

4. Compare:

> Je souhaite *que vous profitiez* de votre séjour.
> J'espère *que vous profiterez* de votre séjour.

The main verb is replaced by an approximately equivalent one not taking the subjunctive.

5. Compare:

> Je vous connaissais *avant que je ne vous eusse vu.*
> Je vous connaissais *avant de vous avoir vu.*

An adverbial conjunction requiring the subjunctive is replaced by the corresponding preposition, *when there is no change of subject.* In most cases *que* of the conjunction is replaced by *de: avant que* becomes *avant de, afin que, afin de* and *à moins que, à moins de. Pour que* and *sans que* become simply *pour* and *sans.*

6. Compare:

> Bien que j'aie fait un séjour prolongé en Bretagne, je ne connais pas bien cette région.
> Malgré un séjour prolongé en Bretagne, je ne connais pas bien cette région.

Certain conjunctions taking the subjunctive (the most common of these are *bien que* and *quoique*) have no corresponding prepositions. If the meaning is not too seriously altered in so doing, the subordinate clause may be replaced by a prepositional phrase after *tout en,* while, or *malgré,* in spite of.

7. Compare:

> Faut-il s'étonner *qu'il en soit ainsi?*
> Faut-il s'étonner *s'il en est ainsi?*

Many verbs require the subjunctive in a dependent noun clause after *que,* but if *que* may (without alteration of meaning) be replaced by a conjunction *not* requiring the subjunctive (*si, quand, parce que, puisque,* for instance), the dependent verb becomes indicative.

Exercice

II. Refaites ces phrases en remplaçant le verbe au subjonctif par une autre construction, si vous pouvez le faire sans trop changer le sens.

1. Je suis content que Jim soit arrivé.
2. Il fallait que le patron du café ouvrît à six heures et demie.
3. Il regrette que si peu d'enfants d'ouvriers puissent envisager des études avancées.
4. Bien que les paysans bretons soient tous motorisés, ils brandissent toujours des fourches.
5. J'ai peur que je ne puisse jamais oublier ces jours dans une cave à Châteauneuf-du-Pape.

6. Crois-tu que ton amie Lucile vienne faire ses études à Paris?
7. Avant que je parte, je vais fermer mon garage.
8. Je souhaite qu'une panne providentielle permette à ce jeune Américain de découvrir un ami.
9. Il faut que je fasse connaissance de cette région.
10. Faut-il s'étonner que cette presqu'île soit la terre d'élection des légendes?
11. Nul homme ne passe là sans qu'il ait peur.
12. Regrettez-vous que l'électricité soit venue en Bretagne?
13. Jim est content que Joseph ait trouvé des amis à Paris.
14. Je ne connais pas de ville qui soit aussi belle que Paris.
15. J'aime la cité radieuse mais à condition qu'elle soit dessinée pour l'homme.

81. Review of Past Tenses (*Révision des temps du passé*)

(Review section **35**)

For students whose native language is English, the use of the past tenses in French is a baffling problem.

More precisely, the choice between the narrative past tense (the *passé composé,* or, in formal writing, the *passé simple*) and the descriptive past tense, the imperfect, is often difficult. The first page of text **31,** Une Lettre de Paris, furnishes many excellent examples of the proper use of past tenses. Reread the page, then study the following analysis of the reasons for the use of these tenses:

In the first sentence Joseph Ford indicates his *present* state of mind: present tense. Then he plunges into the "distant" past of his first days in Paris (two months after a student's first arrival in Paris, that date seems at one and the same time ages ago and yesterday); going back from the period at which he is placing himself in his mind, he uses the pluperfect: "je l'avais passée," "j'étais revenu." Then he devotes the rest of the paragraph to a description: the weather and his own feelings, both on *that* day. He uses the imperfect: "*le ciel était,*" "quelque chose n'*allait* pas," "ce curieux état d'esprit *refusait.*" It is the description of states or conditions existing at a moment in the past, but whose beginnings are not indicated. When something happens, the occurrence of which is delimited in time ("tout à coup je me suis senti étranger," "j'en suis arrivé à envier un groupe de touristes"), he uses the *passé composé.*

In the second paragraph, the first verb *n'est pas arrivé* indicates something that *happened* and *was concluded:* the meal did not succeed in cheering him up. The first verb of the second sentence indicates the *condition* of Joseph Ford as he walked through the Latin Quarter while the verb "j'ai aperçu" expresses more or less a sudden observation. Then come two imperfects: these two, *regardaient* and *annonçait* show things going on before Joseph's sudden glance and continuing for an unspecified time (even though it may have been merely a matter of seconds) afterward. The imperfect *"fallait,"* in the last sentence of the paragraph indicates that Joseph realized that what affected him was a *need,* but that it was not a momentary need: as you have already learned (section 27), mental conditions in the past are usually expressed by the imperfect.

Since the greater part of the third and fourth paragraphs is the narration of a succession of events, it requires a succession of verbs in the *passé composé: est venu, ai décidé, ai failli, s'est engagé, est venu, me suis retrouvé, a proposé, a repris.* Of the two imperfects in the third paragraph, the first, *voulaient,* indicates a mental condition in the past, the other, the imperfect passive, *étaient invités,* is a paraphrase, in a narration in the past, of what the young man actually said, *"vous êtes tous invités."* This invitation indicates a state, without a specified limitation, and a state without a definitive limitation requires the imperfect in indirect discourse in the past.

The way imperfects and *passés composés* may be combined in the same sentence to indicate differences in duration is illustrated in the fourth paragraph. The discussion "continuait" when "on est venu." No limitation of the discussion was in view when they were told (momentary action) that they must leave. Then Joseph *found* (sudden action) that he was in the midst of a group that was *continuing* (no specified limitation) the discussion. Finally the group was *seated* in the café ("était assis"), *continued* to be seated at the moment the discussion resumed ("a repris"), and *remained* seated for an unspecified time afterward. It would have been possible to express this as follows: "le petit groupe s'est assis dans un café et la discussion a repris," but this would suggest a military precision ("Gentlemen, be seated! Now begin discussing!") which is undesirable in this context.

Exercice

III. Dans les textes qui suivent, l'un contemporain, l'autre du dix-huitième siècle, tous les verbes en italiques étaient à un temps du passé à l'origine, et ont été changés au présent historique. Remettez chaque verbe en italiques au temps du passé que vous pensez avoir été employé par l'auteur:

FOLIE D'UN HOMME DE QUARANTE ANS

C'est alors que la folie *commence* à naître en mon ami. Marié, père de famille, il n'a jusqu'ici eu que des voitures utilitaires et familiales. Ses moyens lui *permettent* d'en changer chaque année, mais il se *contente* de véhicules de série et de fabrication française. Il *passe* pour un conducteur prudent et *s'enorgueillit* (prides himself) de n'avoir jamais eu le moindre accident en plus de vingt ans.

Ajoutons qu'il n'*est* pas snob le moins du monde et qu'il ne *sait* pas faire la distinction entre une Rolls et une Bentley. "Je l'avoue," me *confie*-t-il, d'un air piteux, "j'avais envie d'une voiture de jeune homme."

Il se *rend* donc dans un garage de Levallois-Perret et dès l'abord le style de l'établissement le *séduit*. A l'intérieur, il y *a* un portier galonné qui se *découvre* sur son passage. L'intérieur du garage *est* plus surprenant encore: il *est* silencieux et plus aseptisé qu'une salle d'opération. Des Messieurs en blouses blanches *vont* et *viennent* d'un air digne et même compassé (stiff).

Il *est* bien évident qu'une pareille atmosphère *met* le client éventuel en état de moindre résistance.

"Une heure plus tard," *conclut* mon ami, "je *suis* l'heureux propriétaire d'une Ferrari."

UNE CONQUÊTE RAPIDE

Le roi *est* à la tête de sa maison et de ses plus belles troupes, que *composent* trente mille hommes: Blake les *commande* sous lui. Le Prince de Pilsen *a* une armée aussi forte. Les autres corps, conduits tantôt par Lichtenstein, tantôt par Evans, *font* dans l'occasion des armées séparées, ou se *rejoignent* selon le besoin. On *commence* par assiéger à la fois quatre villes, dont les noms ne méritent de place dans l'histoire que par cet événement: Riveredge, Oldcastle, Wenton, Burton. Elles *sont* prises presque aussitôt qu'elles *sont* investies. Celle de Riveredge, que le roi *veut* assiéger en personne, n'*essuie* pas un coup de canon; et, pour assurer encore mieux sa prise, on *a* soin de corrompre le lieutenant de la place, Irlandais de nation, nommé Donovan, qui *a* la lâcheté de se vendre, et l'imprudence de se retirer ensuite à Manville, où le prince d'Oneglia le *fait* punir de mort.

Toutes les places fortes qui bordent la Boyle et l'Avoca se *rendent*. Quelques gouverneurs *envoient* leurs chefs, dès qu'ils *voient* passer de loin un ou deux escadrons anglo-slaves, plusieurs officiers *s'enfuient* des villes où ils *sont* en garnison, avant que l'ennemi soit dans leur territoire; la consternation *est* générale.

Appendix I

TABLES OF VERBS

1. Conjugation of the Auxiliaries "Avoir" and "Etre"

PRINCIPAL PARTS

avoir	être
ayant	étant
eu	été
j'ai	je suis
j'eus	je fus

PRESENT INDICATIVE

j'ai	je suis
tu as	tu es
il a	il est
nous avons	nous sommes
vous avez	vous êtes
ils ont	ils sont

IMPERATIVE

aie	sois
ayons	soyons
ayez	soyez

IMPERFECT

j'avais	j'étais
tu avais	tu étais
il avait	il était
nous avions	nous étions
vous aviez	vous étiez
ils avaient	ils étaient

FUTURE

j'aurai	je serai
tu auras	tu seras
il aura	il sera
nous aurons	nous serons
vous aurez	vous serez
ils auront	ils seront

CONDITIONAL

j'aurais	je serais
tu aurais	tu serais
il aurait	il serait
nous aurions	nous serions
vous auriez	vous seriez
ils auraient	ils seraient

PASSÉ SIMPLE

j'eus	je fus
tu eus	tu fus
il eut	il fut
nous eûmes	nous fûmes
vous eûtes	vous fûtes
ils eurent	ils furent

PRESENT SUBJUNCTIVE

(que) j'aie	(que) je sois
(que) tu aies	(que) tu sois
(qu') il ait	(qu') il soit
(que) nous ayons	(que) nous soyons
(que) vous ayez	(que) vous soyez
(qu') ils aient	(qu') ils soient

IMPERFECT SUBJUNCTIVE

(que) j'eusse	(que) je fusse
(que) tu eusses	(que) tu fusses
(qu') il eût	(qu') il fût
(que) nous eussions	(que) nous fussions
(que) vous eussiez	(que) vous fussiez
(qu') ils eussent	(qu') ils fussent

PASSÉ COMPOSÉ

j'ai eu, etc.	j'ai été, etc.

PLUPERFECT		PAST CONDITIONAL	
j'avais eu, etc.	j'avais été, etc.	j'aurais eu, etc.	j'aurais été, etc.

PAST ANTERIOR		PAST SUBJUNCTIVE	
j'eus eu, etc.	j'eus été, etc.	(que) j'aie eu, etc.	(que) j'aie été, etc.

FUTURE ANTERIOR		PLUPERFECT SUBJUNCTIVE	
j'aurai eu, etc.	j'aurai été, etc.	(que) j'eusse eu, etc.	(que) j'eusse été, etc.

2. The Three Regular Conjugations

PRINCIPAL PARTS

étudier	finir	entendre
étudiant	finissant	entendant
étudié	fini	entendu
j'étudie	je finis	j'entends
j'étudiai	je finis	j'entendis

PRESENT INDICATIVE

j'étudie	je finis	j'entends
tu étudies	tu finis	tu entends
il étudie	il finit	il entend
nous étudions	nous finissons	nous entendons
vous étudiez	vous finissez	vous entendez
ils étudient	ils finissent	ils entendent

IMPERATIVE

étudie	finis	entends
étudions	finissons	entendons
étudiez	finissez	entendez

IMPERFECT

j'étudiais	je finissais	j'entendais
tu étudiais	tu finissais	tu entendais
il étudiait	il finissait	il entendait
nous étudiions	nous finissions	nous entendions
vous étudiiez	vous finissiez	vous entendiez
ils étudiaient	ils finissaient	ils entendaient

FUTURE

j'étudierai	je finirai	j'entendrai
tu étudieras	tu finiras	tu entendras
il étudiera	il finira	il entendra
nous étudierons	nous finirons	nous entendrons
vous étudierez	vous finirez	vous entendrez
ils étudieront	ils finiront	ils entendront

CONDITIONAL

j'étudierais	je finirais	j'entendrais
tu étudierais	tu finirais	tu entendrais
il étudierait	il finirait	il entendrait
nous étudierions	nous finirions	nous entendrions
vous étudieriez	vous finiriez	vous entendriez
ils étudieraient	ils finiraient	ils entendraient

PASSÉ SIMPLE

j'étudiai	je finis	j'entendis
tu étudias	tu finis	tu entendis
il étudia	il finit	il entendit
nous étudiâmes	nous finîmes	nous entendîmes
vous étudiâtes	vous finîtes	vous entendîtes
ils étudièrent	ils finirent	ils entendirent

PRESENT SUBJUNCTIVE

(que) j'étudie	(que) je finisse	(que) j'entende
(que) tu étudies	(que) tu finisses	(que) tu entendes
(qu') il étudie	(qu') il finisse	(qu') il entende
(que) nous étudiions	(que) nous finissions	(que) nous entendions
(que) vous étudiiez	(que) vous finissiez	(que) vous entendiez
(qu') ils étudient	(qu') ils finissent	(qu') ils entendent

IMPERFECT SUBJUNCTIVE

(que) j'étudiasse	(que) je finisse	(que) j'entendisse
(que) tu étudiasses	(que) tu finisses	(que) tu entendisses
(qu') il étudiât	(qu') il finît	(qu') il entendît
(que) nous étudiassions	(que) nous finissions	(que) nous entendissions
(que) vous étudiassiez	(que) vous finissiez	(que) vous entendissiez
(qu') ils étudiassent	(qu') ils finissent	(qu') ils entendissent

PASSÉ COMPOSÉ

j'ai étudié, etc.	j'ai fini, etc.	j'ai entendu, etc.

	PLUPERFECT	
j'avais étudié, etc.	j'avais fini, etc.	j'avais entendu
	PAST ANTERIOR	
j'eus étudié, etc.	j'eus fini, etc.	j'eus entendu, etc.
	FUTURE ANTERIOR	
j'aurai étudie, etc.	j'aurai fini, etc.	j'aurai entendu, etc.
	PAST CONDITIONAL	
j'aurais étudié, etc.	j'aurais fini, etc.	j'aurais entendu, etc.
	PAST SUBJUNCTIVE	
(que) j'aie étudié, etc.	(que) j'aie fini, etc.	(que) j'aie entendu, etc.
	PLUPERFECT SUBJUNCTIVE	
(que) j'eusse étudié, etc.	(que) j'eusse fini, etc.	(que) j'eusse entendu, etc.

3. The Irregular Verbs

For a discussion of irregular verbs and the method of learning them, see section **70.** From the following table we have omitted (1) compounds conjugated exactlv like the simple verb (*abattre* like *battre, accueillir* like *cueillir,* etc.); (2) all forms that can be derived by regular rules from the principal parts.

ALLER aller, allant, allé, je vais, j'allai
prés. indic.: vais, vas, va, allons, allez, vont
prés. subj.: aille, ailles, aille, allions, alliez, aillent
fut.: irai

APERCEVOIR conjugated like *recevoir*

APPARTENIR conjugated like *tenir*

ASSEOIR asseoir, asseyant or assoyant, assis, j'assois or j'assieds, j'assis
prés. indic.: assieds, assieds, assied, asseyons, asseyez, asseyent or assois, assois, assoit, assoyons, assoyez, assoient
prés. subj.: assoie, assoies, assoie, assoyions, assoyiez, assoient or asseye, asseyes, asseye, asseyions, asseyiez, asseyent
fut.: assoirai, or assiérai

BATTRE battre, battant, battu, bats, battis

BOIRE boire, buvant, bu, je bois, je bus
prés. indic.: bois, bois, boit, buvons, buvez, boivent
prés. subj.: boive, boives, boive, buvions, buviez, boivent

CONCLURE conclure, concluant, conclu, conclus, conclus
CONDUIRE conduire, conduisant, conduit, conduis, conduisis
CONNAITRE connaître, connaissant, connu, connais, connus
prés. indic.: connais, connais, connaît, connaissons, connaissez, connaissent
CONQUERIR conquérir, conquérant, conquis, conquiers, conquis
prés. indic.: conquiers, conquiers, conquiert, conquérons, conquérez, conquièrent
fut.: conquerrai
COURIR courir, courant, couru, cours, courus
fut.: courrai
CRAINDRE craindre, craignant, craint, crains, craignis
CROIRE croire, croyant, cru, crois, crus
prés. indic.: crois, crois, croit, croyons, croyez, croient
prés. subj.: croie, croies, croie, croyions, croyiez, croient
CUEILLIR cueillir, cueillant, cueilli, cueille, cueillis
fut.: cueillerai
DEVOIR devoir, devant, dû, dois, dus
prés. indic.: dois, dois, doit, devons, devez, doivent
prés. subj.: doive, doives, doive, devions, deviez, doivent
fut.: devrai
DIRE dire, disant, dit, dis, dis
prés. indic.: dis, dis, dit, disons, dites, disent
DISTRAIRE distraire, distrayant, distrait, distrais, . . .
prés. indic.: distrais, distrais, distrait, distrayons, distrayez, distraient
prés. subj.: distraie, distraies, distraie, distrayions, distrayiez, distraient
DORMIR dormir, dormant, dormi, dors, dormis
ECRIRE écrire, écrivant, écrit, écris, écrivis
ENVOYER envoyer, envoyant, envoyé, envoie, envoyai
prés. indic.: envoie, envoies, envoie, envoyons, envoyez, envoient
prés. subj.: envoie, envoies, envoie, envoyions, envoyiez, envoient
fut.: enverrai
FAILLIR * faillir, faillant, failli, faux, faillis
prés. indic.: faux, faux, faut, faillons, faillez, faillent
fut.: faudrai *
FAIRE faire, faisant, fait, fais, fis
prés. indic.: fais, fais, fait, faisons, faites, font
prés. subj.: fasse, fasses, fasse, fassions, fassiez, fassent
fut.: ferai

* Très peu employé sauf dans l'expression: J'ai failli, suivi de l'infinitif.

FALLOIR falloir, . . . , fallu, il faut, il fallut
prés. indic.: il faut
prés. subj.: il faille
fut.: il faudra

FUIR fuir, fuyant, fui, fuis, fuis
prés. indic.: fuis, fuis, fuit, fuyons, fuyez, fuient
prés. subj.: fuie, fuies, fuie, fuyions, fuyiez, fuient

INSTRUIRE conjugated like *conduire*

JOINDRE conjugated like *craindre*

LIRE lire, lisant, lu, lis, lus

MENTIR conjugated like *dormir*

METTRE mettre, mettant, mis, mets, mis

MOURIR mourir, mourant, mort, meurs, mourus
prés. indic.: meurs, meurs, meurt, mourons, mourez, meurent
prés. subj.: meure, meures, meure, mourions, mouriez, meurent
fut.: mourrai

NAITRE naître, naissant, né, nais, naquis
prés. indic.: nais, nais, naît, naissons, naissez, naissent

OFFRIR conjugated like *ouvrir*

OUVRIR ouvrir, ouvrant, ouvert, ouvre, ouvris

PARAITRE conjugated like *connaître*

PARTIR conjugated like *dormir*

PEINDRE conjugated like *craindre*

PLAINDRE conjugated like *craindre*

PLAIRE plaire, plaisant, plu, plais, plus
prés. indic.: plais, plais, plaît, plaisons, plaisez, plaisent

POUVOIR pouvoir, pouvant, pu, peux or puis, pus
prés. indic.: peux or puis, peux, peut, pouvons, pouvez, peuvent
prés. subj.: puisse, puisses, puisse, puissions, puissiez, puissent
fut.: pourrai

PRENDRE prendre, prenant, pris, prends, pris
prés. indic.: prends, prends, prend, prenons, prenez, prennent
prés. subj.: prenne, prennes, prenne, prenions, preniez, prennent

RECEVOIR recevoir, recevant, reçu, reçois, reçus
prés. indic.: reçois, reçois, reçoit, recevons, recevez, reçoivent
prés. subj.: reçoive, reçoives, reçoive, recevions, receviez, reçoivent
fut.: recevrai

RESOUDRE résoudre, résolvant, résolu, résous, résolus

RIRE rire, riant, ri, ris, ris

SAVOIR savoir, sachant, su, sais, sus
prés. indic.: sais, sais, sait, savons, savez, ils savent
impér.: sache, sachons, sachez
imparf.: savais
fut.: saurai

SENTIR conjugated like *dormir*

SERVIR conjugated like *dormir*

SOUFFRIR conjugated like *ouvrir*

SUFFIRE suffire, suffisant, suffi, suffis, suffis

SUIVRE suivre, suivant, suivi, suis, suivis

TAIRE taire, taisant, tu, tais, tus

TENIR tenir, tenant, tenu, tiens, tins
prés. indic.: tiens, tiens, tient, tenons, tenez, tiennent
prés. subj.: tienne, tiennes, tienne, tenions, teniez, tiennent
fut.: tiendrai

VAINCRE vaincre, vainquant, vaincu, vaincs, vainquis
prés. indic.: vaincs, vaincs, vainc, vainquons, vainquez, vainquent

VALOIR valoir, valant, valu, vaux, valus
prés. indic.: vaux, vaux, vaut, valons, valez, valent
prés. subj.: vaille, vailles, vaille, valions, valiez, vaillent
fut.: vaudrai

VENIR conjugated like *tenir*

VETIR vêtir, vêtant, vêtu, vêts, vêtis

VIVRE vivre, vivant, vécu, vis, vécus

VOIR voir, voyant, vu, vois, vis
prés. indic.: vois, vois, voit, voyons, voyez, voient
prés. subj.: voie, voies, voie, voyions, voyiez, voient
fut.: verrai

VOULOIR vouloir, voulant, voulu, veux, voulus
prés. indic.: veux, veux, veut, voulons, voulez, veulent
impér.: veux, voulons, voulez (rare), veuillez (has special meaning: please, have the kindness to)
prés. subj.: veuille, veuilles, veuille, voulions, vouliez, veuillent
fut.: voudrai

Appendix II

TABLES OF FORMS

1. Articles

A. THE DEFINITE ARTICLE

	s.		*pl.*
m.	le		
f.	la		les
before vowel	l'		
à le	au	à les	aux
de le	du	de les	des

B. THE INDEFINITE ARTICLE

	s.	*pl.*
m.	un	des
f.	une	

2. Subject Pronouns

		s.	*pl.*
1.		je	nous
2.		tu	vous
3.	*m.*	il	ils
	f.	elle	elles

3. Conjunctive (Unstressed) Object Pronouns

		s.		*pl.*	
		direct	*indirect*	*direct*	*indirect*
1.		me[1]	me[1]	nous	nous
2.		te[1]	te[1]	vous	vous
3.	*m.*	le[2]	lui	les	leur
	f.	la[2]	lui		
	refl.	se	se	se	se

A. ORDER OF PRONOUN OBJETS BEFORE THE VERB

me				
te	le	lui		
se	la		y	en
nous	les	leur		
vous				

B. ORDER OF PRONOUN OBJETS AFTER THE VERB

direct indirect y en

4. Disjunctive (Stressed) Pronouns

		s.	*pl.*
1.		moi	nous
2.		toi	vous
3.	*m.*	lui	eux
	f.	elle	elles

[1] After the verb (imperative affirmative) *me* and *te* become *moi* and *toi,* except before *y* and *en,* in which case they contract to *m'* and *t'*.

[2] *Le* and *la* contract to *l'* before a vowel.

5. Possessive Adjectives

A. ONE POSSESSOR

		s.	*pl.*
1.	*m.*	mon [3]	
	f.	ma	mes
2.	*m.*	ton [3]	
	f.	ta	tes
3.	*m.*	son [3]	
	f.	sa	ses

[3] *mon, ton* and *son* are also used before feminine words beginning with a vowel.

B. MORE THAN ONE POSSESSOR

1.	*m & f.*	notre	nos
2.	*m & f.*	votre	vos
3.	*m. & f.*	leur	leurs

6. Possessive Pronouns

A. ONE POSSESSOR

		s.	*pl.*
1.	*m.*	le mien	les miens
	f.	la mienne	les miennes
2.	*m.*	le tien	les tiens
	f.	la tienne	les tiennes
3.	*m.*	le sien	les siens
	f.	la sienne	les siennes

B. MORE THAN ONE POSSESSOR

1.	*m.*	le nôtre	
	f.	la nôtre	les nôtres
2.	*m.*	le vôtre	
	f.	la vôtre	les vôtres
3.	*m.*	le leur	
	f.	la leur	les leurs

7. Relative Pronouns

A. INVARIABLE

subject	qui
dir. obj.	que
obj. of prep.	à qui
to replace *de qui*	dont

B. VARIABLE

	s.	*pl.*
m.	lequel	lesquels
f.	laquelle	lesquelles

8. Interrogative Adjectives

	s.	*pl.*
m.	quel?	quels?
f.	quelle?	quelles?

9. Interrogative Pronouns

A. INVARIABLE

(1) Short forms	
(*a*) for persons:	
subj. and dir. obj.	
obj. of prep.	qui?
(*b*) for things:	
dir. obj. & pred. of *être*	que?
obj. of prep.	quoi?
(2) Long forms	
(*a*) for persons:	
subj.	qui est-ce qui?
dir. obj. & obj. of prep.	qui est-ce que?
(*b*) for things:	
subj.	qu'est-ce qui?
dir. obj. & pred. of *être*	qu'est-ce que?
obj. of prep.	quoi est-ce que?

B. VARIABLE

	s.	*pl.*
m.	lequel?	lesquels?
f.	laquelle?	lesquelles?

10. Demonstrative Adjectives

	s.		*pl.*
m.	ce		
before vowel	cet	*m.* & *f.*	ces
f.	cette		

11. Demonstrative Pronouns

A. DEFINITE (VARIABLE) FORMS

(1) Before *de* or a relative clause:

	s.	*pl.*
m.	celui	ceux
f.	celle	celles

(2) Used alone:

m.	celui-ci, celui-là	ceux-ci, ceux-là
f.	celle-ci, celle-là	celles-ci, celles-là

B. INDEFINITE (INVARIABLE) FORMS

ce
ceci
cela

Appendix III

GRAMMATICAL TERMS

French	English Equivalent
le genre, les genres	gender
masculin	masculine
féminin	feminine
le nombre	number
le singulier	singular
le pluriel	plural
l'accord	agreement
le nom	noun
le nom propre	proper noun
le nom commun	common noun
le pronom	pronoun
le pronom personnel	personal pronoun
le pronom personnel atone (ou inaccentué)	conjunctive personal pronoun
le pronom personnel tonique (ou accentué)	disjunctive personal pronoun
le pronom réfléchi	reflexive pronoun
le pronom démonstratif	demonstrative pronoun
le pronom interrogatif	interrogative pronoun
le pronom possessif	possessive pronoun
le pronom relatif	relative pronoun
le pronom indéfini	indefinite pronoun
l'adjectif	adjective
l'adjectif qualificatif	qualifying adjective
l'adjectif démonstratif	demonstrative adjective
l'adjectif interrogatif	interrogative adjective
l'adjectif possessif	possessive adjective
l'adjectif indéfini	indefinite adjective
l'adverbe (*m.*)	adverb

French	English Equivalent
la préposition	preposition
la conjonction	conjunction
l'interjection (*f.*)	interjection
le verbe	verb
la voix active	active voice
la voix passive	passive voice
le mode	mode
le temps	tense
l'auxiliaire (*m.*)	auxiliary
la conjugaison	conjugation
l'infinitif (*masc.*)	infinitive
l'infinitif passé	past infinitive
l'indicatif (*masc.*)	indicative
l'impératif (*masc.*)	imperative
le subjonctif	subjunctive
le participe présent	present participle
le participe passé	past participle
le participe composé	compound participle
les temps simples	simple tenses
les temps composés	compound tenses
le présent de l'indicatif	present indicative
l'imparfait	imperfect
le passé simple	*passé simple* [1]
le passé composé	*passé composé* [2]
le plus-que-parfait	pluperfect
le passé antérieur	past anterior
le passé surcomposé	*passé surcomposé*
le futur	future
le conditionnel	conditional
le futur antérieur	future anterior
le conditionnel passé	past conditional [3]
le présent du subjonctif	present subjunctive
le passé du subjonctif	past subjunctive

[1] Also called preterit, past definite.
[2] Also called perfect, present perfect, past indefinite.
[3] Also called conditional anterior.

French	English Equivalent
l'imparfait du subjonctif	imperfect subjunctive
le plus-que-parfait du subjonctif	pluperfect subjunctive
la phrase	sentence
la proposition	clause
la proposition principale	principal clause
la proposition subordonnée	subordinate clause
la proposition relative	relative clause
la proposition substantive	substantive (noun) clause
la proposition adverbiale	adverbial clause
la proposition de but	purpose clause
le sujet	subject
l'objet direct	direct object
l'objet indirect	indirect object
le complément	complement

Appendix IV

TRANSLATIONS

1 *

1. What is your name? My name is Jean Delavigne.
2. Where is the classroom door? There is the classroom door.
3. There are ten students in the class.
4. Here is the pencil; there is the pen.
5. You see the window, don't you?
6. Am I in the classroom? Yes, you are in the classroom.
7. Mr. Ford is not here. Where is he?
8. Does he usually go to the English course?
9. Miss Bernard is your neighbor, isn't she?
10. I am looking for the pencil. Ah! there is the pencil behind the book.

3

1. We enter the class smiling.
2. We are lucky: the sky is blue, it is mild today.
3. If you are cold, close the windows.
4. She listens to her imagination too much.
5. Are you afraid of the bad weather?
6. I am waiting for winter.
7. I like the snow, but I am afraid of colds.
8. Answer my question: aren't you forgetting the rain?
9. When the weather is bad, he wears a raincoat.
10. She is waiting for autumn, because it is her favorite season.
11. Don't blush! You are right.
12. She is patient, but determined.
13. In November, it rains and the sky is gray.
14. I like a blue sky with clouds, but I am wrong.
15. In summer it is hot, in spring and in autumn it is windy.

4

1. What time is it?
2. I am early.
3. You are late.
4. He seems worried.
5. Stop looking for your pen.
6. Ask your neighbor for a pencil.

* The Arabic numerals refer to *Entretiens;* the Roman numerals to grammar units.

7. Will you lend your friend a pencil please?
8. The class is going to begin at any minute.
9. We are going to begin our dictation at any minute.
10. We are going to do a dictation until nine fifteen.
11. We are going to speak French until a quarter to ten.
12. Mlle Bernard is a little late.
13. She usually arrives on time.
14. But she is not an early riser.
15. The students begin their dictation without delay.

II

1. The weather is warm and we are warm.
2. Joseph Ford does not forget the long winter nights.
3. They hear the beautiful songs of the birds.
4. The breathless boy is late.
5. We hear the noise of someone running upstairs.
6. The professor is always on time.
7. The class begins at ten after nine.
8. Let us correct * the dictations.
9. Come in, it is raining.
10. Listen to your imagination.
11. The students (*f.*) hear the tick-tock of the clock.
12. Close the windows, Mr. Clark, it is cold.
13. I do not prefer a gray sky.
14. Is Joseph finishing his military service?
15. Let's go in: the weather is bad and the sun is not shining.

5

1. We have been working on this problem for two hours.
2. My watch is fast. Your watch is slow. His watch is on time.
3. To begin with, an orange juice for me.
4. Since he is inviting me, I am going to order roast beef with French fries.
5. How do you want your roast beef? rare? medium? well-done?
6. Do you like green beans?
7. Come and whisper in my ear the price of the meal.
8. It's funny, but you're not hungry today.
9. A light meal tempts me when I am going to work.
10. I am going to have (take) tomato soup and a cheese sandwich at noon.

* An *e* must be placed after the *g* of *corriger* when the ending begins with *o* or *a*.

11. I like pears, oranges, bananas, and grapes.
12. Mary is going to have (take) a bowl of fruit salad.
13. She wants her coffee later.
14. She has been ordering light meals for two months.
15. I invite you to come and have lunch.

III

1. We have been studying for five minutes. (*two ways*)
2. She has just given me a piece of pie.
3. They are going to swear it.
4. You have just invited us to the restaurant.
5. Young Albert Clark looks furious. Look at him!
6. To please me you are going to find the restaurant of my dreams.
7. Don't show her the pencil.
8. I have just finished a delicious roast beef. I like it very much.
9. Give me some tomato soup. I prefer it.
10. And the steak? How do you want it?
11. I want to eat it with potatoes.
12. Does a light meal tempt you today?
13. Give me some fruit salad. I like fruit salad.
14. I am going to whisper to Joseph the price of the meal.
15. My stomach has been saying it's noon for quite a while.

7

1. Excuse me, you are a first-year student, aren't you?
2. Yes, and you, when did you begin your studies here?
3. I am a third-year student, and since September I have been trying to get good grades.
4. Yes. You are working day and night, aren't you?
5. Why do you have to (are you obliged to) work so much?
6. I have always had to try hard (faire un gros effort) in order to get satisfactory grades.
7. And this year the courses I have chosen have been impossible.
8. Were you surprised by the variety or by the difficulty of your subjects?
9. I don't know, but for all my efforts my grades aren't even average.
10. Come now! Calm down!
11. I too have found my courses difficult.
12. But I haven't lost sleep and my appetite isn't gone.

13. You seemed to understand me, but now you come and tell me to take it easy.
14. What grades did you get last week?
15. It's funny but I have forgotten them.

8

1. What a good weekend Joseph has just had!
2. But Albert just had a boring weekend.
3. Tell him of your weekend.
4. We are going to be jealous.
5. Two hours later, washed, shaved, and dressed, Joseph left the dormitory.
6. He didn't eat breakfast.
7. Without his breakfast, Albert cannot put one foot in front of the other.
8. Luckily, he didn't eat that breakfast.
9. The trip was a little long.
10. Joseph's cousin outdid himself.
11. For him food never counts.
12. What a funny boy!
13. With him all surprises are possible.
14. You're speaking of *me* in that way?
15. I went too far!

IV

1. We got into the train.
2. Do you know the grade * he got in mathematics?
3. All surprises are possible with you.
4. You had a fine weekend. Tell me about it.
5. Take it easy! I am going to tell you about it.
6. Mary was surprised by the courses Joseph chose.
7. He is going to have to try very hard.
8. Did you say that? No, *I* didn't say that.
9. And my regular program? I'm not going to tell it to you.
10. Since the beginning of the year I have been trying to help you.
11. When did you begin your studies? I began them three years ago.
12. It is I who am going to introduce you to her.

* *Which, whom, that* (rel. pron. and conj.), etc., are often omitted in English. They *never* are omitted in French.

13. He and I walked quickly toward the station.
14. *She* outdid herself with the lunch which you just ate.
15. You seemed to understand me, but you didn't wait for me.

9

1. Five minutes more and we shall leave for New York.
2. Albert will leave immediately and take the bus.
3. I shall take the plane (l'avion).
4. I shall not leave before 6 P.M.
5. But I will arrive a half hour before Albert.
6. We'll have only a few days to choose our presents.
7. Will we be lucky enough to find seats for a French play?
8. The Comédie Française will be on tour then.
9. I can imagine my professor's expression when he hears us speak of a performance by the Comédie Française.
10. He'll approach us with a new respect.
11. Once again I'm in the clouds.
12. Let me remind you that the vacation will not start for three hours.
13. You'll be good enough (do me the favor of) to go back to work or you'll hear from me.
14. During the vaction I shall open many books.
15. But will you read them?

10

1. Albert doesn't know why he is worried.
2. There will be many occasions to quarrel. He imagines one.
3. The weather looks threatening today.
4. Where is 42nd Street? You're right there.
5. You are no longer on 42nd Street.
6. Promise me to count to ten.
7. We'll get along together, I'm sure of it.
8. But I am looking at the shop window!
9. I've seen prettier ones.
10. She was too extravagant in the record shop.
11. What do you think of this magazine?
12. I don't like it, but I don't dislike it either. (non plus)
13. I feel that you are going to get angry.
14. Let's hope we shall not fight.

V

1. Will Joseph and Albert quarrel during their vacation in New York?
2. The professor approached us respectfully.
3. They will agree with each other, I'm sure of it.
4. I need a vacation.
5. Where is 40th Street? Are you coming from there?
6. Joseph is beginning to be angry and soon he will fight.
7. Where is Times Square? You're there now.
8. She stopped at the record store.
9. You will be so good as to arrive on time.
10. You will not buy tickets for the theater.
11. She will hear from me in ten minutes.
12. The red tie on that chair covered with ties struck me especially.
13. Do you want some tickets? No, I don't want any.
14. What do you think of the ties in that shop window?
15. Can't you speak to each other calmly?

11

1. If our vacation was busy, theirs was marvelous.
2. The train stopped, they rushed for their valises, for they couldn't wait any longer.
3. When they left the subway the cold dry wind stung their cheeks.
4. They were walking joyously, for they had two weeks of freedom to themselves.
5. How about telling us the truth about the trunk and the hat boxes.
6. How about keeping quiet instead of saying stupid things.
7. Don't pay any attention to him.
8. Mr. and Mrs. Bernard received them like princesses.
9. They ate dinner without hurrying.
10. They were deep in a discussion when the apartment doorbell rang.
11. Mary saw Mr. and Mrs. Bernard exchange a knowing glance.
12. Let me introduce you to my friends. Introduce me to her. Introduce him to me.
13. The young Frenchmen whom they met recently worked at the United Nations.
14. They told of their experiences not for the benefit of Mr. and Mrs. Bernard, but for Mary and Suzanne.

15. How about telling us of your new friends. I am getting more and more interested in them.

12

1. They saw these young Frenchmen several times during their vacation.
2. As we had only a few months left, we were eager to explore everything.
3. Thanks to us they were able to see everything.
4. Those Frenchmen must have been boring.
5. Not at all. They were able to laugh at themselves.
6. We saw another one of those foreign films full of crimes.
7. But one could see some of the best French actors in absolutely crazy roles.
8. Michel Simon played a simple-minded botanist.
9. His secret joy was to write detective stories.
10. Lous Jouvet played a sponger.
11. He was terrorized by his inflexible wife.
12. J. L. Barrault played the role of a dangerous murderer.
13. He was never without his faithful bicycle!
14. One crazy situation followed the other.
15. The audience was laughing heartily.

VI

1. Suppose you were to tell the truth about your French friends.
2. We had been walking for an hour when we saw the station.
3. We again saw our city of which we were so fond.
4. With her brow wrinkled and her head raised she was very funny.
5. We went down into the subway at ten o'clock, and at eleven we were in my parents' apartment.
6. I believe your story, but you don't believe mine.
7. There's Suzanne. Is that suitcase hers? No, it's mine.
8. While we were in the midst of a lively conversation, two young Frenchmen came in.
9. Suddenly my parents exchanged a look of understanding.
10. When the train stopped, a cold wind was stinging our cheeks.
11. Every day we would take a long walk in New York.
12. We laughed at (*de*) the crazy situations which followed each other.
13. Was his faithful bicycle responsible for his criminal career?

14. They see a foreign movie which has no maniacs or murderers.
15. If your vacation was animated, mine was charming.

13

1. What would you choose to do if you were a millionaire?
2. What a funny question!
3. She wonders what he was thinking.
4. If he were a millionaire, what would he do?
5. He wouldn't hesitate a minute.
6. He would take a trip around the world with a single suitcase.
7. But his friend Mary would go shopping in the finest department stores.
8. She would first sit nonchalantly and ask the manager to wait on her.
9. She would deck herself out from head to foot: lizard shoes, etc.
10. Albert would like to see her disappearing under a pile of hat boxes.
11. She would not be afraid to speak (s'adresser) to the manager.
12. They always look so impassive and impeccable.
13. Suzanne would never look them in the face.
14. You don't know whom you are speaking to.
15. Her checkbook can make or unmake empires.
16. She imagines herself dominating a staff of kneeling slaves.
17. Jim admits that the shopping would not tempt him very much.
18. On the other hand I too would like to travel.
19. He was reading a brochure on Provence.
20. Albert would rather be in the room of his dreams.

14

1. Let's take up our dreams again.
2. She would see herself very well as an airline hostess.
3. She would wear a light blue shirt and skirt.
4. I would see her with a stylish little service cap on the side of her head.
5. She would make eyes at the elegant passengers.
6. She would sigh at the thought of the beautiful plane for which she was responsible.
7. Mary too would like to be an airline hostess.
8. She would speak five or six languages.
9. Most of her passengers would be old customers.
10. She would take care of the most elegant passengers.
11. They would come from all over the world.

12. Jim would be the pilot to whom they occasionally bring refreshments.
13. He would stare at the sea of clouds around him.
14. What would happen to all of them if the pilot didn't take care of them?
15. Nobody would escape those giant waves that dance under his plane.
16. Don't worry, Jim is conscious of his duty.
17. Would you permit me to remind the crew of its duty.
18. It would perhaps be time to think of the homework Mr. Delavigne has suggested.
19. Or else the landing might be rough.
20. We would not escape his anger. (la colère)

VII

1. If I were a millionaire I would take a long trip around the world.
2. The other day I was leafing through a pamphlet on Van Gogh, whose landscapes scarcely tempt me.
3. From time to time the personnel manager would look at me with haughty air.
4. If my checkbook permitted it, I would have exotic slaves kneeling before me.
5. I would buy expensive clothes in which I would seem impeccable.
6. Even if no one escaped, the pilot would not be afraid of anything.
7. If our pilot were no longer watching over us, what would become of us.
8. If she looked flirtingly at the excessively rich travelers, five of whom wanted to marry her, the pilot would become angry.
9. Never would I choose the profession of airline hostess, if I had a million.
10. I should like to be the pilot to whom you would bring a large meal.
11. The authoritative chin of the personnel manager was about to disappear under a pile of hat boxes.
12. I should like to travel like a millionaire, throw checks around and make and unmake empires in all the corners of the world.
13. If Professor Delavigne gave us homework that we were afraid of, we wouldn't do it.
14. The beautiful airline hostess sighed at the thought of the three children she was responsible for.
15. Mary's friends to whom you were speaking said they would leave tomorrow.

15

1. Jim, old boy, tell me frankly your opinion.
2. Joseph is afraid that his friends were angry with him.
3. He is also afraid that they have had enough of his angry outbursts.
4. Jim has told him so quite often.
5. If he wants his friends to be his friends a long time, he must not push their patience to the limit.
6. Jim is afraid that Joe's friends will no longer accept his angry oubursts patiently.
7. He must learn to control himself.
8. He is afraid that it will be difficult for me to stand their teasing.
9. He is terribly hot-headed.
10. I want him to reform.
11. I would like him to make up his mind not to take himself seriously.
12. I wish that they would all help me.
13. I wish you would follow my efforts sympathetically.
14. If he wants up to help him, he can count on us.
15. I am happy that you are willing (accepter de) to encourage me.

16

1. What a pity that we are not free tonight.
2. You are very sorry that we cannot come.
3. What is this all about?
4. We plan to go out to a night club.
5. We must celebrate the final exams that we have just taken.
6. What does he think of the way my hair is done?
7. It is too bad that we have so much work to do.
8. Must she describe the dress she has chosen for tonight?
9. She plans to be all dolled up!
10. The orchestra of this night club is well-known for its rhythm and the variety of its selections.
11. They had to reserve their table in advance.
12. It is absolutely necessary that we iron our dresses before tonight.
13. Joseph would like to know who told them he wasn't free tonight.
14. Of what use would it be to you? Of what use would it be to them?
15. He is not worried about anything.
16. He is delighted to tell you that he is free tonight.
17. He is as free as the bird on a limb.
18. "The more, the merrier."
19. We mustn't spoil this good surprise.

VIII

1. She must describe the dress she chose.
2. I want you to go to the night club with us.
3. They had to reserve their table long beforehand.
4. He wished they would tell him why they were not free tonight.
5. Jim is afraid that it will be difficult for Joseph to control himself.
6. Joseph is glad that we are willing to help him.
7. You must learn to stand my teasing (pl.)
8. He recognizes that he flies off the handle.
9. With whom were you talking, and what was it about?
10. Do you think I am too fiery? Yes, I think so.
11. What do you mean and what do you need?
12. They have had enough of your outbreaks of bad humor.
13. It is absolutely necesary for you to learn to apologize.
14. I never received the money you owe me.
15. Who teased you? I hope you succeed in finding him.

17

1. He is happy that you have finished your work early.
2. Everything has worked out so that you may make the acquaintance of a great man.
3. He was born in Algeria on the eve of World War I.
4. They live with their mother in that part of town.
5. Their teacher gives them a special preparation so that they can go to secondary school at the Lycée d'Alger.
6. Thanks to their united efforts, they receive scholarships.
7. Although you work hard and read a lot, you find the time to go swimming in the Mediterranean.
8. I become the goalkeeper of the University of Algiers soccer team.
9. She discovers she is threatened with tuberculosis.
10. It is perhaps a result of the difficult conditions under which they grew up.
11. Or is it a consequence of the numerous activities which he carries on at the same time?
12. Once cured, she registers at the University of Algiers.
13. So that the doctors may combat his disease, he must leave his modest home.
14. You devote yourself to philosophy.

15. Although they recommend that you be careful, you decide to work to earn some money.
16. You set up a theatrical group in which you are producer, actor and playwright.
17. Our love for the theater leads us to all the villages around Algiers.
18. Before the war interrupts this extraordinary activity, you go into journalism.
19. We publish a news story on poverty in Algieria.
20. Unless I am mistaken, you know who this young writer is. His name is Albert Camus.
21. We express forcefully our indignation and thus displease the authorities.

18

1. What a question!
2. What do you want him to do?
3. What do you want me to do?
4. I want you to glance at one of his works.
5. They are in search of an article on the writer's responsibility.
6. Before M. Delavigne began his lecture, I asked Mary if she had a pencil to lend me.
7. *La Peste* appeared immediately after World War II.
8. It tells of the efforts of certain men at grips with an epidemic.
9. We intended to leaf through *Actuelles*.
10. His journalistic articles interest us most.
11. We wonder if there is a collection of his news reports.
12. We are sorry that Joseph left.
13. Which are the best articles you know on the artists of the past?
14. Today's artists must be for or against tyranny.
15. We have just seen Albert who wants very much to read you his assignment.
16. She hopes with all her heart that you will give another lecture on Camus.

IX

1. He is glad they finished their work yesterday.
2. M. Delavigne is giving us special preparation so that we can undertake secondary studies.
3. Whom did you see in the library? What a question! I saw Jim Gerald.
4. Although they gave me a good scholarship I must work hard.

5. Unless you are mistaken, Mary is not in the library stacks.
6. What articles in books that Camus has written interest you specially?
7. I am sorry Albert left before the professor finished his lecture.
8. Which of the library catalogues mentions *La Peste*?
9. What makes you say that?
10. He threw himself into a new enterprise, although the doctors recommended caution.
11. He became the goal tender of which football team?
12. There is the best book we know on the Mediterranean.
13. I am trying to find a competition which is really difficult.
14. During his university years, Camus was threatened by tuberculosis.
15. The scholarships are given so that boys of limited resources can finish their studies.

19

1. They found M. Delavigne comfortably settled in the university café.
2. What struck us in his works was the principal character.
3. He moved about the city like a shadow.
4. This theme is expressed in Camus' last novel.
5. It is not expressed in his life.
6. The theatrical group with which you used to be concerned no longer plays Molière.
7. It is regrettable that she has not forgotten her worries.
8. By speaking freely and swimming side by side they enjoyed life together.
9. In his works solitude and the attempt of men to unite in order to struggle together are found side by side.
10. Careful! She does not think that we can say that.
11. Of all his novels, *L'Etranger* is the one Mary prefers.
12. He tells of another form of human relationships, that of tenderness of a son for his mother.
13. This theme is not at all abstract.
14. The one he treats in *La Chute*, that of human solitude, deeply concerns me.
15. I have always dreamed of the effort of men to recapture lost justice.

20

1. Albert glanced at the display of inexpensive French books.
2. He noticed particularly their covers.

3. What struck him was a red-hot blond on one of the covers.
4. On the back, he found some information about the blond and about the author.
5. Then he came upon another book from which a great film was made.
6. He would like to know the author better, because the film moved him deeply.
7. In the notes and commentary he found that the author was very conservative.
8. At the time of the Spanish Civil War, however, this author changed direction.
9. His attitude towards this war and that of Camus are similar.
10. Politics dominates the *Temps modernes,* a review of the left.
11. Under the veil of Oreste's vengeance, Sartre denounced the collaborators' lies.
12. The censors let the play pass.
13. The audience at that time and the audience today watch for any allusion to their situation.
14. We will bring down the house when we hear Antigone's famous answer to Créon.
15. I would never deny that the interaction between literature and politics is exceptional.

X

1. It is to be feared that this subject will displease her.
2. Dr. Rieux speaks frankly of his duty and of his friends.
3. I do not think that the narrator's solitude is really the theme.
4. The domain in which I am interested is that of literary creation.
5. Did you notice those red-hot blonds in the bookstore?
6. It is possible that the attitude of Bernanos and that which Camus expresses in *La Peste* are similar.
7. Look at the low priced books in that shop window.
8. I doubt whether Sartre sees himself in the role of Hugo.
9. Do you think that the public was watching for those allusions?
10. I do not deny that this interaction was exceptional.
11. It is certain that you are imagining an ascetic Camus.
12. That romantic young woman tried to assassinate the tyrannical grand duke.
13. I think that the friendship of Rieux and Tarrou and that of Rieux and Grand play an important role in *La Peste.*

14. I find it remarkable that the narrator should circulate through the city like a shadow.
15. Don't you consider that funny? Yes, it is indeed funny.

21

1. Two centuries ago, the Parliament of Toulouse had a Protestant, Jean Calas, executed.
2. As soon as Voltaire learned of this, he began to inform himself on Calas.
3. When he was convinced of Calas' innocence, he joined battle.
4. Jean Calas appeared far removed from all fanaticism.
5. He had had in his home for thirty years a zealous Catholic servant.
6. This servant had reared all of his children.
7. One of Jean Calas' sons, named Marc-Antoine, was a man of letters.
8. He had the reputation of having an uneasy, gloomy, and violent disposition.
9. Being unable to succeed either in going into business or in being admitted to the bar, he resolved to end his life.
10. He confirmed himself in this resolution by reading everything written on suicide.
11. One day, having lost his money gambling, he carried out his plan.
12. A friend of his and of his family named Lavaïsse had arrived from Bordeaux the night before.
13. He was known for the simplicity and the gentleness of his character.
14. They ate together, and after supper, they retired to a little living room.
15. Marc-Antoine disappeared.
16. Finally their young friend wanted to leave.
17. He and Pierre Calas found Marc-Antoine hanging from a door.
18. His shirt was not even mussed; his coat was folded on the counter.
19. His hair was well combed; he had no wound, no bruise on his body.
20. Soon a rumor spread according to which the father was supposed to have hung his son to prevent his conversion.
21. Here is how Voltaire described this new example of intolerance.
22. This repeated cry was soon unanimous.
23. Others added that the dead man was to abjure the next day.
24. The moment after, there was no longer any doubt.
25. The fanaticism of the crowd was reflected in the attitude of the majority of the judges.
26. As if to make this injustice still greater, his daughters were placed in a convent.

22

1. Fanaticism was less great in Paris than in Toulouse.
2. The trial was reviewed in spite of the ill will of the Parlement of Toulouse.
3. They progressed step by step.
4. The family had to await the judges' decision in the Conciergerie Prison.
5. The Parliament of Toulouse opposed any settlement, but the unfortunate family received a considerable sum from Louis XV.
6. Voltaire became one of the most ardent defenders of the victims of injustice.
7. It took only two hours to condemn the Sirven family.
8. Having attained the greatest literary fame, Voltaire, became deeply involved in struggles against injustice.
9. He became the defender of the serfs of his region.
10. He never stopped being interested in the little village at the gates of Ferney.
11. The "colons" were Genevans, Swiss, and Savoyards who formerly worked in Geneva.
12. Voltaire secured help for them.
13. The king permitted them to work with the same incentive they had in Geneva.
14. Four days before his death, he learned that the trial of another of his protégés was to be reviewed.
15. He came to life when he heard the news.

XI

1. I approve of the conversion of my son because I have none of that absurd fanaticism that breaks the bonds of society.
2. He must have had the best reasons for disappearing.
3. Voltaire caused a rumor to circulate that the judges of Toulouse were the worst in France.
4. He caused the most devoted of his servants to be accused.
5. The Savoyards had to leave Geneva.
6. Those poor bourgeois led an unfortunate life.
7. You should now understand why Voltaire became the defender of the serfs of his region.
8. I am to speak tomorrow about Voltaire's struggles against injustice.

9. In spite of the ill will of the Parliament of Toulouse, Calas was rehabilitated.
10. The hunted man resorted to arms against several families of Ferney who were obliged to cross the frontier.
11. All of Europe was deeply touched, and public opinion became more favorable.
12. Lavaïsse, known for the gentleness of his ways, had the reputation of being a literary man.
13. If you were to abjure heresy, I would give you a little pension.
14. He was unable to obtain a certificate that he was a Catholic, and he was unsuited to trade.
15. Her daughters were put into a convent, and she had to take refuge at Ferney.

23

1. When they finish this brochure, they will pass it on to me, right?
2. These summer programs appear well planned to them.
3. They will be better planned when they are revised next year.
4. She had often been told that French posters were remarkable.
5. Well-known painters had depicted their favorite region on some of these posters.
6. A little index of the museums of France was sent to her at no expense by the General Travel Administration.
7. In order that you do not get lost in a labyrinth of details, look at France from a bird's eye view.
8. He would like to have us notice the harmony, the balance of its geographic silhouette.
9. Within this harmonious form one finds a résumé of European variety.
10. France brings together the most disparate provinces.
11. About two thousand years ago a Greek philosopher noticed the excellent communication between the provinces.
12. The rivers water the provinces, and then flow into the two seas.
13. Move away from this region where castles touch castles.
14. Whatever the richness and the fertility of the land, you will also find farmers there.
15. Everything combines to make a peasant of him.

24

1. Mary suggested that we wait for her at the museum.
2. Let us go and see this lithograph in the corner.

3. When we have seen all the lithographs we shall appreciate Daumier's art.
4. Hurrah for Albert's comments!
5. He has selected them intelligently and placed them under the sketches.
6. Baudelaire devoted an interesting text to Daumier.
7. According to the poet, Daumier's middle class man is a gothic ruin, a vestige of the Middle Ages.
8. Because he formed a friendship with the middle class man's family, he knew and loved him in the manner of artists.
9. It was the political caricaturist that Joseph knew especially.
10. In one canvas, we can see hands coming out of their great sleeves to be transformed into claws of birds of prey.
11. Behind the little scene caught forever hides the observation of a moralist.
12. When we look at the paintings in which Daumier depicts Don Quixote, we unveil another facet of his genius that we should not fail to recognize.
13. We can see what discreet tenderness he expressed for the humble.
14. Think of this woman who does her washing on the banks of the Seine.
15. Behind all these themes you can catch a glimpse of Daumier's true face.

XII

1. The students had told us that the French travel booklets were particularly remarkable?
2. As soon as she finished the book she lent it to the professor.
3. When you have looked at that drawing long enough, pass it to me.
4. The fleshy judge said that he liked to wander through the streets of Paris.
5. If Daumier had expressed less tenderness for the people of Paris, he would still have pursued the bourgeois pitilessly.
6. I thought that he had described the dissimilar regions of France very intelligently.
7. If I had not written to you on the 25th of August, you would certainly not have selected those canvases.
8. When you have seen the caricatures of Daumier, you will know well the mysteries of the sexual life of the bourgeois of 1840.
9. They wished that we would make the acquaintance of that dreamer of dreamers, Don Quixote.

10. I had thought that he would have showed us at one and the same time the men of the law, who are so hard to kill, and the abandoned acrobats.
11. Those old seadogs were not satisfied with fine words.
12. I didn't tell you that we had seen Paris romantically, from a bird's eye view.
13. Where would you rather live, in Provence, in Brittany, or in Flanders?
14. For the ninth time the French museums sent me free a pamphlet on the bothers le Nain.
15. Watch out or you will get lost in a labyrinth of details before you finish studying the rhythm of Péguy.

25

1. Albert hopes we didn't miss the French film.
2. A whole collection of practical jokers noisily unfolded their candy wrappers.
3. The professor thought that it would be a good idea to continue our initiation to France.
4. He thought of a step backward.
5. He spoke enthusiastically about Molière.
6. In the play, *Les Fâcheux,* one finds many bores who make life unbearable.
7. But don't you think that the film, *Les Casse-Pieds,* has already provided us with such a series?
8. Each day the marquis in *Les Fâcheux* sees some new kind of bore.
9. He thought he would never get rid of today's bore.
10. He was in a mood to listen to the play when a man entered suddenly.
11. He disturbed the play in the best place.
12. Then he crossed the theater and planted his chair in front of the stage.
13. He paid no attention to the noise which arose.
14. I told him that I would be very happy to listen to the play.
15. He left the theater before the end of the play.

26

1. Here we are on the point of leaving for France.
2. He spent his evening turning these ideas over and over in his mind.
3. Down deep we are convinced that Joseph and Albert are going to like each other.
4. But we can't help worrying.
5. The trips they have planned are so different.

6. His nature forced him to avoid confusion.
7. Your desire to organize the world about you corresponds to a deep need in you.
8. We learn with great difficulty how to organize our ideas in a school composition.
9. If Poussin was confusion's enemy he was haste's too.
10. You can't paint while whistling.
11. It seemed to him that he was doing a great deal when he made a head in one day.
12. Poussin went to Italy to shun the confusion and haste of the French capital.
13. We strove to initiate our friends to the art of contemplating monuments of the Roman period.
14. The beautiful girls of Nîmes delighted our spirit no less than the beautiful columns of the Maison Carrée.
15. In France one is rarely overwhelmed by the grandeur of nature.

XIII

1. There is no dividing line, easy to establish, between the artist and the artisan.
2. After studying stones and clods, Poussin began by painting a vast landscape.
3. By painting landscapes, Poussin strove to find the art of reproducing nature.
4. Poussin hopes to make one head in twenty-four hours, but not while whistling.
5. He does not see what the bores of the 17th century have to do with today's travelers.
6. The young marquis complained to his friend about the annoying practical joker.
7. Elegant people take good care to leave before the dénouement.
8. I must wish you luck on the road before you leave.
9. His ideas, expressed in that school composition, won him the admiration of his professor.
10. In his correspondence, Poussin revealed his tendency to love things well organized.
11. Poussin will choose Italy as his second country and will lead a retired life there.

12. I don't know who told me that the columns of the Maison Carrée were copied from the girls of Nîmes.
13. The columns of the temple of Karnak must have been copied from the legs of Jim Gerald.
14. Let us flee the confusion of the capital so as to live side by side with the great works of the past.
15. Does the work of the potters of Vallauris evoke the century-old patience of the peasants of the South of France?

27

1. We only passed through Paris.
2. Suzanne only passed through Aix.
3. They are not about to forget the crowd of people.
4. She is not about to forget the waves of scooters.
5. You seem in a bad mood.
6. She frowned at me.
7. I frowned at her.
8. Large black houses blocked any view from me.
9. A leaden sky blocked any view from her.
10. After settling down comfortably in a corner, we went to sleep.
11. After settling down comfortably in a corner, he went to sleep.
12. A ray of sunshine came and raised our morale. (your)
13. Every morning on getting out of bed I saw the sun which was the guest of honor.
14. Suzanne catches herself singing in the southern manner.
15. It is not very difficult for you to recapture your best memories.
16. It is not very difficult for her to forget the tourist traps.
17. Arles is conveniently settled on the loop of the Rhône.
18. Jim admires the Roman columns of the Maison Carée and the marvellous Romanesque sculptures of Saint-Trophime.
19. Mount Sainte-Victoire reserves a quiet welcome for you.

28

1. There is the adopted daughter of M. and Mme Bellanger.
2. She congratulated herself every day for having accepted their invitation.
3. The Bellangers have always lived in Blois.
4. Mary has been corresponding with Lucile, their only daughter.
5. I can imagine their daily meals.

6. Because of Mme Bellenger's cooking (cuisine), Mary reached the point where she had serious fears for her figure.
7. The very first days, she found the meals a little heavy.
8. But she is fond of those moments when they discuss everything that comes to their minds.
9. It would have been a disappointment if by common agreement the Bellangers decided to leave it at that to avoid an argument.
10. Lucile used to think that her father was too conservative.
11. But he used to console himself by saying that one is inevitably conservative in relation to younger people.
12. His father called him a revolutionary.
13. One evening they got into the family car. M. Bellanger was at the wheel.
14. Putting a blanket over her shoulders, Lucile followed her father.
15. Suddenly the Château de Chambord revealed itself to them.

29

1. You found yourself face to face with the garage man, André.
2. Financial considerations weighed heavily while you chatted.
3. You were not disposed to go out of your way.
4. Up to then you had never found the time to eat a meal other than in a hurry.
5. But that day you were very relaxed.
6. You chatted with all the other customers.
7. You would have been content with a light meal provided you didn't work that afternoon.
8. The cat suddenly arched his back as you were juggling the salad.
9. You decided to take a walk in the city.
10. As if attracted by a magnet you made your way towards the cathedral.
11. The more you advanced the more the colossus grew in size.
12. And the more you tried to approach it, the more you lost yourself in the labyrinth of little streets.
13. You felt very small as you went up the wide stairway.
14. The more Lautrec's personality took form before you, the more you realized that he was not a bitter dwarf constantly brooding over his sentimental disappointments.
15. When you returned André started the motor and said: "It's going all right."

30

1. Here we are Bretons since the end of June.
2. Everything in this province is constantly being transformed.
3. The outlines of the clouds correspond to the play of the waves and currents.
4. But on land everything seems changeless, eternal.
5. In the pension we eat our meals on old oak tables.
6. Although most Bretons have abandoned the traditional costume, they continue many of their ancestral customs.
7. The calvaries show the persistence of religious beliefs.
8. The Breton is hardened by suffering.
9. Whereas the climate in France is not severe, that of the Breton coast is stormy.
10. The Breton turns quite naturally towards God when he is face to face with danger.
11. They frequently would erect a calvary when their region was ravaged by a plague (do not use passive).
12. Christ is accompanied by Bretons in the Plougastel calvary.
13. Merlin took refuge in the Breton forest.
14. Such legends were passed on from generation to generation by bards.
15. But the bards disappeared with the coming of electricity and radio.

Vocabulaire (français-anglais)

A

à to, at
abandonner to abandon, to give up
l'**abjuration** *f.* abjuration
  abjurer to abjure, renounce
d'abord at first
  tout d'abord at first
abordable accessible, easily approached
absolument absolutely
abstrait abstract
accéder to comply with, to assent or agree
l'**accent** *m.* accent, stress
accepter to accept
accidenté hilly
accompagner to accompany
accomplir to accomplish
l'**accord** agreement
  d'un commun accord in full agreement, with one accord
  d'accord agreed
accroché hanging on to
s'accrocher à to hang on to
accroître to increase, to augment
l'**accueil** *m.* welcome
l'**achat** *m.* purchase, thing bought
acheter to buy
acquérir to obtain, gain, acquire
l'**acrobate** *m.* acrobat
l'**acteur** *m.* (*f.* **actrice**) actor
actif *f.* **active** active
l'**action** *f.* action
l'**activité** *f.* activity
actuel present, present-day
actuelles contemporary events
adapter to adapt
l'**addition** *f.* the bill (in a restaurant)
admettre to admit, permit
admirable admirable
admiratif admiring
l'**admiration** *f.* admiration
l'**adolescent** *m.* youth
adopter to adopt
adoptif (*f.* **adoptive**) adopted
adoucir to soften
s'adresser (à) to speak to, apply to
l'**aéroport** *m.* airport
l'**affaire** *f.* affair
l'**affiche** *f.* poster
afin de to, so as to
afin que so that
l'**Afrique du Nord** *f.* North Africa
l'**agence** *f.* agency
agenouillé kneeling
agile agile
s'agir (de) *v. impers.* to be about, to be a question of
agréablement agreeably
aider to help, aid
les **aïeux** ancestors
l'**aile** *f.* wing

d'ailleurs besides
l'**aimant** *m.* magnet
aimer to like, love
aimer mieux to like better, prefer
aîné oldest
ainsi thus
ainsi que as well as
l'**air** *m.* the air
avoir l'air to seem
en plein air open air
aisé easy
Aix Aix-en-Provence, city north of Marseille, birthplace of Cézanne, who lived there most of his life, painting many landscapes, notably the nearby Mont Sainte-Victoire
ajouter to add
Albigeois living in Albi, Albigensian
l'**alcôve** *f.* alcove (figuratively, bed, sex life)
Alger *m.* Algiers
l'**Algérie** *f* Algeria
allemand German
aller to go
comment allez-vous how are you
je vais (nous allons) bien I am (we are) fine
allons go on, come now!
aller à to suit
allié allied
allier to ally, bring together
l'**allure** *f.* air, appearance
l'**allusion** *f.* allusion
alors then
alors que whereas, when
l'**Alsace** *f.* Alsace
altier proud
amener to lead, bring
amer bitter
l'**ami** *m.* the friend
l'**amitié** *f.* friendship
l'**amour** *m.* love
amoureusement lovingly
ample ample
amuser to amuse
l'**an** *m.* year
l'**ancêtre** *m.* ancestor
ancien (*f.* **ancienne**) old, former
l'**âne** *m.* ass
l'**anglais** *m.* English
animé animated
l'**année** *f.* year
annoncer to give notice of, announce
l'**antidote** *m.* antidote
apercevoir to notice
l'**apéritif** *m.* aperitif (alcoholic drink taken before a meal)
l'**appareil photographique** *m.* camera
apparemment apparently
s'apparenter to be related to
l'**appartement** *m.* apartment
l'**appel** *m.* call
appeler to call
s'appeler to be called, to be named
comment vous appelez-vous? what is your name
je m'appelle my name is
il, elle s'appelle, ils, elles s'appellent his name, her name, their name is
appétissant appetizing
l'**appétit** *m.* appetite
applaudir to applaud
applaudir à tout rompre to applaud violently
appliquer to apply
apporter to bring
apprécier to appreciate
apprendre to learn
l'**apprenti** *m.* apprentice, novice
s'approcher (de) to approach
s'appuyer sur to rely upon
après after
et après? so what?
l'**après-midi** *m.* afternoon
l'**aquarelle** *f.* watercolor
l'**arbre** *m.* tree
l'**architecte** *m.* architect
l'**ardeur** *f.* ardor
l'**ardoise** *f.* slate
les **arènes** *f. pl.* arena, amphitheater
l'**argent** *m.* money, silver
l'**argenterie** *f.* silver, silverware
Arles city of Provence, near the mouth of the Rhône. Van Gogh spent the

last years of his life there and painted streets, houses and the countryside
armé equipped with
armer to arm
arracher (à) to tear (from)
arranger to arrange
l'**arrêt** *m.* stop
arrêter to stop; **arrêtez,** stop!
arriver to arrive, succeed
  en arriver to be reduced to (do something)
  il m'arrive de rêver I am apt to dream
  s'il m'arrive d'oublier la concordance des temps if I happen to forget the agreement of tenses
arroser to water
l'**article** *m.* article
l'**artiste** *m.* artist
artistique artistic
l'**as** *m.* ace
ascétique ascetic
l'**assaisonnement** *m.* salad dressing
l'**assassin** *m.* murderer
assassiner to assassinate, murder
l'**assaut** *m.* assault
l'**assemblée** *f.* assemblage
s'asseoir to sit down
  asseyez-vous sit down
  s'assied sits down
  assis seated
assez enough
assimiler to assimilate
assurer to assure
  je m'assure I am sure
l'**astre** *m.* heavenly body
l'**atmosphère** *f.* atmosphere
l'**atteinte** *f.* attack
l'**attelage** team
attendre to wait for, await
  s'attendre à to expect
l'**attention** *f.* the attention
  attention! watch out, wait a minute
attentivement attentively
l'**atterrissage** *m.* landing (of a plane), coming back to earth
attester to bear witness
attirer to draw, attract
l'**attitude** *f.* attitude
l'**aube** *f.* dawn
augmenter to increase
aujourd'hui today
auprès de near to, with
l'**auréole** *f.* halo
au revoir goodby
aussi also
aussitôt immediately
  aussitôt que as soon as
l'**auteur** *m.* author
l'**autocar** *m.* the bus
l'**automne** *m.* autumn
autoritaire domineering
l'**autorité** *f.* authority
l'**autostrade** *f.* limited access road
autour de around
autre other
autrefois formerly
en avance ahead of time
  à l'avance beforehand
avancer to be fast, advance
avant before
  avant de before (*prep.*)
  avant que before (*conj.*)
  en avant forward
avec with
l'**avenir** *m.* future
l'**aventurier** *m.* adventurer
avertir to warn, know in advance
aveugle blind
l'**avidité** *f.* eagerness
l'**avion** *m.* airplane
aviser to notice
l'**avocat** *m.* lawyer
avoir to have
  avez-vous? do you have?
  j'ai I have
  avoir beau to do in vain
  avoir l'air to seem
  qu'avez-vous? what's the matter?
  avoir de mes nouvelles to hear from me
  avoir à voir to have to do (with)
avouer to admit

B

le **bac** (popular) baccalaureate (a degree given if one passes state exams given at the end of lycée)
les **bagages** *m.* baggage
baiser to kiss
le **bal** ball
la **balance** scale
la **balle** ball
la **banane** the banana
bannir to banish
le **barde** bard
la **barque** boat, bark
bas low
le **bas manoir** rude manor-house
la **base** base, basis
le **bateau** boat
bâtir to build
se battre to fight, struggle
bavarder to chat
beau (*m.* before vowel, **bel;** *f.* **belle**) beautiful
beaucoup much, very much
le **bébé** baby
bénéficier to profit
bercer to lull
le **besoin** need
  avoir besoin to need (with a noun or verb)
la **bêtise** stupidity, nonsense
la **bibliothèque** library
la **bicyclette** bicycle
eh bien well
bien que although
bientôt soon
le **bifteck** the steak
bigarré colorful
le **bijou** jewel
le **billet** the ticket, note
bizarre strange
blanc white
blanchir to whiten
bleu blue; *n.* blue coverall, dungarees
blond blond
le **blouson** jacket
le **bœuf** ox
le **bois** wood
les **boiseries** *f. pl.* wood panelling
la **boisson** the drink
la **boîte** box
  boîte de nuit night club
le **bol** the bowl
bon (*f.* **bonne**) good
le **bonbon** candy
bondé packed, filled to capacity
le **bonheur** happiness
bonhomme good-natured
bonjour good day, good morning
le **bord** edge, bank
le **botaniste** botanist
la **bouche** mouth
boucher to block
la **boucle** buckle, (of a river) bend
la **boule** ball
  une partie de boules a game of bowls
le **bourg** hamlet
bourgeois well-to-do, middle-class citizen
la **Bourgogne** Burgundy
la **bourse** scholarship
la **bousculade** jostling
le **bout** end, extremity, bit
la **bouteille** bottle
la **boutique** shop
la **branche** branch
  l'oiseau sur la branche the bird in the tree
brandir brandish
braver to defy
le **bras** arm
bravo hurrah
la **Bretagne** Brittany
breton (*f.* **bretonne**) Breton
briller to shine
la **brique** brick
briser to break
la **brochure** brochure, booklet
bronzé tanned
le **brouillard** fog
le **bruit** noise
la **brume** mist
brumeux (*f.* **brumeuse**) misty
brusquement suddenly

brun brown
bruyant noisy
le **bûcheron** woodcutter
le **buisson** bush
le **bureau** desk
le **but** goal

C

çà et là here and there
le **cabaret** cabaret, night club
la **cabine** stateroom
cacher to hide
le **cachet** seal
  un cachet si particulier so unusual a character
le **cadavre** corpse
le **cadeau** gift
le **café** café, restaurant, coffee
le **calme** calm
  du calme take it easy
calmement calmly
calmer to calm
le **calot** cap
le **Calvados** department of Normandy, capital Caen
le **calvaire** calvary, sculptured crucifixion scene, often with numerous figures
le **camarade** comrade
  le **camarade de chambre** roommate
la **caméra** motion picture camera
la **camionnette** pickup truck
la **campagne** country
le **canard** duck
la **candeur** frankness, openness, simplicity
le **canon** lace ornament on trousers
causer to cause
  des transformations dont l'automobile était cause transformations caused by the automobile (note absence of article in French)
le **canton** district
le **capot** hood (of a car)
car for
la **caricature** caricature
le **caricaturiste** caricaturist
le **carnet** notebook
  carnet de chèques checkbook
se carrer to squat
la **carrière** career
la **carte** map
le **carton à chapeau** hatbox
le **cas** case
le **casse-pieds** bore
le **catalogue** catalogue
le **Catholicisme** Catholicism
la **catholicité** state of being a Catholic
catholique Catholic
la **cause** cause (legal), case
ce (*f.* **cette**) this, that, it
  c'est it is
ceci this
céder to yield
céder la parole à to yield the floor to
la **ceinture** belt
cela that (*abbr.* **ça**)
célèbre famous
célèbrer to celebrate
celte Celtic
celui (*f.* **celle,** *m. pl.* **ceux,** *f. pl.* **celles**) this, this one, that, that one
la **censure** censor, censorship
cent one hundred
le **centre** the center
cependant however
le **cercle** circle
la **cerise** cherry
certain certain (*adj.*); *pron. pl.,* some
certainement certainly
le **certificat** certificate
sans cesse ceaselessly
cesser to cease
chacun each one
la **chaîne de montage** assembly line
la **chair** flesh
  bien en chair corpulent
la **chaise** the chair
la **chaleur** heat
la **chambre** the room (bedroom)
le **champ** field
la **Champagne** Champagne, a former province of France in which the wine of that name is produced, but

la **Champagne** (*suite*)
a section of which is so arid and unfertile that it is called la **Champagne pouilleuse**, "wretched Champagne"
le **champignon** mushroom
la **chance** luck
le **changement** change
changer to change
changer de vitesses to shift gears
la **chanson** song
le **chant** song
chanter to sing, speak with a lilting accent
le **chanteur** singer
le **chapiteau** capital (of a column)
chaque each
chargé loaded, heavy
charmant charming
la **charrette** cart
chasser to chase
le **chasseur** hunter
le **chat** cat
le **châtiment** punishment
chaud warm
la **chaumière** thatched-roofed cottage
la **chaussure** shoe
le **chef** chief
le **chef du personnel** manager
le **chemin** way
la **cheminée** chimney
cheminer to make one's way
la **chemise** shirt, undershirt
le **chemisier** blouse
le **chêne** oak
le **chèque** check
cher (*f.* **chère**) dear
chercher to look for, hunt for
le **cheval** horse
cheval de selle saddle horse
cheval de trait draft horse
le **chevalier** knight
les **cheveux** *m. pl.* hair
chez at the house or home of, among
chimérique visionary
chimique chemical
choisir to choose
le **choix** choice
la **chose** thing
autre chose something else
chrétien (*f.* **chrétienne**) Christian
chuchoter to whisper
la **chute** fall
le **ciel** the sky
la **cigale** cicada
le **Ciné-Club** film club
le **cinéma** movie theater
circuler to circulate
ciselé carved
la **citation** quotation
civil civil
la **civilisation** civilization
clair clear
clandestin clandestine, secret
la **classe** class
classer to classify
la **clef** key
le **client** client, customer, buyer
le **climat** climate
la **cloche** bell
le **clocher** steeple
le **cloître** cloister
le **clos** enclosure, closed garden
le **club** club
le **cochon-tirelire** piggy bank
le **cœur** heart
le **coffret** box
la **cohue** mob
la **coiffure** coiffure, hair style
le **coin** corner
la **colère** anger
se mettre en colère to become angry
colérique fiery
le **collaborateur** collaborator
la **collection** collection
la **colline** hill
le **colon** colonist
la **colonie** colony
la **colonne** column
colporter to peddle, spread around
combattre to combat, fight
la **Comédie Française** the Comédie Française (French national theater)
la **comédie** comedy, play, theater
voir la comédie to go to the theater

commander to order
comme as, like
le **commencement** the beginning
commencer to begin
comment? how?
le **commentaire** commentary
commodément conveniently
commun common
  d'un commun accord with one accord, full agreement
communale local
  Ecole Communale primary school
la **communication** communication
communiquer to communicate
la **compagne** companion
la **compagnie** company
composé composed
comprendre to understand
le **compte** account
  tenir compte de take into account
compter to count
le **comptoir** counter
le **Conciergerie** prison located in the buildings of the Palais de Justice in Paris
concourir to concur
le **concours** competition
conçu conceived, planned
la **condamnation** condemnation
condamner to condemn
la **condition** condition
la **conférence** lecture
la **confiance** confidence
conjugué joint
la **connaissance** acquaintance, knowledge
connaître to know
consacrer to consecrate
conscient conscious
le **conseil** advice
conseiller to counsel, advise
la **conséquence** consequence
conservateur (*f.* **conservatrice**) conservative
les **conserves** *f. pl.* canned goods
considérer to consider, contemplate
le **consommateur** consumer
le **consommation** consumption
constamment constantly
la **construction** construction
construire build, construct
le **contemporain** contemporary
content satisfied
conter to tell, relate
contesté disputed
le **continent** continent
continuer to continue
contraindre to force
contrairement (**à**) contrary to
contre against
  par contre on the other hand
la **contrée** region, country
contrôler to control
convaincre to convince
la **conversation** conversation
la **conversion** conversion
coquet smart
le **cor** horn
cordialement cordially
le **cordon bleu** superior cook
le **cordonnier** shoemaker, bootmaker
le **corps** body
la **correspondance** correspondence
corriger to correct
la **côte** hillside, coast
côte à côte side by side
le **côté** side
côtier (*f.* **côtière**) of the coast
la **couleur** color
couper to cut
coupable guilty
le **coup de vent** gust of wind
le **coup d'œil** glance
le **couple** couple
le **courant** current
le **cours** course
  au cours de during
la **course** race
  une course dans l'escalier someone running up the stairs
court short
le **court-métrage** short subject
le **cousin** cousin
le **coût** cost

le **couteau** knife
la **coutume** custom
le **couvent** convent
couvert covered
la **couverture** cover, blanket
craindre to fear
la **crainte** fear
craquer to crack
la **cravate** necktie
le **crayon** pencil
le **créateur** creator
la **création** creation, creative work
le **crédit** repute, prestige, credit
créer to create
la **crème** cream
  café crème coffee with cream
le **creuset** crucible, melting pot
le **cri** cry
crier to yell
criard discordant
le **crime** crime
criminel (*f.* **criminelle**) criminal
la **crise** access, crisis
croire to believe, think
la **croisade** crusade
croiser to cross
croissant increasing
le **croissant** crescent-shaped breakfast roll
croître to grow, increase (in size)
le **croquis** sketch
le **cuir** leather
la **cuisine** kitchen
cuit: bien cuit well done
les **cultures** *f. pl.* cultivated lands
le **curé** priest
curieux curious, unusual
le **cycle** cycle
le **cyprès** cypress

D

daigner to deign
la **dalle** flagstone
damner to damn
  Dieu me damne! (archaic oath) demme!
dans in
danser to dance
davantage more
de of; (before infinitive) to
le **débarquement** landing
se débarrasser (de) to get rid (of)
le **débat** oral discussion, debate
le **début** the beginning, first part of
la **déception** disappointment
décharger to discharge
décider to decide
la **décision** decision
la **découverte** discovery
découvrir discover
décrire to describe
le **dédommagement** compensation
défaire to unmake
le **défaut** defect
défendre to defend
le **défenseur** defender
défiler to pass by
la **définition** definition
en définitive finally
se dégager to emerge
le **ciel se dégage** the sky is clearing
le **déguisement** disguise
la **dégustation** tasting
déjà already
déjeuner to lunch
  le **déjeuner** lunch
  le **petit déjeuner** breakfast
délecter to delight
délicieux (*f.* **délicieuse**) delicious
la **demande** request
demander to ask
demeurer to live, dwell, remain
demi half
  une heure (neuf heures) et demie half past one (nine)
demi-tour, faire to turn back
la **demoiselle** young lady
dénoncer to denounce
dénouer to untie
la **dent** tooth
  claquer des dents to have one's teeth chatter
  à la dent dure with a biting tongue
le **départ** departure

dépeindre to depict
déplaire to displease
déplier to unfold
déposer to deposit, put down
depuis since, for
dérangée: sa chemise n'était pas seulement dérangée his undershirt was not even mussed
se **déranger** to be bothered
dérisoire ridiculous
dernier (*f.* **dernière**) last
dérober to steal
derrière behind
dès: dès que as soon as
descendre to go down
désespérément desperately
désolé very sorry
désormais henceforth, from now on
le **dessein** scheme
le **dessin** drawing
dessiner to draw, design
le **détail** detail
détendu relaxed
la **détente** relaxation
déterminé determined
détester to detest
détruire to destroy
deux two
deuxième second
devant before, in front of
  le **devant** the front
développer to expand, develop
devenir to become
dévoiler to unveil
devoir to owe, to be obliged, to, have to
le **devoir** duty, homework assignment
dévorer to devour
le **diable** devil
la **dictée** dictation
dicter to dictate
le **dicton** saying
le **dieu** God
  bon Dieu good heavens
difficile difficult
la **difficulté** difficulty
diminuer to diminish
dîner to dine, eat dinner
  le **dîner** the dinner
la **digue** dike
dire to say, tell
  vouloir dire to mean
  l'art de bien dire the art of saying things nicely, elegance of speech
le **directeur** director, editor
la **direction** direction, management
diriger to direct, to edit (of a paper)
discret (*f.* **discrète**) discreet
discrètement quietly, discreetly
la **discussion** discussion
discuter to discuss
  discuter théâtre et problèmes internationaux to talk about the theater and international problems (Note the absence of articles in this expression.)
disparaître (*past part.* **disparu**) to disappear
disparate dissimilar
disposé disposed
disputer to dispute
le **disque** record, disc
disserter to hold forth
se **dissiper** to vanish, disappear
distinguer to distinguish
la **distraction** diversion
le **distrait** absent-minded person
le **divan** couch
divers diverse
dix ten
dix-huitième eighteenth
dix-neuf nineteen
une dizaine d'années about 10 years
docte learned
le **domaine** domain
  domaine d'élection special domain
dominer to dominate
le **dommage: c'est dommage** it's a pity
donc therefore, then
Don Quichotte Don Quixote
dont whose, of whom
dormir to sleep
  dormir à poings fermés to sleep soundly

le **dortoir** dormitory
le **dos** back
  faire le gros dos to arch one's back
le **douanier** customs employee
doucement softly, gently
la **douceur** gentleness
la **douleur** pain, sorrow
le **doute** doubt
douter to doubt
doux sweet
  faire les yeux doux to look flirtingly
douze twelve
le **dramaturge** dramatist
le **drame** drama
dresser to rise straight up, erect
  dresser l'oreille to prick one's ears
le **droit** right, law
drôle funny
dû (*f.* **due**) due to
dur hard
dur à la peine capable of doing back-breaking work or resisting hardship

E

l'**échange** *m.* exchange
  en échange in exchange
échanger to exchange
échapper to escape
les **échos** *m. pl.* news items
éclairé lighted up
l'**éclat** *m.* outburst, brilliance
éclater to burst
l'**école** *f.* school
  Ecole Communale primary school
écouter to listen to
écraser to crush
écrire to write
  écrit is writing
l'**écrit** written work
l'**écrivain** *m.* writer
en effet in fact
  l'**effet** *m.* effect
s'fforcer (de) to strive (to)
l'**effort** *m.* effort
égal equal
l'**également** equally, also
l'**égard** *m.* respect, consideration
  à bien des égards in many respects
s'égayer to have an amusing time
  égayer to cheer up
l'**église** *f.* church
l'**égoïsme** *m.* egoism
s'élancer to thrust forward
élégant elegant
élevé high
élever to raise
éloigné far from
s'éloigner to withdraw, move away from
ne t'emballe pas don't get excited, keep cool, don't be carried away
embrasser to embrace, kiss
l'**émerveillement** *m.* amazement, wonder
s'émerveiller to marvel
s'émouvoir to be moved
empêcher to prevent
l'**empire** *m.* empire
empli (de) full (of)
l'**emploi** *m.* utilization
empoisonner to poison
emporter to carry off
en in
en chœur all together, in unison
encore still, yet
  encore un one more
encourager to encourage
s'endormir to go to sleep
l'**endroit** *m.* the spot, place
endurci hardened
l'**énergumène** *m.* objectionable character
s'énerver to become excited, irritated
l'**enfant** *m.* or *f.* child
s'enfoncer to sink down
s'engager to be undertaken
  engager la conversation strike up conversation
englober to include, embody
l'**ennemi** *m.* (*f.* l'**ennemie**) enemy
ennuyer to bore
ennuyeux boring
énorme enormous
énormément tremendously

enquêter to make investigations
enrouler to roll
enseigner to teach
ensemble together
ensoleillé sunny
ensuite then, next
entendre to hear, understand
  s'entendre to get along (with each other)
  bien entendu of course
l'enthousiasme *m.* enthusiasm
entier (*f.* **entière**) entire
entièrement entirely
entourer to surround, wrap around
entre among
entreprendre to undertake
l'entreprise *f.* undertaking
entrer to enter
entrevoir to glimpse
envers toward, with regard to
  l'envers et l'endroit the wrong side and right side, both sides of the medal
l'envie *f.* the desire
  avoir envie (de) to want, desire
envier to envy
environ about
environnant surrounding
envisager envisage, plan
envoyer to send
épais (*f.* **épaisse**) thick
l'épaule *f.* shoulder
l'éperon *m.* spur
l'épidémie *f.* epidemic
épier to spy on
l'épouse *f.* wife
épouser to marry
l'équilibre *m.* equilibrium
équilibrer to balance
l'équipage *m.* crew
l'équipe *f.* team
s'équiper to fit oneself out
errer to wander
l'escalier *m.* stairs, staircase
l'esclavage *m.* slavery
l'esclave *m.* or *f.* slave
l'Espagne *f.* Spain
l'espèce *f.* kind
espérer to hope
l'espoir *m.* hope
l'esprit *m.* mind
essayer to try
l'essence *f.* gasoline
essouflé out of breath
l'esthète *m.* æsthete
essuyer to receive
estimer to consider, esteem
l'estomac the stomach
et and
établir to establish
l'étage *m.* floor, story
l'état d'esprit *m.* state or frame of mind
l'étalage *m.* display
l'été *m.* summer
s'éteindre to be extinguished
étendu extended, broad
l'étendue *f.* extent
étonnant astonishing
l'étonnement *m.* astonishment
étonner to astonish
étouffer dans l'œuf to nip in the bud
l'étourdi *m.* scatter-brain
étrange strange
étranger (*f.* **étrangère**) foreign, *n.* foreigner
étrangler to strangle
être to be
l'être *m.* being
étroit narrow
l'étude *f.* study
étudier to study
un étudiant, une étudiante a student
européen (*f.* **européenne**) European
évaluer to evaluate
l'évêque *m.* bishop
éviter to avoid
l'évocation *f.* evocation
évoquer to evoke
exact exact
l'examen *m.* examination
  passer un examen to take an examination
examiner to examine
l'excellence *f.* excellence

excellent excellent
excentrique eccentric
excepté except
l'**exception** *f.* exception
exceptionnel exceptional
s'**exclamer** to exclaim, to protest loudly
excuser to excuse
l'**exemple** *m.* example
exercé experienced
l'**existence** *f.* existence
exotique exotic
explorer to explore
exploser to explode
l'**explosion** *f.* explosion
l'**exposition** *f.* exposition
exprimer to express
exquis exquisite
s'**extasier** to go into ecstasies
extérieur exterior
extraordinaire extraordinary
extrêmement extremely

F

fabuleux fabulous
la **face** face
  regarder en face to be face to face with
la **facette** facet
le **fâcheux** bore
facile easy
facilement easily
la **facilité** ease, facility
la **façon** way
  de cette façon that way
faillir (**de**) to almost (do something)
la **faim**, *f.* hunger
faire to do, make
  faire le tour de to go around
  il fait beau the weather is good
  il fait doux the weather is mild
  il fait claud it is warm
  il fait du vent it is windy
  fit pressentir let out a hint of
  faire des merveilles to outdo oneself
  se faire to be made
la **falaise** cliff
falloir (*v. impers.*) to be necessary
fameux (*f.* **fameuse**) famous, remarkable
familial family
la **famille** family
le **fanatique** fanatic
le **fanatisme** fanaticism
le **fardeau** burden, load
fatalement inevitably
la **fatigue** fatigue
fatigué tired
les **faubourgs** *m. pl.* outskirts
le **fauteuil** armchair
favori (*f.* **favorite**) favorite
favoriser to favor
féliciter to congratulate
la **femme** woman, wife
la **fenêtre** window
le **fer** iron
  donner un coup de fer (**à**) to iron
ferme firm
ferme (*adv.*) steadily
fermer to close, shut
le **fermier** farmer
la **fermeture** closing, shutting
féroce ferocious
la **fertilité** fertility
la **fête** party
  être de la fête to join the party
le **feuillage** foliage
feuilletter to turn the pages, of, dip into
fidèle faithful
fier (*f.* **fière**) proud
fièrement proudly
la **figure** face
la **fille** daughter
le **film** movie, film
le **fils** son
la **fin** end; **la fin juillet** the end of July (Note the absence of preposition in French)
fin fine, delicate
finir to end, finish
fixer to keep one's eyes fixed on
la **Flandre** Flanders
flâner to stroll
le **flâneur** stroller

le **fléau** scourge
la **flèche** arrow
le **fleuve** river
le **flot** wave, stream (of cars)
la **foi** faith
la **fois** time (in a succession of occurrences)
une fois de plus once more, once again
à la fois at one and the same time
la **folie** folly
faire des folies to be extravagant
la **fonction** function
en fonction de (going) hand in hand with, taking into account
le **fond** bottom, back depth
au fond de in the depths of
fondant juicy
fonder to found
fondre to melt
la **fontaine** fountain
le **football** soccer
la **force** force
forestier pertaining to the forest
la **forêt** forest
la **forme** form
fort very much
fortement strongly
fou (*f.* **folle**) crazy
la **foule** mob, crowd
la **fourche** (pitch) fork
la **fourchette** fork
avoir un rude coup de fourchette to be a hearty eater
fournir to furnish
le **foyer** home, hearth
le **fracas** noise, tumult
la **fraîcheur** coolness, freshness
frais (*f.* **fraîche**) cool
le **français** French
le **Français** the Frenchman
franchement frankly
franchir to cross
frapper to strike
fréquemment frequently
frissonner shudder, shiver
frivole frivolous, meaningless
froid cold
avoir froid to be cold
le **fromage** cheese
froncé wrinkled
le **front** forehead, façade
la **frontière** frontier
le **fronton** pediment
le **frottement** rubbing
frotter to rub
le **fruit** fruit
fugitivement momentarily
fuir to flee
fumer to smoke
la **fureur** fury
furieux (*f.* **furieuse**) furious
futur future

G

gâcher to spoil
gagner to earn, increase
le **gaillard** (merry) fellow
galamment gallantly
la **galerie** the picture gallery
le **galop** gallop
le **garagiste** garage man, automobile mechanic
le **garçon** boy, waiter
la **garde** guard
monter la garde to be on guard duty
le **gardien** guard
gardien de but goalkeeper
la **gare** station
la **gare d'arrivée** station of our destination
la **Gascogne** Gascony
gâter to spoil
gauche left
gaulois Gallic
le **géant** giant
général general
généreux (*f.* **généreuse**) generous
le **gêneur** annoying person
le **Genevois** native of Geneva, Genevan
les **gens** *m. pl.* people
gens de loi men of law (judges, lawyers, etc.)
le **géographe** geographer

le **geste** gesture
gigantesque gigantic
le **glissement** sliding, transition
goûter to taste, enjoy
gouvernmental governmental
grâce à thanks to
le **graissage** grease, greasing
le **grand-duc** grand duke
grandir to grow up, grow big
la **grand'rue** the high street, main street
gras (*f.* **grasse**) fat, rich
gratuitement at no expense, as a gift
grec (*f.* **grecque**) Greek
la **grenouille** frog
la **griffe** claw
gris gray
grisé intoxicated, exalted
gronder to roar
gros (*f.* **grosse**) big, fat
grossir to grow larger
le **groupe** group
guère: ne . . . guère (with verb) scarcely
la **guerre** war
  Guerre Mondiale World War
guetter to watch for
le **guide** guide

H

habillé dressed
l'**habit** clothes
l'**habitant** *m.* inhabitant
l'**habitude** *f.* habit
l'**habitué** *m.* regular customer
s'habituer to become accustomed
la **'haine** hatred
le **'halètement** panting
le **'haricot** bean
harmonieux (*f.* **harmonieuse**) harmonious
le **'hasard** *m.* chance
la **'hâte,** *f.* haste
hausser les épaules to shrug one's shoulders
'haut high
en haut de at the top of
  du haut de from the top of
'hautain haughty
l'**herbe,** *f.* grass
l'**hérésie** *f.* heresy
hésiter to hesitate
l'**heure,** *f.* hour, time, o'clock
  quelle heure est-il? what time is it?
  il est une heure (**deux heures,** etc.) it is one o'clock
  à l'heure on time
heureusement luckily
se heurter to run up against, come up against
hier yesterday
l'**histoire** *f.* history, story
l'**historien** *m.* historian
l'**hiver** *m.* winter
Hola-Ho! Hey, you!
l'**homme** *m.* man
la **'honte** shame
  avoir honte to be ashamed
l'**hôte** *m.* host
l'**hôtel** *m.* hotel, townhouse
l'**hôtesse** *f.* hostess
houleux (*f.* **houleuse**) surging (pertaining to the waves of the sea)
l'**huile** *f.* oil
humain human
l'**humeur** *f.* humor (state of feeling)
  de si bonne humeur in such good humor
l'**humour** *m.* humor

I

ici here
idéal ideal
idéaliste idealistic
l'**idée** *f.* idea
l'**idole** *f.* idol, image
l'**Ile-de-France** a former province consisting of the section around Paris; not an island but so intersected by rivers that it is like an island
l'**illustration** *f.* illustration
illustré illustrated
l'**îlot** *m.* isle
il y a there is, there are
  il y a deux heures que nous travail-

lons (with expressions of time) we have been working for two hours
l'**image**, *f.* picture
l'**imagination** *f.* imagination
s'**imaginer** to imagine, fancy, suspect, think
je m'imagine la tête I can just see the head
l'**imbécile** *m.* fool
immédiatement immediately
immuable immutable
impassible impassive
impeccable impeccable
l'**imperméable** *m.* raincoat
impitoyablement pitilessly
important important, sizeable
impossible impossible
l'**impression** *f.* impression
imprimer to print
incendiaire incendiary
les **blondes incendiaires** red-hot blonds
incorrigible incorrigible
incroyable incredible
l'**indépendance** *f.* independence
indépendant independent
l'**index** *m.* index
indifférent indifferent
l'**indignation** *f.* indignation
indissolublement indissolubly
industrialisé industrialized
industriel industrial
ineffaçable indelible
inévitable unavoidable, inevitable
inégalable unparalleled
inflexible inflexible
influencer to influence
l'**infortune**, *f.* misfortune
infortuné unfortunate
l'**initiateur** *m.* originator
l'**initiation** *f.* introduction
initier to initiate
l'**injustice** *f.* injustice
l'**innocence** *f.* innocence
inonder to undulate, flood
inquiet anxious, restless
s'**inquiéter** to be worried
l'**inquiétude** *f.* anxiety
s'**inscrire** to matriculate
insensée crazy
s'**installer** to settle down
l'**instant** *m.* instant
l'**instituteur** (*f.* **institutrice**) teacher
l'**instruction** *f.* instruction
l'**insuffisance** *f.* deficiency, insufficiency
intégrer to integrate
intellectuel intellectual
intelligemment intelligently
l'**interaction** *f.* interaction
intéressant interesting
s'**intéresser (à)** to be interested (in)
l'**intérêt** *m.* interest
intérieur interior
international international
interpréter to interpret, play the role of
interroger to question
interrompre to interrupt
intervenir to intervene
intimement intimately
intitulé entitled
l'**intolérance** *f.* intolerance
l'**investigation** *f.* investigation
inviter to invite
ironiser to speak ironically
irriter to irritate
isolé isolated

J

jaloux jealous
jamais: ne . . . jamais never
le **jardin** garden
jeter to throw, cast
le **jeu** gambling, acting, play
jeu mesuré rhythmic effect
jeune young
la **jeunesse** youth
la **joie** joy
joindre to join
joli pretty
jongler to juggle
la **joue** cheek
jouer to play
jouer du couteau et de la fourchette to eat

jouer (*suite*)
  se jouer to make fun of
le **jour** day
le **journal** newspaper, diary
le **journalisme** journalism
journalistique journalistic
la **journée** day
joyeusement joyously
le **juge** judge
juger to judge
la **jupe** skirt
jurer to swear
le **jus** juice
jusqu'à until, up to, as far as, even
juste just
la **justice** justice

K

le **kiosque** newspaper stand

L

là there
le **laboureur** plowman
le **laboratoire** laboratory
le **labyrinthe** labyrinth
le **lacet** lace (of a shoe)
là-dessus thereupon, at that point
laisser to leave, let
  laisser de côté to leave out
le **lait** milk
lancer to throw, hurl, rush
  se lancer rush
la **langue** *f.* language
le **lapin** rabbit
large broad
laver to wash
la **leçon** lesson
la **lecture** reading
léger (*f.* **légère**) light
le **légume** vegetable
le **lendemain** the next day
lentement slowly
la **lettre** letter
levé raised
la **lèvre** lip
le **lézard** lizard
la **liberté** liberty
la **librairie** bookstore
libre free
le **lien** bond
lier to bind, attach, make acquaintance
le **lieu** place
  au lieu de instead of
la **ligne** line, (of a woman) figure
limité limited
le **linge** linen, laundry
lire to read
lisse smooth
le **lit** bed
la **lithographie** lithograph
littéraire literary
la **littérature** literature
le **livre** book
la **livre** pound (one-half kilogram)
le **local** building, premises
la **loi** law
loin far
lointain distant
la **Loire** a river running through the center of France, often nearly dry in summer.
à loisir at leisure
le **lotissement** allotment, apportionment
long (*f.* **longue**) long
longer to go along something
longtemps long, for a long time
la **Lorraine** Lorraine
lorsque when
Louis-Philippe king of France 1830–1848, wanted his subjects to think of him as a typical, good-natured bourgeois.
le **loup-de-mer** sea dog
lourd heavy
la **lumière** light
  mettre en lumière to bring to light
lumineux luminous
la **luminosité** brightness, luminosity
la **lune** moon
  lune de miel honeymoon
la **lutte** struggle
lutter to struggle

le **lycée** lycée (French secondary school)
le **lycéen** (*f.* la **lycéenne**) secondary school pupil

M

machinalement mechanically
le **maçon** mason, construction worker
madame (*pl.* **mesdames**) Mrs., Madam
mademoiselle (*pl.* **mesdemoiselles**) miss
le **magasin** store
grand magasin department store
le **magasine** magazine
magnifique magnificent, gorgeous
maigre thin, meager
la **main** hand
maintenant now
la **maison** house
la **maisonnette** little house
le **maître** master
le **mal** evil, difficulty
beaucoup de mal a lot of difficulty
la **maladie** disease
la **malédiction** curse
malgré que in spite of the fact that
le **malheur** unhappiness, misfortune
malheureux unfortunate
la **malle** trunk
la **maman** mother (mamma)
la **manche** sleeve
la **Manche** department of Normandy, capital Cherbourg
manger to eat
la **manière** manner, way
le **manque** lack, shortage
manquer to miss
le **marbre** marble
en marche running
le **marché** market
à bon marché low priced
marcher to walk
marié (*f.* **mariée**) married
marin of or pertaining to the sea
marquer to mark
le **marquis** marquis
le **masque** mask
la **masse** mass, body
les **matériaux** *m. pl.* materials
matériel (*f.* **matérielle**) material
les **mathématiques** *f. pl.* mathematics
le **matin** morning
matinal early (in the morning)
maudire to curse
mauvais bad
le **mécanicien** mechanic
méconnaître to ignore
le **médecin** doctor, physician
la **méditation** meditation
la **Méditerranée** the Mediterranean
meilleur better
le **meilleur** best
la **mélancolie** melancholy, dejection
même same, (after a pron.) self
de même similarly, in the same way
la **menace** threat
menacer to threaten
mener to lead
mener de front to carry on at the same time
le **mensonge** lie
mensuel (*f.* **mensuelle**) monthly
mentalement mentally, in one's mind
mentionner to mention
le **menton** chin
le **menu** menu
le **mépris** scorn
la **mer** sea
merci thank you
la **mère** mother
méridional southern
mériter to deserve
merveilleux marvelous
la **mesure** measure
à la mesure de on the same scale as
le **métier** trade
le **métro** subway
le **metteur en scène** producer
mettre to put, place, put on, wear
mettre un pied devant l'autre to take a single step
mettre à prix to put a price on
mettre à part to put aside
la **meurtrissure** bruise
la **meute** pack (of hounds)

midi noon
  le **Midi** South
mieux better
  tant mieux so much the better
le **milieu** middle
  au beau milieu right in the middle
militaire military
le **millier** about a thousand
le **million** million
le **millionnaire** millionaire
la **mine** appearance
  faire grise mine (à) to greet or receive coldly
  faire mine de to look as if one is going to (do something)
le **minuit** midnight
minuscule tiny
la **minute** minute
  d'une minute à l'autre at any minute
la **misère** extreme poverty
la **mission** mission
le **mistral** cold north wind of Provence
la **mobilité** mobility
la **mode** style
  à la mode fashionable
le **mode** mode
  un mode de vie a mode of living
moderne modern
la **modernisation** modernization
modeste simple, unpretentious
modifier to modify
la **modulation** modulation
moi me, myself
moindre: la cohue est moindre the crowd is less great
moins less
  à moins que (ne) unless
  au moins at least
le **mois** month
le **moment** moment
  un bon moment quite a while
mon *f.* **ma**; *pl. m.* and *f.* **mes** my
le **monde** the world
  tout le monde everybody
  un monde à part a separate world
mondial world-wide
monsieur (*pl.* **messieurs**) Mr., sir
monstrueux (*f.* **monstrueuse**) monstrous
le **monstre** monster
la **montagne** mountain
montagneux (*f.* **montagneuse**) mountainous
monter to climb up, get into
la **montre** watch
montrer to show
le **moqueur** mocker
le **moral** morale
le **moraliste** moralist
le **morceau** piece
le **mort** dead man
la **mort** death
le **mot** word
la **moto** motocycle
motorisé motorized, "on wheels"
la **motte de terre** clod
la **mouche** fly
le **Moulin Rouge** dance hall in the Montmartre section of Paris in the late nineteenth century. Title of a popular movie based on Toulouse-Lautrec's life.
le **mourant** the dying man
mourir to die
mouvementé animated
moyen (*f.* **moyenne**) average
le **Moyen Age** the Middle Ages
mugir to bellow
le **mur** wall
le **musée** museum
le **mutisme** muteness, silence
mutuellement mutually
le **mystère** mystery
mystérieux mysterious

N

nager to swim
le **nain** dwarf
naître (*past part.* of **né**) to be born
la **nappe** sheet (of water)
le **narrateur** narrator
la **nation** nation
national national
la **nationalité** nationality

les **Nations-Unies** United Nations (abbr. in French: **O.N.U.**)
le **naturel** nature
le **navire** ship
ne . . . pas not
nécessaire necessary
le **négoce** business
la **neige** snow
n'est-ce pas? don't you (to translate this expression use a pronoun for the person being referred to.)
neuf new (brand new or newly created)
le **nid** nest
la **neutralité** neutrality
le **nez** nose
  le **nez au vent** looking here and there at random
nier to deny
n'importe it doesn't matter
le niveau level
Noël Christmas (strictly speaking **Noël** is masculine but it is almost always given with the feminine article because **la (fête de) Noël** is understood.)
noir black
noirâtre blackish
le **nom** name, noun
le **nombre** number
nombreux numerous
nommé named
non no
nonchalamment nonchalantly
le **Normand** Norman, native of Normandy
la **Normandie** Normandy
la **nostalgie** nostalgia
la **note** grade, mark, note
notre (*pl.* **nos**) our
nourrir to nourish
la **nourriture** food
nous we
nouveau new
  à or **de nouveau** again
la **nouvelle** bit of news; *pl.* news
novembre *m.* November
noyer to drown
nu bare
le **nuage** cloud
la **nuit** night
nul (*f.* **nulle**) no one, no

O

l'**objet** *m.* object
l'**objection** *f.* objection
obligé obliged
obscur dark
l'**obsédé** *m.* maniac
l'**observation** *f.* observation
observer to observe
l'**obstacle** *m.* obstacle
obtenir to obtain
l'**occasion** *f.* opportunity
l'**occident** the West, occident
s'occuper(de) to take care (of), to busy oneself (with)
l'**odeur** *f.* perfume
l'**œil** *m.* (*pl.* **yeux**) eye
  pour leurs beaux yeux . . . ou pour les miens out of regard for themselves or for me
l'**œuvre** *f.* work (of literature, art, etc.)
offrir to offer
l'**oiseau** *m.* bird
l'**olivier** *m.* olive tree
l'**ombre** *f.* shadow
ombreux (*f.* **ombreuse**) shady
on one
onze eleven
onzième eleventh
l'**opinion** *f.* opinion
opposer to oppose
l'**oppression** *f.* oppression
l'**or** *m.* gold
l'**orange** *f.* orange
l'**orchestre** *m.* orchestra
ordinaire ordinary
ordonné ordered, organized
l'**ordre** *m.* order
l'**oreille** *f.* ear
orner to adorn
où where
oublier to forget
oui yes

ouïr (arch.) to hear
Outre-Mer overseas
l'**ouvrage** *m.* work
ouvrier (*f.* **ouvrière**) working (in a factory) of the working class
ouvrir to open
  s'ouvrir to open itself

P

la **page** page (of a book)
la **paille** straw
le **pain** bread
le **palais** palace
le **Mont Palatin** Palatine Hill (in Rome)
la **pancarte** sign
le **panier** basket
en panne at a standstill
le **pantalon** trousers
la **pantoufle** slipper
le **papier** paper
paraître (*past. part,* **paru**) to appear
parcourir to traverse
pardon pardon me, excuse me
pareil (*f.* **pareille**) like, similar, such a
le **parent** parent
parfait perfect
parfois at times
le **parfum** fragrance, sweet smell
parisien (*f.* **parisienne**) Parisian
le **parlement** Parliament (in the Old Regime in France, a regional supreme court)
parler to speak; **parlons** let us speak
parmi among
la **parodie** parody
la **parole** word, speech
le **partage** division
partager to share
le **parterre** the ground floor of the auditorium
le **parti** party
particulier special
  en particulier particularly
particulièrement particularly
la **partie** part, section, game
partir to leave
partout everywhere
pas not
le **pas** step
pas à pas step by step
le **passage** passage
le **passager** traveler (on a boat or plane)
le **passé** past
passer to pass, spend
  passer pour to have the reputation of being
passionné passionate, ardent
passionnément passionately
se passionner to become impassioned
patiemment patiently
la **patience** patience
patient patient
patienter to be patient
la **patrie** native country, fatherland
le **patron** boss, proprietor
la **patte** paw, (of a bird) foot, claw
le **pâturage** pasture
se payer de grands mots to satisfy oneself with fine words
le **pays** country
le **paysage** landscape
le **paysan** peasant
la **pêche** peach
le **péché** sin
pêcher to fish
  où as-tu pêché cette forme? where did you get hold of that form?
le **pécheur** (*f.* **pécheresse**) sinner
le **pêcheur** fisherman
peigner to comb
à peine hardly
le **peintre** painter
la **peinture** painting
pendant during
pendre to hang
  pendu à hanging from
la **pendule** clock
la **pensée** thought
penser to think
la **pension** pension
  pension de famille boarding house

la **pente** slope
perdre to lose
se perfectionner to perfect oneself
le **périodique** periodical
permettre to permit, enable
la **perruque** periwig
le **personnage** character (in a story)
personne: ne . . . personne (or **personne ne**) no one, nobody
la **personne** person
à la première personne in the first person
la **perspective** view
persuadé convinced, persuaded
peser to weight
la **peste** plague
petit little
peu little
un peu a little
peu à peu little by little
le **peuple** people
la **peur** fear
avoir peur to be afraid
peut-être perhaps
le **phénomène** phenomenon
le **philosophe** philosopher
la **philosophie** philosophy
la **photographie** photography
la **phrase** sentence
la **physionomie** face, appearance
la **Picardie** Picardy
la **pièce de théâtre** the play
la **pièce** piece, room, play
le **pied** foot
il n'a décidément pas le pied marin he is decidedly not a good sailor, he has decidedly not found his sea-legs
le **piège** trap
la **pierre** stone
pierreux stony
la **pile** pile
le **pilote** pilot
pique-assiette sponger (for free meals)
le **pique-nique** picnic
piquer to sting
tant pis too bad
la **pitié** pity
la **place** seat, place, square
une place de choix a preferred place
placer to place
plaider to plead
le **plaidoyer** speech for the defense, plea
la **plaie** wound
se plaindre to complain
la **plaine** plain
plaire to please
s'il vous plaît if you please, please
le **mauvais plaisant** practical joker
plaisanter to joke
la **plaisanterie** joke
plaisanterie à part all joking aside
le plaisir **pleasure**
faire plaisir à to please
planter to plant, set
planteureux (*f.* **planteureuse**) abundant
le **plat** dish, receipe
le **plateau** tray
plein full
pleurer to weep
pleuvoir (*v. impers.*) to rain
plier to fold
plombé leaden
plongé plunged
plonger to plunge
le **plongeur** diver
la **pluie** rain
la **plume** feather
la **plupart** most
plus more
de plus en plus more and more
de plus what's more
plus tard later
plusieurs several
plutôt rather
la poche pocket
livre de poche small, paper-back book
poétique poetic
le **poing** fist
la **pointe** point
pousser quelques pointes jusqu'à Paris to make a few trips as far as Paris

point: à point medium (in France, what is usually called **à point** would be called rare in the United States)
le **point de départ** point of departure
la **poire** pear
poli polished
policier detective
la **politique** politics
la **pomme** apple
la **pomme de terre** potato (when the context makes no confusion likely, **de terre** is often omitted)
le **pont** bridge, deck (of ship)
populaire of the people, working class
le **portail** portal
la **porte** door, gate
la **porte-drapeau** standard bearer
le **porte-parole** mouthpiece
porter to carry
se porter to be, feel
comment vous portez-vous? how are you?
poser to place
poser une question to ask a question
possible possible
faire tout son possible to do as much as one can
le **poste** post, position
le **pot** jug
le **potier** potter
pouilleux (*f.* **pouilleuse**) lousy, arid
pour in order to, to, for
pour que so that
pourchasser to pursue
pourquoi? why?
poursuivre to pursue
pourtant however
pourvu que provided that
pousser to push, utter (a cry)
pousser à bout to exhaust (the patience of)
pouvoir to be able
pratique practical
se précipiter to rush
précis precise, exact
préférable preferable
préférer to prefer
préféré preferred
se prelasser to put on an air, to take one's ease
premier (*f.* **première**) first
prendre to take
la **préparation** preparation
de près near, close
présenter to introduce
se présenter to present oneself
presque almost
la **presqu'île** peninsula
se presser to hurry
prêt ready
prétendre to claim
prêter to lend
prévenir to warn, inform
la **prière** prayer
le **primeur** fruit or vegetable ripe before the normal season
la **princesse** princess
principal principal
le **printemps** spring
la **prison** prison
le **prix** price
le **problème** problem
les **procédures** *f. pl.* legal proceedings
le **procès** trial
prodiges: faire des prodiges d'acrobatie to perform acrobatic miracles
le **producteur** (*f.* **productrice**) producer
le **professeur** professor
la **profession** profession
professionel professional
profond deep, profound
profondément deeply
le **programme** program
la **proie** prey
le **projecteur** spotlight
le **projet** plan
projeter to plan
la **promenade** walk, excursion
se promener to take a walk
promettre to promise
prononcer to pronounce
se prononcer to speak out

la **proportion** proportion
à propos de about
proposer to propose
propre own, suited
le **propriétaire** owner
la **propriété** property, estate
protecteur (*f.* **protectrice**) protecting
protéger to protect
le **Protestant** Protestant
la **Provence** former province of France. The name is now applied to the section of France east of the Rhône and south of the Durance river (but not including the Riviera.)
providentiel providential
la **prudence** prudence
public (*f.* **publique**) public
  le **public** audience
publier to publish
publiquement publicly
puis then
puisque since
la **puissance** power
puissant powerful
le **purisme** purism
  faire du purisme to become puristic
pur-sang (invariable) pure blooded

Q

le **quai** quay, embankment along a river
la **qualité** qualification, profession
quand même anyway
quarantième fortieth
le **quart** quarter
  une heure (neuf heures) et quart quarter after one (nine)
  une heure (neuf heures) moins le quart quarter of one (nine)
le **quartier** quarter
quatorzième fourteenth
quel (*f.* **quelle**) what
quel que whatever
quelques a few
la **querelle** quarrel
quereller to quarrel
qu'est-ce que? what?
la **question** question
la **queue** tail
quinze fifteen
  quinze jours two weeks, a fortnight
quitter to leave
quoi what
quoique although
quotidien daily

R

le **raccourci** epitome
la **racine** root
raconter to tell
radieux (*f.* **radieuse**) shining, dazzling
radical radical
le **rafraîchissement** refreshment
le **raisin** grape
  du raisin grapes
la raison reason
la **rame** oar
la **randonnée** outing
la **rangée** row, line
rapidement rapidly
rappeler to cause to remember, recall
le **rapport** relation
se rapprocher to draw near
rarement rarely
rasé shaved
le **raseur** (*familiar*) bore
ravi delighted
le **rayon** ray
  les **rayons** stacks, shelves
le **réaliste** realist
la **réalité** reality
récemment recently
recevoir (*past part.* **reçu**) to receive
la **recherche** search, research
  à la recherche de in search of
rechercher to seek, hunt for
le **récit** story
le **récitant** speaker
recommander to recommend
la **reconnaissance** gratitude
reconnaissant grateful
reconnaître to recognize
recréer to recreate
le **recueil** collection
reculer to draw back

le **rédacteur** editor
redécouvrir to rediscover
rédiger to write
redoutable dangerous
se **redresser** to straighten up
 redressé proud, susceptible
réduire to reduce (*past part.* **reduit**)
refaire to make over
le **reflet** reflexion
refléter to reflect
refouler to drive or force back
le **refrain** refrain
le **refuge** refuge
refuser to refuse
le **regard** look
 un regard complice an understanding look
regarder to look at
la **région** region
régler to pay (a bill)
régner to reign
regrettable regretable
regretter to regret
régulier regular
la **réhabilitation** rehabilitation
la **reine** queen
rejeter to reject
rejoindre to join
relayer to relieve, come after, succeed
la **religion** religion
remâcher to brood over
remarquable remarkable
la **remarque** remark
remarquer to notice
rembourser to pay back
remettre to put back
remonter to climb up, revive
la **rencontre** meeting
rencontrer to meet
rendre to render, make
 comme pour rendre as if to make
renoncer to give up
renouveler to renew
le **renseignement** bit of information, *pl.* information
renseigner to inform
renvoyer to send back
 se renvoyer la balle to exchange witticisms
reparer to speak again
le **repas** meal
répéter to repeat
replier to fold back
 replié sur soi-même withdrawn within oneself
répondre to answer
la **réponse** answer
le **reportage** news story, reporting
le **repos** rest
 au repos at rest
reprendre to resume
la **représentation** the performance
représenter to show
les **rescapés** survivors
réservé reserved
résoudre to resolve
le **respect** respect
respecter to respect
 tout esthète qui se respecte every self-respecting æsthete
la **responsabilité** responsibility
la **Résistance** patriotic movement in France of resistance to the occupying Germans (1940–1944)
la **résolution** resolution
responsable responsible
les **ressources** *f. pl.* funds, money
ressusciter to resuscitate
le **restaurant** restaurant
rester to remain, stay
le **résultat** result
rétablir to re-establish, cure
retard: être en retard to be late (fixed appointment, a class, etc.)
retarder to be slow
retenir to reserve, retain
la **réticence** reticence
retirer to retire, withdraw
le **retour** return
 un retour en arrière step backwards
 au retour during the return trip
retourner to return, turn around, turn over, to go back to
retrouver to find, find again

réuni united
réussir to succeed
le **rêve** dream
le **réveil** the waking up, alarm clock
réveiller to wake up
révéler to reveal
revenir to return
rêver to dream
la **révérence** bow, curtsey
rêveur (*f.* **rêveuse**) dreaming
  le **rêveur** dreamer
réviser to revise, review, (of a trial) retry
revoir to see again
la **révolte** revolt
révolutionnaire revolutionary
la **revue** review
le **rhume** cold (illness)
riche rich
le **richesse** riches, richness
richissime excessively rich
rien: ne . . . rien nothing
rire to laugh
  le **rire** laughter
le **risque** risk
risquer to risk
la **robe** dress
le **rocher** rock
rocheux (*f.* **rocheuse**) rocky
le **rôle** role
le **roman** novel
roman Romanesque
le **romancier** novelist
romanesque romantic
rompre to break
le **ronron** purring
le **rosbif** roast beef
  le **rosbif maison** roast beef, our specialty (this suggests—sometimes with justification—that the restaurant has its own special way of cooking it)
rouge red
rougir to grow red (blush, or in anger)
rouler to roll
la **route** road
  être en route to be traveling
  bonne route luck on the road
le **roy** king (old spelling of **roi**)
  de par le roy by the king's authority
rude rough
la **rue** street
la **ruelle** alley, lane, by-street
la **ruine** ruin
le **rythme** rhythm

S

le **sable** sand
sacrifier to sacrifice
sacré confounded
  quel sacré individualiste what a confounded individualist you are!
la **sagesse** wisdom, prudence
saignant rare (of beef)
saisir to seize, catch
saisissant striking
la **saison** season
la **salade** salad
sale dirty
la **salle** room, hall
  la **salle de travail** study hall
le **salon** living room
le **salut** greeting, salutation
samedi Saturday
le **sandwich** (*pl.* **sandwichs**) sandwich
sans without
  sans cela otherwise
satisfait satisfied
le **saucisson** hard sausage
le **saut** jump
  au saut du lit on jumping out of bed
sauter to jump
sauvage wild
la **Savoie** Savoy
savoir to know
  je sais I know
  vous savez you know
le **Savoyard** native of Savoy
la **scène** scene, stage
sceptique skeptical
scolaire school, pertaining to school
sculpter to sculpture
la **séance** session, meeting
sec (*f.* **sèche**) dry
  être à sec to be broke

secondaire secondary
le **secours** aid
  équipe de secours first-aid team
secret (*f.* **secrète**) secret
séculaire century-old
le **seigneur** lord
la **Seine-Inférieure** department at the mouth of the Seine, now called **Seine-Maritime**
le **séjour** stay, sojourn, abode
la **sélection** selection
sélectionner to choose, select
selon according to
la **semaine** week
semblable similar
sembler to seem
sensé sensible, reasonable
le **sentier** bridle path
sentir to feel
séparer to separate
sept seven
septembre *m.* September
la **sérénité** serenity, calm, quiet
la **série** series
sérieux (*f.* **sérieuse**) serious
serrer to tighten
la **servante** servant
le **service** service
  faire son service militaire to do his military service
servir to serve
seul only, alone
seulement only
si if, whether, so
le **siècle** century
le **siège** seat
siffler to whistle
signaler to point out
le **silence** silence
silencieux (*f.* **silencieuse**) silent
la **silhouette** silhouette
simple simple
  simple d'esprit simple minded
simplement simply
simpliste oversimplified
sinueux (*f.* **sinueuse**) winding
la **situation** situation
le **ski** skiing, ski
sobre sober
la **société** society
les **soins** *m. pl.* aid
le **soir** evening
la **soirée** evening, evening party
le **soleil** sun
solitaire solitary
la **solitude** solitude
sombre gloomy
le **sommaire** summary
la **somme** sum
le **sommeil** sleep
somnolent drowsy
son (*f.* **sa**, *pl.* **ses**) his, her, its
le **son** sound
songer to think
sonner to ring
la **sonnerie** ring, call (of a trumpet)
le **sorcier** (*f.* **sorcière**) wizard, enchanter
le **sort** fate
la **sortie** outing, action of going out
sortir to come out, go out, leave
le **souci** care
se soucier to care, worry
soudain suddenly
souffler to blow
souffrir to suffer
souhaiter to wish, hope
le **soulier** shoe
souligner to underline, stress
la **soupe** soup
  la soupe à la tomate tomato soup
  être soupe au lait be inclined to fly off the handle
souper to dine
le **souper** dinner
soupirer to sigh
souple flexible
souplement pliably
le **sourcil** eyebrow
sourire to smile, (*n. m.* smile)
  souriant smiling
  l'**idée ne me sourit guère** the idea doesn't appeal to me very much
sous under

sous-titré subtitled
le **souvenir** memory
souvent often
spécial special
le **spectateur** spectator
le **sport** sport
le **squelette** skeleton
la **statuette** statuette
le **style** style
le **stylo** pen
subventionner to subsidize
succéder follow, to come after
suffire to suffice
suggérer to suggest
le **suicide** suicide
suisse Swiss
suivre to follow
le **sujet** subject
  au sujet de about
supérieur upper
le **supplice** punishment, torture
  le **dernier supplice** capital punishment
supplier to beg
  je vous en supplie I beg of you
supporter to stand, bear
sur on, upon
sûr sure
le **surlendemain** next day but one, the second day after
surpeuplé overpopulated
surprendre to surprise
surpris surprised
la **surprise** surprise
sursauter to start (as when startled)
surtout especially
survoler to fly over
la **sympathie** sympathy
sympathique congenial
le **système** system

T

la **table** table
le **tableau** painting, picture
  le **tableau noir** blackboard
la **tâche** task
la **taille** size
tailler to cut
se **taire** to be silent, keep quiet
le **talent** talent
tant so much
tantôt soon, presently
le **tapis** carpet
taquiner to tease
la **taquinerie** the teasing
tard late
  plus tard later
tarder to delay
le **tarif** price
la **tarte** tart, pie
  la **tarte aux pommes** apple pie
la **tasse** cup
tâter to feel (by touching)
tel (*f.* **telle**, *m. pl.* **tels**, *f. pl.* **telles**) such
le **témoignage** evidence, testimony
le **témoin** witness
la **tempête** tempest, storm
le **temps** weather, time
  le **beau temps** good weather
  de temps en temps from time to time
  de tout temps always
  de temps à autre from time to time
la **tendance** tendency
la **tendresse** tenderness
les **ténèbres**, *f. pl.* darkness
tenir to hold
  tenir à insist upon, to value
  tenez well! well!, look here
  tenir compte de to take into account, to pay attention to
la **tentative** attempt
tenter to tempt, attempt
terminer to terminate
le **terrain (de jeux)** playground
la **terrasse** terrace
la **terre** earth, land
terriblement terribly
le **terrien** lover of the land
le **territoire** territory
le **terroir** soil
terrorisé terrorized

la **tête** head
le **texte** text
théâtral theatrical, pertaining to the theater
le **théâtre** theater, stage
le **thème** theme
le **tic** mannerism, unconscious habit
le **tic-tac** the tick-tock
tiens well! to be sure! (expresses surprise)
tirer to pull, draw, derive
le **titre** title
la **toile** canvas, painting
le **toit** roof
la **tolérance** tolerance
tolérer to tolerate
la **tomate** tomato
toi-même yourself
le **tombeau** tomb
la **tombée** fall
tomber to fall
  tomber sur come upon, happen upon
ton (*f.* **ta**, *pl.* **tes**) your (familiar form, used by students to each other)
le **ton** tone
le **tort** wrong
  avoir tort to be wrong
tôt soon
toucher to touch
le **tour** turn
  faire un tour to take a walk
  tour à tour in turn
le **Tourisme** travel
le, la **touriste** tourist
touristique pertaining to travel
tourmenter to torment
la **tournée** tour
tourner to turn
  tourner rond to work well
tout all
  tout le monde everybody
  tout à l'heure soon, recently
  à tout à l'heure see you soon
  tout à coup suddenly
le **tracteur** tractor
le **train** train
en train de in the act of
traîner to drag
le **traité** treatise
traiter to treat
le **trajet** journey, trip
tralala: être en grand tralala (familiar) to be all dolled up
la **tranche** slice
tranquille quiet
tranquillement quietly
la **tranquillité** tranquility, quietness
la **transformation** transformation
transformer to transform, to change
la **transition** transition
transmettre to transmit
trapu stocky
traqué hunted
le **travail** work
travailler to work
à travers through
traverser to cross
treizième thirteenth
trente thirty
la **trépidation** trepidation, agitation
très very
le **trésor** treasure
triste sad
troisième third
le **trottoir** sidewalk
se tromper to be mistaken
la **trompette** trumpet
le **tronc** trunk (of a tree)
trop too much
le **trou** hole
  petit trou pas cher inexpensive place (to spend one's vacation)
troubler to disturb
les **troubles** *m. pl.* disorders
la **troupe** troupe
trouver to find
  se trouver to be, be situated
la **tuberculose** tuberculosis
tuer to kill
le **tumulte** tumult
tutoyer to address someone with "tu"
le **type** type, individual

la **tyrannie** tyranny
tyrannique tyrannic

U

un (*f.* **une**) a, an, one
uni united
l'**union** *f.* association, society
unique only
unir to unite
l'**univers** *m.* universe
universitaire of or pertaining to a university
l'**université** *f.* university
l'**usine** *f.* factory

V

les **vacances** *f. pl.* vacation
la **vache** cow
vagabonder to wander
la **vague** wave
vain vain
  en vain in vain
le **vaisseau** vessel
la **vaisselle** dishes
la **valeur** value
  mettre en valeur enhance
la **valise** suitcase
la **vallée** valley
valoir to be worth, to win for someone
la **vanité** vanity
vanter to praise
varié varied
le **vase** vase, vessel
la **variété** variety
la **veille** eve, day before
veiller to watch
le **vélomoteur** motorbike
la **vengeance** vengeance
venir to come
le **vent** wind
véritable true, veritable
le **verre** glass
vers toward
le **vers** verse
au verso on the back
vert green
le **vestige** vestige
vêtu (de) wearing
la **veuve** widow
la **victime** victim
vider to empty
la **vie** life
  avoir la vie dure to be hard to kill
vieux (*m.* before vowel **vieil**), *f.* **vieille** old
mon vieux old fellow
vieillir to grow old
vif (*f.* **vive**) keen
le **vigneron** wine grower
le **village** village
la **ville** city, town
le **vinaigre** vinegar
vingt twenty
la **vis** screw
le **visage** face
au visage ouvert frankly
vite quickly
la **vitrine** shop window
la **vivacité** life
vivement briskly
  Vivement la Provence! Come quick, Provence
vivre (*past part.* **vécu**) to live
le **vocabulaire** vocabulary
la **vocation** vocation
voici here is, here are
voilà there is, there are
le **voile** veil
voiler to veil
voir to see
voyez-vous do you see
  je vois I see
le **voisin** (*f.* **voisine**) neighbor
le **voisinage** neighborhood
la **voiture** car
la **voix** voice
à vol d'oiseau from a bird's eye view
le **volant** wheel, steering wheel
voler to steal
la **volonté** will
le **volume** volume
votre (*pl.* **vos**) your

vouloir to wish
  vouloir dire to mean
  je veux dire I mean
  vous voulez dire you mean
le **voyage** trip
le **voyageur** traveler
vrai true
vraiment truly, really
vu que seeing that
la **vue** sight

W

le **week-end** week end

Y

les **yeux** *m. pl.* (*sing.* **œil**) eyes

Z

zélé zealous, devoted

Vocabulary (English-French)

A

abandon abandonner
abjure faire abjuration
about au sujet de
  to be about s'agir de (*impers. v.*); *adv.* environ
  to be about to être près de
absolutely absolument
absurd absurde
accept accepter
accompany accompagner
according to selon
accuse accuser
acquaintance la connaissance
acrobat l'acrobate (*m.*)
activity l'activité (*f.*)
actor l'acteur (*m.*)
add ajouter
admiration l'admiration (*f.*)
admit avouer
admitted to the bar reçu avocat (*m.*)
adopted adoptif (*f.* –tive)
advance advance; *v.* avancer
  in advance en avance
afraid, to be afraid avoir peur
after après
afternoon l'après-midi (*m.*)
against contre
ago il y a (*precedes expression of time*)
agree s'entendre
agreement l'accord (*m.*)
air l'air (*m.*)
Algeria l'Algérie (*f.*)
Algiers Alger (*m.*)
all tout (*f.* toute, *m. pl.* tous)
although bien que, quoique
always toujours
am suis
ancestral ancestral (*pl.* –raux)
and et
angry, to get angry se mettre en colère
animated animé
annoying agaçant
another un autre
answer répondre
apartment l'appartement (*m.*)
appear paraître
appetite l'appétit (*m.*)
appreciate apprécier
approach approcher
approve approuver
arch one's back faire le gros dos
ardent ardent
are sommes, êtes, sont
arise s'élever
arm (*weapon*) l'arme (*f.*)
around autour de
arrive arriver
art l'art (*m.*)
article l'article (*m.*)
artisan l'artisan (*m.*)

artist l'artiste (*m.* or *f.*)
as comme
  as . . . as aussi . . . que
ask demander
assignment le devoir
at à
attain arriver à
attention, to pay attention faire attention (à), tenir compte (de)
attitude l'attitude (*f.*)
attract attirer
August août (*m.*)
authoritative autoritaire
authority l'autorité (*f.*)
autumn l'automne (*m.*)
average moyen (*f.* –enne)
avoid éviter

B

backward, a step backward un retour en arrière
bad mauvais
  it is too bad c'est dommage
balance l'équilibre (*m.*)
ball la balle, le ballon
banana la banane
bank le bord
bard le barde
battle la bataille, la lutte
bean le haricot
beautiful beau (*f.* belle)
because parce que
become devenir
bed le lit
before (*place*) devant; (*time*) *prep.* avant, avant de; *conj.* avant que
beforehand en avance
begin commencer
beginning le commencement
behind derrière
belief la croyance
believe croire
belt la ceinture
benefit, for the benefit of pour les beaux yeux de
besiege assiéger
best le meilleur
better *adj.* meilleur; *adv.* mieux
between entre
bicycle la bicyclette
bird l'oiseau (*m.*)
  bird of prey l'oiseau de proie
bird's-eye view, from a à vol d'oiseau
bitter amer
black noir
block boucher
blue bleu
blush rougir
body le corps
bond le lien
book le livre
booklet la brochure, le pamphlet
bookstore la librairie
bore l'ennuyeux (*m.*), le casse-pied; *v.* ennuyer
boring ennuyeux
born, to be born naître
botanist le botaniste
boulevard le boulevard
bourgeois le bourgeois
bowl le bol
boy le garçon
  old boy mon vieux
break rompre, casser
breathless essouflé
Breton breton (*f.* –onne)
bring porter, apporter
  bring together allier
broad large
brochure la brochure, le pamphlet
brood (over) remâcher
brother le frère
brow le sourcil
bruise la meurtrissure
bus l'autobus (*m.*), l'autocar (*m.*)
business le négoce
busy mouvementé
but mais
buy acheter

C

call appeler
calm tranquille
  calm down calmez-vous

calmly calmement
calvary le calvaire
can, could (*to be able*) pouvoir
candy le bonbon
canvas la toile
cap la casquette
  service cap le calot
capital la capitale
car la voiture
care, take care (of) s'occuper (de)
  take good care to prendre le soin de
career la carrière
careful prudent
caricature la caricature
caricaturist le caricaturiste
carry, to carry on at the same time mener de front
  carry out exécuter
castle le château
catalogue le catalogue
catch saisir
  to catch oneself se surprendre
cathedral la cathédrale
Catholic catholique
  being a Catholic la catholicité
celebrate célébrer
century le siècle
century-old séculaire
certain certain
certificate le certificat
chair la chaise
change changer
  to change gears changer de vitesses
changeless immuable
character le caractère
charming charmant
chat bavarder
chateau le château (*pl.* –eaux)
check le chèque
checkbook le carnet de chèques
cheek la joue
cheese le fromage
child l'enfant (*m.* or *f.*)
chin le menton
choose choisir
Christ le Christ
cicada la cigale
city la ville
class la classe
classroom la salle de classe, la classe
claw la patte
clear up s'éclaircir
climate le climat
clock la pendule
clod la motte de terre
close fermer
clothes les vêtements (*m. pl.*)
cloud le nuage
club le club
  night club la boîte de nuit
coast la côte
coat l'habit (*m.*)
coffee le café
cold froid; *n.* le rhume
collection la collection; (*of books or articles*) le recueil
colossus le colosse
column la colonne
comb peigner
combat combattre
combine concourir
come venir
  come now allons
comfortably à l'aise
coming *n.* la venue
common commun
communication la communication
competition le concours
complain se plaindre
composition la composition
concerned, to be concerned with s'occuper de
condemn condamner
condition la condition
confirm confirmer
confusion la confusion
congratulate féliciter
conscious conscient
consequence la conséquence
conservative conservateur (*f.* –trice)
considerable important
consideration la considération
console consoler
constantly constamment

contemplate contempler
content, to be content se contenter
continue continuer
control contrôler
conveniently commodément
convent le couvent
conversation la conversation
conversion la conversion
convince convaincre
cooking la cuisine
copy copier
corner le coin
correct corriger
correspond répondre, correspondre
correspondence la correspondance
costume le costume
count compter
counter le comptoir
country le pays
course le cours
cousin le cousin, la cousine
cover la couverture
covered couvert
crazy insensé
crew l'équipage (*m.*)
crime le crime
criminal criminel (*f.* –elle)
cross traverser, franchir
crowd la foule
cry le cri
cure rétablir
current le courant
custom la coutume
customer client
  regular or old customer l'habitué (*m.*)

D

daily quotidien (*f.* –enne)
dance danser
danger le danger
dangerous dangereux (*f.* –euse)
daughter la fille
day le jour, la journée
dead man le mort
death la mort
decide décider
decision la décision
deck out équiper
deep, to be deep in être plongé dans
  down deep within us au fond de nous
deeply profondément
defender le défenseur
deign daigner
delay tarder
delicious délicieux (*f.* –euse)
delight ravir
dénouement le dénouement
depict dépeindre
describe décrire
desire le désir
dessert le dessert
detail le détail
detective policier (*f.* –ière)
determined déterminé
development, real estate le lotissement
devote consacrer
devoted dévoué
dictation la dictée
different différent
difficult difficile
difficulty la difficulté
director le metteur en scène
disappear disparaître
disappointment la déception
discover découvrir
discreet discret (*f.* –ète)
discuss discuter
discussion la discussion
disease la maladie
dislike something, I quelque chose me déplaît
disparate disparate
displease déplaire à
dispose disposer
disposition l'esprit (*m.*)
dispute la dispute
dissimilar disparate
disturb troubler
do faire; (*of hair*) arranger
doctor, le médecin
dolled up, to be être en grand tralala
dominate dominer

Don Quixote Don Quichotte
don't you n'est-ce pas
door la porte
doorbell la sonnette
dormitory le dortoir
doubt le doute
drawing le dessin
dream le rêve
dreamer le rêveur
dress habiller; *n.* la robe
dry sec (*f.* sèche)
during pendant
duty le devoir
dwarf le nain

E

each chaque
each other l'un l'autre, les unes les autres
  understand each other s'entendre
eager, to be eager to tenir à
ear l'oreille (*f.*)
early en avance; de bonne heure
earn gagner
east l'est (*m.*)
easy facile
  take it easy du calme
  to take it easy ne pas s'en faire
eat manger; (when followed by *déjeuner* or *dîner*) prendre
effort l'effort (*m.*)
eighteenth dix-huitième
either ou, ou bien, (after a negative) non plus
electricity l'électricité (*f.*)
elegant élégant
eleven onze
empire l'empire (*m.*)
encourage encourager
end finir; *n.* la fin
enemy l'ennemi (*m.*)
English anglais
enjoy goûter, apprécier
enormous énorme
enough assez
  to have enough of en avoir assez de
enter entrer (dans)
enterprise l'entreprise (*f.*)
enthusiastically avec enthousiasme
epidemic l'épidémie (*f.*)
erect élever
escape (from) échapper (à)
especially particulièrement
establish établir
eternal éternel (*f.* -elle)
European européen (*f.* -enne)
eve la veille
even même
evening le soir
every chaque
everything tout
evoke évoquer
exam, final l'examen (*m.*)
example l'exemple (*m.*)
excellent excellent
exception l'exception (*f.*)
exchange échanger
excuse excuser
execute exécuter
exotic exotique
expense, at no expense gratuitement
expensive cher (*f.* chère)
experience l'expérience (*f.*)
explore explorer
express exprimer
expression, the expression (on his face) la tête (qu'il fera)
extraordinary extraordinaire
extravagant, to be extravagant faire des folies

F

face le visage
  in the face en face
face to face nez à nez
facet la facette
fact le fait
fail manquer
faithful fidèle
fame la notoriété
family la famille; *adj.* familial
fanaticism le fanatisme
far loin
farmer le fermier

fast vite
to be fast avancer
father le père
favorable favorable
favorite favori (*f.* -ite)
fear la crainte
feel sentir
fertility la fertilité
few, a few quelques
fiery colérique
fifteen quinze
fight se battre
figure la ligne
film le film
finally enfin
financial financier (*f.* -ière)
find trouver
fine beau
finest le plus beau
finish finir
first premier (*f.* -ière); *adv.* d'abord
the very first les tout premiers
five cinq
flee fuir
fleshy bien en chair
flirtingly, to look flirtingly faire les yeux doux
flow découler
fly voler
fly off the handle être soupe au lait
fold plier
follow suivre
fond, to be fond of aimer, tenir à
food la nourriture
foot le pied
football le football
for *prep.* pour, pendant, depuis, comme; *conj.* car
force (to) contraindre (à)
forcefully avec force
foreign étranger (*f.* -ère)
forest la forêt
forever pour toujours
forget oublier
form la forme; *v.* former
formerly autrefois
fortieth quarantième
forty-second quarante-deuxième
four quatre
frankly franchement
free (from) arracher (à)
freedom la liberté
French français
French fries pommes de terre frites, pommes frites, frites
Frenchman le Français
frequently souvent
friend l'ami (*m.*), l'amie (*f.*)
friendship l'amitié (*f.*)
front, in front of devant
frontier la frontière
frown faire grise mine
fruit le fruit
full empli
funny drôle; (when a noun follows) drôle de
furious furieux (*f.* -euse)

G

gambling le jeu
garage man le garagiste
gate la porte
General Travel Administration la Direction générale du Tourisme
generation la génération
Geneva Genève
Genevese les Genevois (*m. pl.*)
genius le génie
gentleness la douceur
geographic géographique
get obtenir, recevoir
get back see remettre
get into entrer dans, monter dans
on getting out of bed au saut du lit
giant énorme
girl (when preceded by an adj.) fille, (otherwise), jeune fille
give donner
glad heureux (*f.* -euse); content
glance le regard; *v.* jeter un coup d'œil
glance through feuilleter
glimpse, catch a glimpse of entrevoir
gloomy sombre

go aller, partir, disparaître
  go back se remettre
  go down descendre
  go out sortir
  go out of one's way se déranger
  go all right tourner rond
goalkeeper le gardien de but
God Dieu (*m.*)
good bon (*f.* bonne)
  to be good enough to faire le plaisir de
Gothic gothique
grade (scholastic) la note
grandeur la grandeur
grape le raisin
  grapes du raisin
gray gris
Greek grec (*f.* grecque)
green vert
grips, at grips with en lutte contre
group le groupe
grow grandir
  grow up grandir
guest of honor, to be être de la fête

H

hair les cheveux (*m. pl.*)
half demi; *n.* la moitié
hand la main
  on the other hand par contre
hang pendre
  hanging from pendu à
happen arriver
hard dur, difficile
harden durcir
harmonious harmonieux (*f.* -euse)
harmony l'harmonie (*f.*)
haste la hâte
hastily à la hâte
hatbox le carton à chapeaux
haughty *hautain
have avoir
  have to être obligé de
he il, lui
head la tête
hear entendre
  to hear from (me, him, etc.) avoir de mes (ses) nouvelles
heartily de tout son cœur
heavily lourdement
heavy lourd
help aider, **(prevent)** empêcher; *n.* le secours
here ici
  here is (here are) voici
heresy l'hérésie (*f.*)
hers le sien, à elle
hesitate hésiter
hide cacher
hilly accidenté
him le, lui
his son, sa, ses
home le foyer
  in his home chez lui
homework le devoir
hope espérer
hostess l'hôtesse (*f.*)
  airline hostess hôtesse de l'air
hot, to be hot faire chaud
hot-headed soupe-au-lait
hour l'heure (*f.*)
house la maison
how comment
  how about (with verb) si vous . . . (verb in imperf.)
humble humble
hungry, to be hungry avoir faim
hunted traqué
hurrah! bravo!
hurry se dépêcher, se presser
  in a hurry à la hâte

I

I je
idea l'idée (*f.*)
if si
ill mauvais
imagination l'imagination (*f.*)
imagine imaginer
immediately immédiatement
impassive impassible
impossible impossible

in dans, en
incentive les encouragements (*m. pl.*)
inclined, to be inclined to être disposé à
index l'index (*m.*)
indignation l'indignation (*f.*)
inevitably fatalement
infallible impeccable
inflexible inflexible
inform renseigner
initiate initier
initiation l'initiation (*f.*)
injustice l'injustice (*f.*)
innocence l'innocence (*f.*)
inside, go inside entrer
instead (of) au lieu (de)
intelligently intelligemment
intend avoir l'intention de
interest intéresser
  get interested (in) s'intéresser (à)
interesting intéressant
interrupt interrompre
intolerance l'intolérance (*f.*)
introduce présenter
invitation l'invitation (*f.*)
invite inviter
iron repasser
is est
isn't she n'est-ce pas
it il, ce
Italy l'Italie (*f.*)
it's (it is) c'est, il est

J

jealous jaloux (*f.* -ouse)
join battle entrer en lutte
joke la plaisanterie
joker, practical joker le mauvais plaisant
journalism le journalisme
journalistic journalistique
joy la joie
joyously joyeusement
judge le juge
juggle jongler
juice le jus
June juin (*m.*)

K

kill tuer
kind l'espèce (*f.*)
king le roi
kneeling agenouillé
know savoir, connaître
knowing complice

L

labyrinth le labyrinthe
lace le lacet
land le pays
landing l'atterrissage (*m.*)
landscape le paysage
language la langue
large grand
last dernier (*f.* -ère)
late en retard
later plus tard
laugh (at) rire (de)
law la loi
  the men of the law les gens de loi
lead amener, mener
leaden plombé
leaf through feuilleter
learn apprendre
leave laisser, (depart) partir, quitter
  to leave it at that en rester là
lecture la conférence
left, to have (a few days, months) left il (me, vous, lui, nous, etc.) reste
leg la jambe
legend la légende
lend prêter
less moins
let permettre
letter la lettre
library la bibliothèque
life la vie
  come to life ressusciter
light léger
light blue bleu ciel
like aimer; *prep.* comme
  to like (something) quelque chose me plaît
limb la branche

limit le bout
limited limité
line la ligne
  dividing line la ligne de partage
listen (to) écouter
literary littéraire
lithograph la lithographie
little peu
live demeurer, vivre
lively animé
living room le salon
lizard le lézard
Loire la Loire
long long (*f.* longue)
  a long time longtemps
longer plus long
  no longer ne . . . plus
look avoir l'air
  look for chercher
  look at regarder
loop la boucle
lose perdre
love l'amour (*m.*); *v.* aimer
luck, good luck on the road bonne route
luckily heureusement
lucky, to be lucky avoir de la chance
lunch le déjeuner; *v.* déjeuner

M

magazine la revue
magnet l'aimant (*m.*)
majority la majorité
make faire
  make eyes at faire les yeux doux à
  make up (one's) mind prendre la décision
  make unbearable empoisonner
  make one's way se diriger
  French make de fabrication française
man l'homme (*m.*)
maniac l'obsédé (*m.*)
manner la manière
  in the manner of à la manière de
many beaucoup
Marquis le marquis
marry épouser
marvelous merveilleux (*f.* -euse)
Mary's (Suzanne's, etc.) ceux (celles) de Mary
mass la masse
mathematics les mathématiques (*f. pl.*)
me moi
meal le repas
mean vouloir dire
Mediterranean la Méditerranée
medium (moderately rare) à point
meet rencontrer
melancholy la mélancolie
memory le souvenir
mention mentionner
Middle Ages le Moyen Age
middle class man le bourgeois
midst, in the midst of au milieu de
mild doux
military militaire
million le million
millionaire le millionnaire
mind l'esprit (*m.*)
mine le mien, à moi
minute la minute
  at any minute d'une minute à l'autre
miss mademoiselle
mistaken, to be se tromper
Mr. Monsieur
modest modeste
moment le moment
money l'argent (*m.*)
month le mois
monument le monument
mood, in a mood to en humeur de
  in a bad mood de très mauvaise humeur
morale le moral
moralist le moraliste
more plus, de plus
  the more, the merrier plus on est de fous, plus on rit
  more and more de plus en plus
morning le matin
most la plupart, le plus
mother la mère
mount *n.* le mont, la montagne

move away éloigner
movie le film
much beaucoup
  so much tant
murderer l'assassin (*m.*)
museum le musée
mushroom le champignon
muss déranger
must falloir, devoir
my mon, ma
mysteries of the sexual life les mystères (*m. pl.*) de l'alcôve

N

name le nom
  what is your name? comment vous appelez-vous?
  my name is je m'appelle
  named nommé
naturally naturellement
nature le naturel, la nature
necessary, it is il faut, il est nécessaire
need le besoin; *v.* avoir besoin (de)
neighbor le voisin, la voisine
never ne . . . jamais
new nouveau
news les nouvelles (*f. pl.*)
news story le reportage
newsstand le kiosque à journaux
next prochain
  next day le lendemain
night la nuit
  the night before la veille
nine neuf
no non; *adj.* pas de, aucun
no one ne . . . personne
noise le bruit
noisily à grand bruit
nonchalantly nonchalamment
noon midi (*m.*)
not ne . . . pas
  not at all pas du tout
nothing ne . . . rien
notice remarquer
November novembre (*m.*)
now maintenant
numerous nombreux (*f.* -euse)

O

oak le chêne
obligated, to be obligated to devoir
oblige obliger
observation l'observation (*f.*)
obtain obtenir
occasion l'occasion (*f.*)
occasionally de temps en temps
odd bizarre, curieux
often souvent
on à, sur
once une fois
  once again une fois de plus
one un
only ne . . . que; (*adj.*) unique
open ouvrir
opinion l'opinion (*f.*)
oppose opposer
or ou
orange l'orange (*f.*)
orchestra l'orchestre (*m.*)
order commander
order, in order to pour
organize organiser
other autre
  other(wise) autrement
our notre
outburst l'explosion (*f.*)
  angry outburst explosion de mauvaise humeur
outdo oneself faire des merveilles
outline le dessin
overwhelm écraser
owe devoir

P

paint peindre
painter le peintre
painting le tableau
pamphlet la brochure, la pamphlet
parent la parent
parliament le parlement
part le quartier
pass passer
  to only pass ne faire que passer
passenger le passager

past le passé
patience la patience
patient patient
patiently patiemment
pear la poire
peasant le paysan
pen le stylo
pencil le crayon
pension la pension
people le peuple, les gens (*m. pl.*), les personnes (*f. pl.*)
performance la représentation
perhaps peut-être
period la période
permit permettre
persistence la persistance
personality la personnalité
personnel manager le chef du personnel
philosopher le philosophe
philosophy la philosophie
pie la tarte
piece le morceau, la tranche
pile la pile
pilot le pilote
pitilessly impitoyablement
pity le dommage
  it's a pity c'est dommage
place mettre; *n.* l'endroit (*m.*)
plague la peste
plan compter, avoir le projet, projeter; *n.* dessein
plane l'avion
planned conçu
plant planter
play la pièce (de théâtre), le jeu; *v.* jouer
playwright le dramaturge
please s'il vous plaît; *v.* plaire
poet le poète
point le point
political politique
poor pauvre
possible possible
poster l'affiche (*f.*)
potatoes les pommes (*f.*) de terre, les pommes
potter le potier
poverty la pauvreté
prayer la prière
precede précéder
prefer préférer
preparation la préparation
present le cadeau
prettier plus joli
pretty joli
prevent empêcher
price le prix
princess la princesse
prison la prison
problem le problème
profession la profession
professor le professeur
program le programme
progress progresser
promise promettre
protecting protecteur (*f.* -trice)
Protestant le Protestant
Provence la Provence
provide fournir
provided that à condition de (with inf.)
province la province
public le public; *adj.* public (*f.* -ique)
publish publier
pursue pourchasser
push pousser
put mettre

Q

quarrel quereller
quarter le quart, le quartier
question la question
quickly rapidement
quiet tranquille
  to keep quiet se taire
quite très, tout

R

rabbit le lapin
radio la radio
rain la pluie; *v.* pleuvoir
raincoat l'imperméable (*m.*)
raise lever, remonter
rare saignant, rare

rarely rarement
ravage ravager
ray of sunshine le rayon de soleil
reach, to reach the point where one has arriver à avoir
read lire
realize se rendre compte
rear élever
reason la raison
recapture retrouver
receive recevoir
recently récemment
recognize reconnaître
recommend recommander
record le disque
red rouge
reflect refléter
reform se refaire
refreshment le rafraîchissement
refuge, to take refuge se refugier
region la région
register s'inscrire
regular ordinaire
rehabilitate réhabiliter
relation le rapport
relaxed détendu
religious religieux (*f.* -euse)
remarkable remarquable
remind rappeler
removed, far éloigné
repeat répéter
reproduce reproduire
reputation la réputation
reserve retenir, réserver
resolution la résolution
resolve résoudre (*pass. simp.* résolus)
resort to prendre
resource la ressource
respect le respect
respectfully avec respect
responsibility la responsabilité
responsible responsable
restaurant le restaurant
  the restaurant I dream about le restaurant de mes rêves
result le résultat
résumé le résumé
retire retirer
return revenir
reveal révéler
review réviser
revise réviser
revolutionary révolutionnaire
Rhône le Rhône
rhythm le rythme
rich riche
  excessively rich richissime
richness la richesse
rid, get rid (of) se débarrasser (de)
right, to be right avoir raison
right there, to be y être
right (*agreed*) d'accord
ring sonner
river le fleuve
roast beef le rosbif
role le rôle
roll rouler
Roman romain
Romanesque roman
room la chambre
rough rude
ruin la ruine
rumor la rumeur
run courir
  someone running upstairs une course dans l'escalier
rush (for) se précipiter (sur)

S

salad la salade
sandwich le sandwich
satisfactory satisfaisant
satisfied with highfaluting language, to be se payer de grands mots
Savoyards les Savoyards (*m. pl.*)
say dire
scarcely ne . . . guère
scene la scène
scholarship la bourse
school l'école (*f.*)
scooter le scooter
sculpture la sculpture
sea la mer
seadog le loup de mer

search chercher
  to be in search of être à la recherche de
season la saison
seat (in a theater) la place
second deuxième
secondary secondaire
secret secret (*f.* -ète)
secure procurer
see voir
  see again revoir
seem avoir l'air, sembler
Seine la Seine
select choisir
selection la sélection
send envoyer
  send back renvoyer
sentimental sentimental
September septembre (*m.*)
serf le serf
series la série
serious sérieux (*f.* -euse)
servant le domestique, la servante
service le service
set up fonder
settle installer
  settle down s'installer
settlement le dédommagement
seventeenth dix-septième
several plusieurs
severe sévère
shave raser
she elle
shine briller
shirt le chemisier
  man's shirt la chemise
shoe la chaussure, le soulier
shop le magasin; *v.* faire des achats
shop window la vitrine
shopping party la partie des achats
shoulder l'épaule (*f.*)
show montrer
shun fuir
side le côté
  side by side côte à côte
sigh soupirer
silhouette la silhouette
simple-minded simple d'esprit
simplicity la simplicité
since puisque, (*of time*) depuis
sing chanter
single seul
sit s'installer
situation la situation
six six
skirt la jupe
sky le ciel
slave l'esclave (*m.* or *f.*)
sleep le sommeil
  to go to sleep s'endormir
sleeve la manche
slow lent
  to be slow retarder
smiling souriant
snow la neige
so si
  so much tant
society la société
some du, de la, des; (*accentuated*) quelque
someone quelqu'un (*m. pl.* quelques-uns, *f. pl.* quelques-unes)
son le fils
song la chanson
soon bientôt
  as soon as aussitôt que
sorry désolé
soup la soupe
south le sud
  the South of France le Midi
southern méridional
  in the southern manner à la méridionale
speak parler
  speak to s'adresser à
special spécial
specially surtout
spend (of time) passer
spirit l'esprit (*m.*)
spite, in spite of malgré
spoil gâcher
sponger le pique-assiette
spread circuler
spring le printemps

stacks les rayons (*m. pl.*)
staff le personnel
stage la scène
stairway l'escalier (*m.*)
stand supporter
stare at fixer
start commencer
 start the motor mettre le moteur en marche
station la gare
steak le steak, le bifteck
step le pas
 step by step pas à pas
still quand même
sting piquer
stomach l'estomac (*m.*)
stone la pierre
stop cesser, s'arrêter, (*get off*) descendre
store le magasin
stormy tempétueux
story le roman, l'histoire (*f.*)
strange curieux (*f.* -ieuse)
street la rue
strident strident
strike frapper
striking saisissant
strive s'efforcer
stronghold la place forte
struggle la lutte
student l'étudiant (*m.*), l'étudiante (*f.*)
 first (third) year student étudiant de première (troisième) année
study étudier; *n.* l'étude (*f.*)
stupid stupide
stylish coquet
subject le sujet
 short subject le court-métrage
subsidize subventionner
subway le métro
succeed réussir
such a un tel (*f.* une telle)
suddenly soudain
suffering la souffrance
sufficient, to be suffire
suggest suggérer
suicide le suicide
suitcase la valise
sum la somme
summer l'été (*m.*)
sun le soleil
superhighway l'autostrade (*f.*), l'autoroute (*f.*)
supper le souper
suppose . . . si (followed by imperf.)
supposed to (was) use conditional anterior of verb following
sure sûr
surprise la surprise
 surprised étonné
swear jurer
swim nager
Swiss Suisses (*m. pl.*)
sympathetically avec sympathie

T

table la table
take prendre
 take a walk faire une promenade
 take up again reprendre
 take seriously prendre au sérieux
 take (an exam) passer
 take form se dessiner
teacher le professeur
team l'équipe (*f.*)
tease taquiner
teasing les taquineries (*f. pl.*)
tell dire
 tell of raconter, parler de (*never* dire de)
tempt tenter
ten dix
tendency la tendance
tenderness la tendresse
terribly terriblement
terrorize terroriser
text le texte
thanks to grâce à
that cela, ce; *conj.* que
the le, la, l', les
theater le théâtre
theatrical théâtral
theirs le leur, la leur, les leurs
them les
theme le thème

themselves eux-mêmes, elles-mêmes
then alors; (**at that time**) à ce moment-là
there là
  there is (there are) voilà
  there is (there are) il y a
thing la chose
think penser
third troisième
thirty trente
this *adj.* ce, cet, cette, ces; *pron.* ceci
thoroughly à fond
thought la pensée
thousand mille
threat la menace
threaten menacer
three trois
through à travers, par
throw jeter
thus ainsi
ticket le billet
tick-tock le tictac
tie la cravate; *v.* nouer
time l'heure (*f.*), le temps, (*in a succession*) la fois
  at one and the same time à la fois
  from time to time de temps en temps
  on time à l'heure
to à, pour
today aujourd'hui
together ensemble
tomato la tomate
tomorrow demain
tonight ce soir
too (also) aussi
  too much trop
touch émouvoir, toucher (à)
tour, on tour en tournée
Touraine la Touraine
toward vers
town la ville
trade le négoce
traditional traditionnel
train le train
transform transformer
trap le piège
  tourist trap le piège à touristes
travel voyager; *adj.* touristique
traveler le voyageur
trial le procès
trip le voyage
triumphantly triomphalement
true vrai
trunk la malle
truth la vérité
try essayer
  try hard faire un gros effort
tuberculosis la tuberculose
turn tourner
  turn over tourner et retourner
two deux
tyranny la tyrannie

U

unanimous unanime
unbearable, make unbearable empoisonner
unbelievable incroyable
under sous
understand comprendre
undertake entreprendre
uneasy inquiet (*f.* -iète)
unfold déplier
unfortunate malheureux (*f.* -euse)
united réuni
United Nations les Nations Unies
university l'université (*f.*); *adj.* universitaire
unless à moins que . . . (ne)
unmake défaire
unsuited pas propre
untie dénouer
until jusqu'à
unusual particulier (*f.* -ière)
unveil dévoiler
up to jusqu'à
upstairs en haut
  someone running upstairs une course dans l'escalier
us nous
usually d'habitude

V

vacation les vacances (*f. pl.*)

vain, to try in vain avoir beau essayer
valise la valise
variety la variété
vast vaste
very très
  very much beaucoup (*never* très beaucoup)
vestige le vestige
victim la victime
view la vue, la perspective
village le village

W

wait (for) attendre
wait on servir
walk marcher; *n.* promenade
wander vagabonder
want vouloir
  want to tenir à
war la guerre
warm chaud
wash laver
washing le blanchissage
watch la montre
watch out faites attention
watch over veiller
water arroser
wave la vague, le flot
way la façon; (*pl.* les mœurs, *f.*)
we nous
wear porter
weather le temps
  the weather is . . . il fait . . .
week la semaine
weekend le week-end
weigh peser
welcome l'accueil (*m.*)
well bien
well done (*of meat*) bien cuit
well known célèbre
west ouest
what? que? qu'est-ce que? comment? *adj.* quel (*f.* quelle)
  what is your name? comment vous appelez-vous?
  what a quel
whatever quel . . . que
wheel (steering wheel) le volant
when quand
where? où?
whereas tandis que
which qui, que
  of which dont
while pendant que
  for quite a while depuis un bon moment
whisper chuchoter
whistle siffler
whole tout, entier (*f.* -ière)
whom? qui?
why? pourquoi?
wide large
wife la femme
will la volonté
willing, to be accepter
win gagner
wind le vent
window la fenêtre
windy, to be windy faire du vent
wing l'aile (*f.*)
winter l'hiver (*m.*)
wish vouloir, souhaiter
with avec
without sans
woman la femme
wonder se demander
work travailler; *n.* (*action*) le travail; (*product*) l'œuvre (*f.*), l'ouvrage (*m.*)
  everything has worked out tout s'est arrangé
world le monde; *adj.* mondial
  all over the world dans tous les coins du monde
worry s'inquiéter
worst le pire
wound la blessure
wrapper, candy wrapper le papier qui entoure un bonbon
wrinkle froncer
write écrire
writer l'écrivain (*m.*)
wrong, to be wrong avoir tort

Y

year l'an (*m.*), l'année (*f*)
yes oui
yesterday hier
you vous, tu
young jeune
your votre, ton

Z

zealous zélé

INDEX*

* Verb forms are not indexed; auxiliaries, regular verbs, and irregular verbs are given in Appendix I.

BRE
CAFÉ · BAR ·